DÉFIS SOCIAUX et TRANSFORMATION des SOCIÉTÉS

OUVRAGES PARUS DANS CETTE COLLECTION:

- *Démarche d'intégration des acquis en sciences humaines,* Line Cliche, Jean Lamarche, Irène Lizotte et Ginette Tremblay, 1997.
- *Les âges de la vie — Psychologie du développement humain,* Helen Bee, adaptation française de François Gosselin, 1997.
- *Guide de communication interculturelle,* 2e édition, Christian Barrette, Édithe Gaudet et Denyse Lemay, 1996.
- *Méthodes quantitatives — Applications à la recherche en sciences humaines,* Luc Amyotte, 1996.

DÉFIS SOCIAUX ET TRANSFORMATION DES SOCIÉTÉS

Raymonde G. Savard

Consultant :
JACQUES FOURNIER
Professeur de sociologie
Collège de Sherbrooke

5757, RUE CYPIHOT, SAINT-LAURENT (QUÉBEC) H4S 1R3
TÉLÉPHONE: (514) 334-2690 TÉLÉCOPIEUR: (514) 334-4720
ADRESSE ÉLECTRONIQUE: erpicu@odyssee.net

Révision linguistique
et correction des épreuves :
Jean Roy

Conception graphique
et édition électronique :
Interscript

Conception et réalisation
graphique de la couverture :
ERPI

Couverture :
Paul-Émile Borduas (1905-1960), *Sous le vent de l'île* (1947).
Huile sur toile, 114,7 cm sur 147,7 cm.
Musée des beaux-arts du Canada, Ottawa.
Reproduit avec l'autorisation gracieuse de Mme Gabrielle Borduas.

Dépôt légal : 1er trimestre 1997
Bibliothèque nationale du Québec
Bibliothèque nationale du Canada
Imprimé au Canada

ISBN 2-7613-0956-1

1234567890 IG 987
20016 ABCD OF10

PRÉFACE

Ce que je trouve souvent le plus difficile dans l'enseignement de la sociologie au cégep – et je suis persuadé que je ne suis pas le seul dans ce cas – c'est de trouver des ouvrages qui soient à la fois pertinents pour mes cours et compréhensibles pour des jeunes qui commencent à peine à se familiariser avec la discipline.

À mon sens, le livre de Raymonde G. Savard comble d'une manière remarquable cette lacune dans le cas du cours *Défis sociaux et transformation des sociétés*.

Il s'agit d'un manuel conçu et écrit par une pédagogue qui possède plusieurs années d'expérience dans l'enseignement collégial. L'auteure sait comment éveiller la curiosité et susciter l'intérêt des étudiants. Elle sait aussi comment effectuer le découpage de la matière, choisir les exemples et présenter les principaux concepts de manière à faciliter leur compréhension.

C'est un livre qui a le grand mérite de présenter dans des termes accessibles les concepts que les sociologues ont développés pour étudier la société dans son ensemble et ses transformations. Par son choix de problématiques, l'auteure se révèle une sociologue expérimentée. Elle a retenu les relations interpersonnelles et le monde du travail, deux éléments primordiaux pour la compréhension de la société actuelle et de sa structure, et auxquels se rattachent des défis importants. Dans la dernière partie de son ouvrage, elle scrute les défis permanents que soulèvent l'éducation, la culture et l'État, ces instruments collectifs des transformations sociales.

Qu'on me permette ici de remercier et de féliciter Raymonde G. Savard pour sa contribution à l'enseignement de la sociologie. J'espère que ce livre suscitera des échanges fructueux.

Jacques Fournier
Professeur de sociologie
Collège de Sherbrooke

AVANT-PROPOS

Les sociétés, tout comme les individus, sont des êtres vivants. Comme eux, elles sont en continuel devenir. Les transformations sociales se réalisent parfois brusquement, parfois lentement ; tantôt, elles émanent des sociétés elles-mêmes, tantôt elles sont provoquées par des forces extérieures. Mais toujours, même durant les périodes de grande stabilité, alors que rien ne bouge en surface, des mutations se préparent. Les individus et les groupes qui forment la société font face à des défis. Qu'ils cherchent à résoudre des problèmes graves ou simplement à améliorer leur sort, ils sont constamment appelés à prendre des décisions et à faire des choix. Ceux-ci orientent le cours de leur existence, mais également l'évolution de la société tout entière.

L'étude des phénomènes sociaux en fonction des forces historiques qui les produisent s'appelle la *sociologie diachronique*. On la distingue de la *sociologie synchronique*, qui tente d'expliquer les phénomènes sociaux à partir du fonctionnement d'une société à un moment donné. On peut comparer la représentation diachronique à un film montrant le mouvement des événements et la représentation synchronique, à une photographie prise à un moment donné : alors que la première considère la société dans le fil de son histoire, la seconde l'aborde comme un tout intégré d'institutions remplissant des fonctions spécifiques.

Il est clair que la réflexion sur les transformations et les défis sociaux relève de l'approche diachronique. Les défis qu'une société se donne dépendent en effet de la conscience historique qu'elle a de ses problèmes. Les hommes et les femmes font l'histoire, mais dans des conditions qui ne dépendent pas d'eux et qui leur demandent de faire preuve d'imagination. C'est donc à partager cette imagination sociale que vous convie l'ouvrage *Défis sociaux et transformation des sociétés*. Quels sont les principaux problèmes de nos sociétés ? En quoi ces problèmes représentent-ils des défis à relever ? Sur quelles forces pouvons-nous compter pour les relever ? Voilà autant de questions que nous serons constamment amenés à soulever dans les trois parties de ce manuel.

COMPOSITION DE L'OUVRAGE

La *première partie*, formée de trois chapitres, clarifie l'idée de transformation sociale et présente les principales théories sociologiques élaborées pour rendre compte des phénomènes sociaux créés par l'émergence des sociétés industrielle et postindustrielle. On y trouve donc une présentation des principales positions théoriques des grands sociologues concernant la transformation des sociétés.

La *seconde partie*, formée de deux longs chapitres, constitue le cœur de l'ouvrage. Nous nous y penchons plus spécifiquement sur la transformation de la société québécoise survenue depuis la fin de la Seconde Guerre mondiale en nous consacrant à l'étude de deux phénomènes sociaux : l'évolution des relations interpersonnelles et celle du monde du travail. Nous y présentons d'abord la transformation des rôles sociaux masculins et féminins et des rapports de générations, pour ensuite exposer les différents facteurs qui expliquent cette transformation et les valeurs qu'elle véhicule. L'examen de l'évolution du monde du travail nous permet ensuite de mieux faire ressortir les caractéristiques de la société postindustrielle et ses conséquences sur l'organisation du travail. De façon générale, cette partie illustre bien comment on peut circonscrire des transformations sociales au moyen de données statistiques et les analyser en fonction d'un système conceptuel qui rend justice à la contribution des individus et des groupes sociaux.

La *troisième partie* englobe trois chapitres qui traitent de différents outils de changement de société, soit l'éducation, la culture et l'État. Nous sommes ainsi amenés à approfondir les questions soulevées dans la seconde partie, d'une part en présentant l'évolution du système scolaire, de la culture et de l'État au Québec, d'autre part en examinant le rôle spécifique que ces trois outils jouent dans l'évolution globale de la société. Finalement, nous nous interrogeons sur la façon dont ces leviers devront être utilisés pour répondre aux nouveaux défis qui se présentent à la société québécoise.

APPAREIL PÉDAGOGIQUE

L'appareil pédagogique comprend des rubriques de révision et de notions importantes, des encadrés et des tableaux, en plus des éléments visuels habituels (figures, photos, bandes dessinées) destinés à agrémenter l'ouvrage et à faciliter l'intégration de son contenu. Les rubriques de révision sont essentiellement des questions ou des tâches placées dans la marge, généralement à la fin d'une section. On trouve aussi dans la marge de brèves définitions de notions jugées importantes, en gras dans le texte, qui ne font pas partie au sens strict de la terminologie sociologique. Les termes proprement sociologiques sont composés en petites capitales et définis dans un glossaire placé à la fin de l'ouvrage. Dans les encadrés, on trouve deux types de textes : des extraits de documents illustrant des sujets abordés dans le texte et des développements plus spécifiques.

Remerciements

Ce manuel est le fruit de plusieurs années de collaboration avec de nombreuses classes d'étudiants de niveau collégial. Il est aussi le résultat d'échanges stimulants avec nos collègues du département de sciences sociales du Collège Ahuntsic. Nous tenons à remercier plus particulièrement M. Ronald Gareau, Mme Édith Gaudet, M. Pierre Paquette et M. Jocelyn Routhier pour leur collaboration dans l'élaboration d'une pédagogie de la sociologie. Nous remercions également M. Jacques Fournier, qui a bien voulu lire le manuscrit de l'ouvrage et nous faire profiter de sa longue expérience d'enseignement. Finalement, nos remerciements vont à M. Jean-Pierre Albert, de la maison d'édition ERPI, qui a été l'initiateur de ce projet et qui en a suivi toutes les étapes avec intérêt, sans ménager ses encouragements. Chez lui et chez tous ses collaborateurs de l'équipe éditoriale de cette maison, nous avons rencontré un souci professionnel et un respect constant, et nous leur en sommes reconnaissante.

Raymonde G. Savard

TABLE DES MATIÈRES

PREMIÈRE PARTIE

Les principales théories sociologiques dans la perspective de la transformation des sociétés

CHAPITRE 1

Vers l'étude du changement social

CHAPITRE 2

Le regard de la sociologie

CHAPITRE 3

Les transformations récentes des sociétés occidentales

La sociologie est née en Europe au XIXe siècle dans le contexte des bouleversements sociaux entraînés par l'industrialisation. Depuis lors, son évolution est demeurée intimement liée aux mutations sociales qu'elle cherche à expliquer. Cette évolution sera manifeste dans cette première partie, alors que nous montrerons comment les principaux outils théoriques utilisés en sociologie permettent de rendre compte des changements sociaux observés au XIXe et au XXe siècle.

Nous commencerons d'abord par clarifier, dans le premier chapitre, l'idée même de transformation sociale en établissant une analogie entre les choix d'une personne et les choix d'une société. À l'aide de l'exemple du décrochage scolaire, nous ferons ressortir la spécificité des problèmes sociaux et nous indiquerons les mécanismes par lesquels une société relève les défis qui se présentent à elle. Le chapitre se terminera par une brève typologie des transformations sociales.

Dans le deuxième chapitre, nous présenterons les premières théories sociologiques élaborées pour expliquer l'industrialisation et ses conséquences sur la vie des individus et des sociétés : l'urbanisation, le développement de la classe ouvrière et la naissance du mouvement ouvrier. Nous exposerons ensuite les principales méthodes de cueillette utilisées par le sociologue pour obtenir des données objectives sur les changements sociaux.

Enfin, dans le troisième chapitre, nous examinerons les théories mises au point pour analyser les transformations survenues dans les sociétés occidentales depuis la fin de la Seconde Guerre mondiale. Nous nous attarderons à élucider la notion de société postindustrielle, pour ensuite montrer comment les mouvements sociaux se rapportent aux transformations sociales et comment les événements de la vie quotidienne peuvent faire l'objet d'une étude sociologique.

CHAPITRE 1

Vers l'étude du changement social

CHAPITRE

1

1 Défi personnel et défi social

- Un défi personnel
- Les conséquences des choix personnels
- Les défis sociaux

2 La notion de problème social

- Le décrochage scolaire : un problème social
- Que faire face à un problème social ?

3 La prise de conscience collective

- Les agents de la prise de conscience collective

4 L'agir collectif

- Les ressources
- Les niveaux d'intervention

5 Le changement social

- Les transformations globales
- Les transformations subites
- Les transformations graduelles

Résumé

Pour continuer la réflexion

« EN VOULANT, ON SE TROMPE PARFOIS,
EN NE VOULANT PAS, ON SE TROMPE TOUJOURS. »
(Romain Rolland)

Au cours de ce chapitre, nous allons essayer de comprendre ce que l'on entend par défis sociaux et de voir comment une société se transforme en relevant les défis qui se posent à elle. Chaque défi comporte des enjeux. Faut-il prendre telle ou telle voie ? Quels sont les avantages et les désavantages de chaque option ? Est-il préférable d'attendre ou vaut-il mieux prendre des initiatives ? Dans un cas comme dans l'autre, la société se transforme peu à peu et fait face à de nouveaux défis. Tout comme les individus, les sociétés sont en mutation constante.

Le présent chapitre vise à clarifier un certain nombre de questions relatives à la nature de ces défis et des transformations sociales. Que signifie « relever un défi » sur le plan individuel et sur le plan collectif ? Qu'entend-on par « problème social » ? Quelles sont les étapes essentielles à la résolution de problèmes sociaux ? Qu'est-ce qu'un « changement social » ? Pour répondre à ces questions, nous serons amenés à poser les premiers jalons de l'étude des transformations sociales.

1 Défi personnel et défi social

Un défi nous oblige à faire des choix et à prendre des décisions qui auront des conséquences sur l'ensemble de notre vie. Considérons le cas suivant.

Un défi personnel

Annie a terminé ses études secondaires et doit maintenant faire un choix concernant son avenir : s'inscrira-t-elle ou non au cégep ?

Elle a seize ans, onze ans de scolarité, son diplôme d'enseignement secondaire général en poche. Légalement, elle n'est plus tenue de fréquenter l'école. Personne n'a le droit de décider pour elle si elle doit poursuivre ses études ou aller sur le marché du travail.

Plusieurs de ses amies travaillent déjà, gagnent de l'argent, sont financièrement autonomes et libres de mener leur vie comme elles l'entendent. Annie se trouverait sans doute facilement un emploi comme vendeuse ou caissière dans un magasin, ou comme serveuse dans un bar ou un restaurant.

Elle gagnerait le salaire minimum, travaillerait peut-être 35 heures par semaine. Elle se dit que les employeurs sont toujours intéressés à embaucher des gens comme elle : une travailleuse jeune, disponible, mobile, capable de supporter le stress de longues journées de travail. Elle y gagnerait une plus grande autonomie financière et sans doute également un sentiment accru de sa valeur personnelle.

Les choix très concrets que doivent faire les individus dans le cours de leur vie s'apparentent aux choix d'une société.

Mais elle pourrait aussi décider de poursuivre ses études et de s'inscrire au cégep. Il lui faudrait alors faire de nouveaux choix, puisqu'il s'offrirait à elle un grand nombre de programmes différents. S'inscrirait-elle en sciences humaines, en sciences de la nature, en sciences administratives ou en arts et lettres ? Peut-être devrait-elle plutôt s'inscrire au secteur technique et choisir d'étudier en techniques juridiques ou en techniques de garderie ? De nombreuses possibilités s'offrent à elle. Il n'est pas facile de faire un choix.

Quel est l'enjeu de ce choix pour Annie ? Il s'agit pour elle d'acquérir un savoir qui lui permettra de prendre sa place dans la société. De façon générale, elle cherche à se réaliser, et un tel savoir peut l'aider à y parvenir.

Et quels sont les éléments qui vont entrer en ligne de compte dans sa réflexion ? Elle a des goûts personnels, des centres d'intérêt. Elle peut consulter ses amis, ses parents, quelques-uns de ses professeurs et l'orienteur, qui ont une idée de ses possibilités et de ses préférences. Elle a donc des critères de décision et connaît des personnes qui peuvent l'aider à y voir plus clair.

Arrivera-t-elle à lire l'avenir qui se dessine pour elle ? Beaucoup de choses l'intéressent. Elle se souvient des étés où elle travaillait comme monitrice dans des colonies de vacances. Elle était aussi bien amenée à enseigner la natation, l'équitation, les arts plastiques et la musique qu'à monter des pièces de théâtre avec les enfants. Du reste, elle aimait travailler avec les enfants, leur apprendre des choses, être appréciée d'eux. Ne devrait-elle pas être pédagogue ? psychologue ? artiste ? animatrice ?

Elle sait, comme bien d'autres, qu'elle doit prendre sa décision d'abord en fonction de ses goûts et de ses intérêts. Elle doit aussi évaluer sa capacité matérielle de mener à bien des études collégiales et se demander si elle est suffisamment motivée pour entreprendre un nouveau cycle d'études de deux à trois ans. Ce n'est qu'une fois ces éléments de décision réunis qu'elle pourra arrêter son choix. C'est de sa propre vie qu'il s'agit.

Supposons qu'elle décide de poursuivre ses études. Alors il se présentera un nouveau défi à elle : elle devra les réussir. Désormais, il lui faudra savoir organiser son temps, prendre des notes de cours, faire des lectures, rédiger des travaux, aller à la bibliothèque, ne pas hésiter à demander des explications quand elle ne comprend pas. Elle devra peut-être aussi laisser tomber certaines activités à cause de conflits d'horaire ou de manque de temps.

Encore une fois, Annie devra faire des choix, se décider, agir. Ses choix s'inscriront dans des projets de vie plus vastes. Ils supposeront la capacité de prévoir jusqu'à un certain point son propre avenir.

Les conséquences des choix personnels

Considérons maintenant l'autre aspect du problème : quelles sont les conséquences de ces choix sur la vie d'Annie ?

Supposons qu'elle ait décidé de poursuivre ses études et qu'elle soit maintenant étudiante au cégep. Elle doit donc s'adapter à un univers bien différent de celui du secondaire. Elle poursuit des études spécialisées dans un programme professionnel. Elle s'aperçoit qu'elle doit faire preuve de plus d'autonomie dans l'organisation de son temps : les horaires ne sont plus fixes, comme c'était le cas à l'école secondaire. Elle rencontre plus de professeurs au cours d'une semaine. Les cours sont aménagés différemment. Les ressources pédagogiques (bibliothèque, ordinateurs, filmothèque) mises à sa disposition sont beaucoup plus considérables. Elle s'est fait aussi de nouveaux amis et de nouveaux camarades d'études. Elle a l'occasion de voir des films, des pièces de théâtre et des concerts à l'auditorium du cégep.

Elle a dû changer de ville pour poursuivre ses études. Depuis peu, elle vit avec son ami Sylvain, qui termine son diplôme de graphisme au cégep. Pour le jeune couple, c'est le début de la cohabitation. Il leur faut décider qui fera la cuisine, les courses, le ménage. Il leur faut s'entendre sur leurs habitudes de vie, par exemple sur le type de musique qu'ils veulent écouter. Y a-t-il suffisamment d'amour et de complicité entre eux pour partager l'existence quotidienne ? Voilà encore un projet de vie, quelque chose de nouveau à essayer et à construire. Une fois les décisions prises, ils devront s'adapter aux changements qui en découlent.

Bref, la vie d'Annie s'est transformée. On devine qu'elle aussi, au bout d'un certain temps, aura beaucoup changé. Faire des choix, c'est avoir la chance de se renouveler. Les études terminées et réussies, elle devra prendre sa place sur le marché du travail. De nouveau, il lui faudra s'adapter à des situations nouvelles.

Cependant, dans la vie, les défis ne se présentent pas toujours aussi clairement. Il y a des périodes de latence, plus calmes en apparence, et des périodes de transition, où se multiplient les obstacles. En voici quelques exemples :

- le passage d'un niveau d'enseignement à un autre ;
- le passage des études au marché du travail ;
- la recherche d'un nouvel emploi ;
- l'apprentissage de la vie de couple ;
- la décision d'avoir ou ne pas avoir d'enfants ;
- la période suivant le départ des enfants ;
- le passage à la retraite ;
- la perte d'un être cher ;
- l'immigration dans un autre pays.

Mais, tout au cours de notre vie, nous relevons sans cesse de nouveaux défis. Même les gestes les plus routiniers et les plus anodins transforment graduellement notre quotidien. Ainsi en va-t-il de nos décisions de consommation. Au marché, nous sommes amenés à choisir des aliments. Dans les magasins et les boutiques, il nous faut décider quels journaux ou quels magazines nous voulons lire, quels disques nous allons écouter et quels vêtements nous porterons. Chacun de ces choix a un effet sur l'individu et sur la société tout entière. Ce sont ces milliers de petits gestes effectués quotidiennement par les hommes et les femmes d'un milieu qui transforment peu à peu l'environnement et la société dans laquelle nous vivons[1].

Dans la figure 1, nous présentons les composantes de la démarche active d'un individu qui accomplit des actes dans une situation donnée.

Figure 1 Un défi personnel

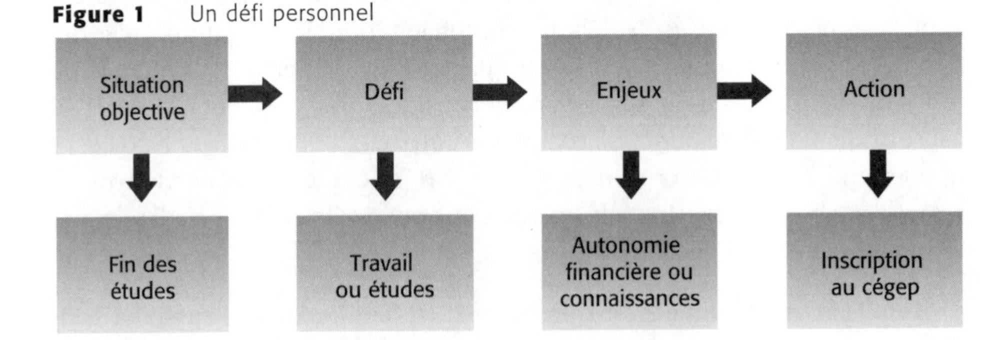

1. Le sociologue Wright Mills a bien montré, dans son ouvrage *L'imagination sociologique* (voir la bibliographie), les rapports qui existent entre les défis individuels et les défis sociaux.

LES DÉFIS SOCIAUX

La plupart des défis personnels que nous venons d'énumérer représentent aussi des DÉFIS SOCIAUX. Ainsi, le défi que représente pour Annie le choix de son avenir en constitue aussi un pour la société dans laquelle elle vit. Que faire de tous ces jeunes qui sortent du secondaire ? Où les diriger ? Comment les aider à préparer leur avenir ? Ce sont là des questions qui concernent tout le monde au sein d'une société.

Plus particulièrement, le problème de l'avenir des jeunes, c'est-à-dire la formation qu'il convient de leur donner pour qu'ils puissent prendre leur place et jouer un rôle dans la société, pose un défi permanent à toute société. Ce problème correspond au passage de l'enfance à la vie adulte. Dans la plupart des sociétés, il existe des rituels et des mécanismes juridiques qui règlent ce passage. Qu'en est-il dans notre société ?

Le phénomène du décrochage scolaire nous indique que ce passage pose un problème dans notre société. En fait, compte tenu des nombreuses possibilités de formation offertes aux étudiants et des ressources humaines et matérielles considérables mises à leur disposition, on peut se demander pourquoi il y a autant de décrochage scolaire. L'école ne réussit manifestement pas à intéresser tout le monde. Il apparaît ainsi que les liens entre l'école et le monde du travail ne sont pas suffisamment étroits. Même diplômés, les jeunes mettent du temps à dénicher un emploi stable. Ce constat nous amène à nous interroger sur le caractère social de ce problème.

LA NOTION DE PROBLÈME SOCIAL

Annie aurait pu, comme plusieurs de ses amies qui n'aimaient pas la discipline de l'école, abandonner ses études dès le secondaire IV pour aller sur le marché du travail. Celles-ci ne voyaient pas comment leurs études pouvaient répondre à leurs attentes, conformément à l'image qu'elles se faisaient de leur avenir. Pourquoi aller à l'école ? Lorsqu'on habite chez ses parents, le loyer ne coûte pas cher et le réfrigérateur est toujours plein. Avec l'argent gagné, on peut se payer des sorties, se procurer des vêtements et des disques sans demander la permission à personne. La belle vie, quoi !

Mais Annie s'est fait les réflexions suivantes. En laissant l'école, mes amies se sont vu offrir immédiatement un emploi comme vendeuses ou comme serveuses : trente-cinq heures par semaine au salaire minimum. Cela représentait bien sûr pour elles les revenus hebdomadaires les plus importants qu'elles aient jamais gagnés. Mais qu'arrivera-t-il si la boutique ou le bar où elles travaillent ferme ses portes ou qu'on procède à des coupures de personnel ? On rappellera quelques travailleurs à l'occasion, par exemple durant la période des fêtes, mais ce ne sera que du travail occasionnel. Elles devront donc gruger leurs économies. Elles pourront bien sûr bénéficier de l'assurance chômage, à certaines conditions. Mais après ?

ENCADRÉ 1

Le secondaire ne suffit plus

L'époque où il était possible de trouver un travail décent avec en poche uniquement un diplôme d'études secondaires semble de plus en plus révolue. Statistique Canada rapporte que le marché du travail pour les hommes de 25 à 29 ans n'ayant qu'un diplôme d'études secondaires s'est détérioré à un point tel qu'en 1993, leurs gains moyens n'étaient que d'environ les trois quarts de ce qu'ils étaient à la fin des années 70. Par rapport à 1979, Statistique Canada remarque une baisse de 27 % des gains annuels moyens des jeunes hommes de 25 à 29 ans n'ayant fait que des études secondaires[2].

Il est clair que le manque de ressources matérielles entraîne l'incapacité de subvenir à ses besoins et de réaliser ses projets personnels. Il affecte également l'image qu'on se fait de soi-même.

De plus, l'abandon des études entraîne un appauvrissement des réseaux d'appartenance. Peu à peu, les copains de l'école qui se sont inscrits au cégep ou qui ont obtenu un diplôme d'études secondaires du secteur professionnel s'intègrent au marché du travail dans leur secteur de spécialisation. De plus, leur compétence leur ouvre des portes qui restent fermées à ceux qui n'ont pas terminé leurs études. S'il est vrai que, pour ceux-ci, le présent n'est pas insupportable, il n'est pas certain en revanche que l'avenir leur offrira autant de possibilités qu'aux autres.

Au chapitre 5, nous étudierons plus en profondeur le problème de l'emploi dans notre société. Pour l'instant, examinons de plus près comment on peut aborder le problème du décrochage scolaire dans une perspective sociologique.

Le décrochage scolaire : un problème social

Ils sont nombreux les jeunes qui ont abandonné l'école et qui vivent dans la pauvreté. Le décrochage scolaire n'est pas le fruit d'une décision

2. *Le Devoir,* 19 septembre 1995.

soudaine et imprévisible, mais au contraire l'aboutissement d'un processus. À la suite d'échecs répétés, certains élèves prennent du retard par rapport aux autres. Peu à peu, ils perdent intérêt pour leurs études, jusqu'au jour où ils abandonnent carrément l'école.

Au ministère de l'Éducation, on évaluait que, pour l'année scolaire 1990-1991, la proportion des jeunes du primaire et du secondaire qui accusaient un retard scolaire était de 50,1 %. Chez les garçons, cette proportion s'élevait à 56,9 %, alors que chez les filles elle n'était que de 41,9 %[3]. Comme le décrochage est un processus assez long, les responsables ont pu intervenir avant qu'il ne soit trop tard. Mais, pour un certain nombre d'entre eux, ce retard aura été un préambule au décrochage. Une partie de ces décrocheurs, des individus particulièrement déterminés, obtiendront tout de même leur diplôme d'études secondaires grâce à la formation continue, qui remplira ainsi une de ses fonctions.

La précarité des revenus est caractéristique des nouvelles formes de pauvreté.

Le jeune qui abandonne ses études n'est donc pas un cas unique dans la société. Au contraire, il est représentatif d'une catégorie d'adolescents et d'adolescentes, souvent très talentueux, qui n'arrivent pas à trouver leur place à l'école. Dans les études qu'il a publiées sur les **inégalités sociales** et les **nouvelles formes de pauvreté**, Simon Langlois nous apprend que 30 % des jeunes âgés de 18 à 25 ans vivent dans une situation précaire, qu'ils soient au chômage, qu'ils occupent un emploi instable ou qu'ils aient de faibles revenus[4]. Le décrochage scolaire et la pauvreté des jeunes constituent un problème collectif dans la mesure où ils touchent un grand nombre d'individus. C'est ce que l'on appelle un problème social.

INÉGALITÉS SOCIALES
Répartition non uniforme des richesses et des services dans une population.

NOUVELLES FORMES DE PAUVRETÉ
Pauvreté qui affecte les femmes et les jeunes dans la société actuelle.

3. Bureau des statistiques du Québec, *Les hommes et les femmes – Statistiques sociales,* Québec, gouvernement du Québec, 1994, p. 113.

4. Simon Langlois, *La société québécoise en tendances,* Québec, Institut québécois de recherche sur la culture, 1990, p. 65 et 258.

ENCADRÉ 2

Qu'entend-on par « problème social » ?

On désigne par PROBLÈME SOCIAL un problème qui se rencontre chez un nombre important d'individus d'une société. L'alcoolisme, la violence, la pauvreté, le décrochage scolaire sont des problèmes assez répandus dans la société québécoise pour qu'on les considère comme des problèmes sociaux. Leur résolution peut relever des individus concernés, mais également de la société tout entière.

Il faut aussi noter que *c'est toujours dans la perspective des valeurs d'une époque qu'une réalité individuelle apparaît comme un problème social.* Pendant très longtemps, la pauvreté était vue comme une fatalité contre laquelle on ne pouvait pas grand-chose. Les questions environnementales n'ont été reconnues comme des problèmes sociaux que tout récemment. L'identification d'un problème fait toujours intervenir un écart entre les valeurs d'une société, c'est-à-dire ce qu'elle juge bon pour elle, et la réalité, c'est-à-dire les conditions de vie qui y prévalent.

Si on définit une réalité comme problème social, on souligne qu'il est possible d'y apporter des solutions. Ainsi, on estime qu'on peut enrayer la pauvreté et qu'on peut mieux protéger l'environnement.

Si le décrochage scolaire nous apparaît comme un problème social, c'est en raison des valeurs et des besoins de notre époque. Autrefois, les jeunes hommes travaillaient aux champs ou dans les entreprises familiales et les jeunes filles s'initiaient à leur rôle de femmes auprès des autres femmes dans la sphère domestique. On ne fréquentait l'école que quelques années, le temps d'apprendre à lire, à écrire et à compter.

À la fin du XIXe siècle, la fréquentation scolaire est devenue obligatoire pour tous les enfants. Dans les années 60 au Québec, durant cette période appelée la **Révolution tranquille**, il y eut un vaste mouvement de scolarisation des jeunes et des adultes. Quand on constate aujourd'hui le nombre élevé de jeunes décrocheurs, on est amené à s'interroger sur leur qualification éventuelle pour un marché du travail de plus en plus exigeant.

RÉVOLUTION TRANQUILLE

Traduction de l'expression *quiet revolution,* utilisée dans le quotidien *Globe and Mail* pour désigner la transformation non violente de la société québécoise dans les années 60.

En voyant dans cette situation un problème social, on porte un **jugement de valeur**. On juge cette réalité inacceptable et on considère qu'elle devrait être corrigée. Ce sont donc les valeurs d'une société, qui s'expriment notamment dans les lois en vigueur, qui servent à définir des situations comme normales ou comme problématiques.

JUGEMENT DE VALEUR

Évaluation d'une situation à la lumière des valeurs d'une époque.

De nombreux sociologues se sont penchés sur ce problème. C'est le cas notamment de Madeleine Gauthier, qui se demande si la société québécoise actuelle n'exclut pas les jeunes[5]. Un des aspects du problème concerne la difficulté qu'ont les jeunes à s'intégrer au monde des adultes. De son côté, le sociologue Jacques Lazure souligne deux aspects contradictoires de notre société[6]. On assiste d'une part à une innovation technologique constante et rapide, qui entraîne une transformation de l'économie. D'autre part, on constate l'incapacité de la société à adapter ses institutions sociales, politiques et culturelles aux nouvelles réalités de l'économie. Le système scolaire, les lois, l'entreprise, l'imaginaire ne sont plus ajustés aux changements techniques et économiques. Il s'ensuit une marginalisation sociale de plus en plus importante des groupes de jeunes. Pour Jacques Grand'Maison, nous sommes en présence d'une nouvelle forme de conflit de générations, qui consiste moins en une opposition ouverte des jeunes aux adultes qu'à l'indifférence des adultes au problème de l'insertion sociale des jeunes[7].

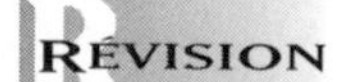

Quels sont les éléments qui nous permettent de définir un problème comme problème social ?

Au chapitre 4, nous nous arrêterons plus longuement sur ce qui caractérise les rapports entre les générations dans nos sociétés. Nous verrons alors que le problème n'est pas que québécois, mais occidental, et qu'il s'explique en partie par le fait que les sociétés occidentales sont dans une période de transition. Disons pour l'instant que l'expérience de plusieurs jeunes illustre bien la rupture entre les valeurs que nous véhiculons et la réalité. On peut en fait considérer, avec le sociologue Eisenstadt, que, malgré les conflits de générations qui perturbent plusieurs sociétés, il existe des rituels et des mécanismes permettant non seulement d'intégrer les jeunes, mais aussi de libérer les adultes de la crainte d'être supplantés par ceux qui viennent après eux. En raison de la solidarité qui assure à chacun un rôle dans l'ensemble social, les sociétés cherchent à éviter l'exclusion et la marginalisation d'un groupe, car elles entraînent des coûts sociaux parfois très importants et ont des conséquences néfastes pour l'ensemble du groupe[8]. C'est ce dont témoigne l'article présenté dans l'encadré 3.

ENCADRÉ 3

Les risques de l'inégalité

Le discours sur l'appauvrissement, si populaire en certains milieux, est trop souvent en porte-à-faux. Cela lui enlève une part de sa crédibilité. Et c'est dommage.

Au vrai, notre société ne s'appauvrit pas, elle s'enrichit. Le niveau de vie au Canada et au Québec ne diminue pas, il continue d'augmenter. Moins rapidement peut-être qu'on pourrait le souhaiter, mais de façon significative et mesurable.

5. Voir Madeleine Gauthier, *Une société sans les jeunes ?*, Institut québécois de recherche sur la culture, 1994.
6. Voir Jacques Lazure, « Mouvance des générations : condition féminine et masculine », dans Fernand Dumont (dir.), *La société québécoise après 30 ans de changements*, Institut québécois de recherche sur la culture, 1989, p. 27-40.
7. Voir Jacques Grand'Maison, *Une génération bouc émissaire – Enquête sur les baby-boomers*, Montréal, Fides, 1993.
8. Cette thèse est développée dans l'ouvrage classique suivant : Shmuel Noah Eisenstadt, *From Generation to Generation – Age Groups and Social Structure*, New York, Free Press, 1966.

Le fait est qu'au cours des quinze dernières années, pourtant marquées par un net ralentissement et deux profondes récessions, il y a eu croissance de la richesse, partant croissance des revenus. Depuis 1975, le produit intérieur brut (l'ensemble des biens et services générés par l'activité économique) s'est accru de 23,5 % *per capita*. Quant aux gains de travail, divisés par le nombre de Canadiens en emploi, ils ont augmenté de 7,2 %.

Dans le même temps, contredisant le discours sur le désengagement de l'État, le volume des services collectifs n'a pas diminué. Il n'y a pas eu recul, ni en éducation ni en soins de santé où les dépenses publiques, en termes réels et compte tenu de la hausse de la population, ont continué d'augmenter au même rythme que l'économie – on se sert même de l'argument pour démystifier la supposée perte de contrôle sur ces dépenses. En serait-on, en jouant des mêmes données, à vouloir prouver une chose et son contraire !

Mais s'il y a eu croissance des revenus, où cet argent s'en est-il allé ? Entre les mains de qui ? Voilà la question.

De toute évidence, ces gains n'ont pas été distribués également entre toutes les catégories socioéconomiques. Il y a eu des gagnants, il y a eu des perdants. Les plus récentes données émanant du bureau de recherche du Congrès américain, et dont le *New York Times* faisait état la semaine dernière, sont éloquents. En classant la population des États-Unis en cinq groupes égaux (cinq quintiles) selon le revenu, on constate que les gains du quintile supérieur (celui des mieux nantis) ont augmenté de 29 % au cours de la période allant de 1977 à 1989, et cela en termes réels, corrigés de l'inflation. Par contre, les deux quintiles inférieurs, 40 % de la population, ont vu leur revenu baisser de 1 % et de 9 %, respectivement.

Il y a des raisons de penser que les mêmes tendances existent de ce côté-ci de la frontière.

Ces chiffres sont sujets à des interprétations qui mettent en cause plusieurs facteurs : la réforme du régime fiscal qui réduit la sous-déclaration des revenus, l'exclusion du marché du travail par le chômage, le nombre des divorces et des naissances hors mariage qui gonfle les rangs des familles monoparentales dont le chef est une femme, l'afflux sur le marché du travail des cohortes du *baby-boom* qui accroît le nombre de ceux qui, étant en début de carrière, touchent des revenus moins élevés que leurs aînés.

Mais le principal facteur est inhérent à l'évolution même du marché du travail. Le nombre des emplois bien rémunérés dans le secteur de la production diminue ; les emplois qui se créent dans le secteur des services sont moins bien payés ; tandis qu'à l'autre extrémité de l'échelle, la valeur ajoutée par un certain nombre d'emplois hautement qualifiés occupés par les « travailleurs de la connaissance », commande une rémunération de plus en plus élevée.

D'où l'inégalité qui s'accentue. La tendance est mondiale, elle est inédite, et la parade reste à trouver.

Mais il y a plus grave. On observe chez les 20 % de la population, le quintile supérieur, ceux qui réussissent à tirer leur épingle du jeu, une certaine propension à se détacher du reste du peloton, à considérer les quatre cinquièmes qui traînent la patte comme un fardeau à porter, et de plus en plus lourd, bref, à faire sécession, convaincus de pourvoir mieux se débrouiller seuls.

Cela se voit à plusieurs signes : on se réfugie dans des quartiers exclusifs dont, au besoin, on assume privément la sécurité ; on fréquente les meilleures écoles ; on se réserve les meilleurs clubs de golf et autres loisirs ; on se plaint de devoir payer plus que sa part des services collectifs dont, à la rigueur, on pourrait se passer. Pour un peu, on développerait un secteur privé des soins de santé si les coûts médico-hospitaliers ne rendaient le projet exorbitant.

À cette attitude sécessionniste, c'est en vain que l'on opposerait les grands mots. Les sermons, exhortations, admonitions, condamnations n'y peuvent pas grand-chose. Le seul argument qui reste est celui de l'intérêt personnel bien compris : une société trop inégalitaire est vouée au désordre et à la violence.

À cet égard, les travaux du professeur Irvin Waller, criminologue de l'Université d'Ottawa, qui ont servi de base à la conférence internationale sur la sécurité en milieu urbain, à Paris l'automne dernier, sont particulièrement convaincants. L'étude comparative de la criminalité d'un pays à l'autre révèle une corrélation évidente entre la montée de la délinquance et la pauvreté relative chez les enfants. De tous les pays industriels, ce sont les États-Unis qui affichent les plus forts taux d'inégalité économique, c'est aussi le pays où le taux de criminalité est le plus élevé. Plus égalitaires, et mieux à couvert sous un dispositif plus complet de protection sociale, les pays européens de tradition social-démocrate s'en tirent beaucoup mieux. Quant au Canada, il se situe quelque part entre les deux. Un meurtre sur 10 000 habitants aux États-Unis, quatre fois moins au Canada et huit fois moins en Grande-Bretagne, en France et en Allemagne – en oubliant le Japon qui constitue un cas absolument unique.

Il y a encore place pour le dialogue social, économique et politique entre la droite et la gauche, comme entre les deux hémisphères d'un même cerveau collectif, pour reprendre une métaphore empruntée à *The Economist* s'interrogeant sur l'avenir de la gauche après l'écroulement du système soviétique.

L'hémisphère droit se préoccupe de changement, d'innovation, voire de destruction créatrice. Étroit de vue, parfois, âpre au gain, souvent, il croit en la promotion individuelle et la mobilité sociale. L'hémisphère gauche, lui, met l'accent sur la compassion, la solidarité et la responsabilité collective ; il se soucie du partage des fruits de la croissance et cherche les moyens de réduire les disparités. Étroitement liées dans le même destin, la gauche et la droite sont le « mal » nécessaire l'une de l'autre. Le plus grand péril, dans une embarcation secouée par les flots, n'est-il pas que les passagers, pour échapper à la lame qui les éclabousse, se jettent tous du même côté.

Mais le défi des années qui viennent pourrait être de convaincre les occupants du pont supérieur, le gratin du premier quintile, de ne pas abandonner le bateau pour filer dans leur yacht de luxe[9].

9. Jean Francœur, *Le Devoir*, 10 mars 1992.

On peut considérer que chacune des inégalités sociales suivantes représente un problème social :

- la variation de la mortalité infantile selon les régions, les milieux et les époques ;
- le fait que les maladies ne frappent pas également selon les milieux et les régions ;
- les variations de l'espérance de vie selon les milieux, les régions et les pays ;
- le fait que l'accès au pouvoir n'est pas le même pour tous les groupes et les individus ;
- l'accès inégal à l'instruction et aux outils de développement personnel selon les milieux ;
- l'inégalité des revenus ou des conditions socioéconomiques dans la société.

Que faire face à un problème social ?

Face à un problème social, on peut adopter quatre attitudes.

En premier lieu, on peut ignorer le problème. Rappelons que c'est toujours à la lumière des valeurs d'une époque qu'une situation est perçue comme problématique. Dans un contexte social donné, il est donc possible qu'on ne reconnaisse tout simplement pas l'existence d'un problème.

En second lieu, on peut prendre connaissance du problème, sans pour autant vouloir le résoudre. Il peut être nié ou occulté par ceux qui ont intérêt à préserver le statu quo. On peut aussi faire l'autruche en espérant que les choses se règlent d'elles-mêmes avec le temps. Cette attitude occasionne ce qu'on peut appeler une situation de blocage. Tout en prenant conscience du problème, on ne prend aucune mesure pour y remédier. Cela illustre bien le fait que la prise de conscience d'un problème et l'action sont deux étapes distinctes de la transformation sociale.

Troisièmement, on peut se résigner à l'existence d'un problème. On reconnaît alors qu'il y a un problème, mais on considère qu'on n'est pas en mesure de le résoudre.

Enfin, une société qui prend conscience des problèmes qui l'affectent peut décider d'agir. Il y a d'une part des agents de prise de conscience, qui définissent les défis et les ENJEUX SOCIAUX d'un problème, et d'autre part des agents de prise de décision.

3 La prise de conscience collective

La prise de conscience d'un problème constitue un premier pas vers sa résolution. Elle permet notamment d'évaluer les enjeux qu'il comporte. Que risque-t-on de perdre collectivement à laisser pourrir une situation ? Quels gains peut-on espérer tirer de la résolution des problèmes qu'elle soulève ? Les situations problématiques nous obligent toujours à faire preuve d'imagination et de détermination. Le défi que pose la pauvreté des personnes âgées, présenté dans l'encadré 4, en est un exemple.

ENCADRÉ 4

La pauvreté des personnes âgées

La situation de pauvreté des personnes âgées a été dénoncée à plusieurs reprises durant les années 70. On a réussi à réduire cette pauvreté au moyen de mesures sociales et fiscales appropriées. Mais elles demeurent encore isolées, comme l'a montré Jacques Lazure[10]. Le nouveau défi collectif à relever est maintenant de trouver le moyen de les intégrer davantage aux générations qui suivent. Cela devrait nous permettre de vivre dans une société plus humaine, qui tient compte des besoins matériels et des besoins socioaffectifs des individus. Ce sont là des valeurs partagées par un grand nombre d'acteurs sociaux. Le problème est de savoir comment procéder pour atteindre ce nouvel objectif.

Dans le cas d'un problème social, la prise de conscience est collective. Cette démarche fait intervenir différentes étapes : il faut nommer le problème, communiquer avec les différents intervenants, instruire et informer les personnes concernées. Si, dans le contexte de l'approche sociologique, l'on entend par agent un individu ou un groupe d'individus dont l'action est à l'origine d'un changement social important, il importe de préciser quels sont les agents de cette prise de conscience collective.

Les habitations à loyer modique (HLM) comme cet édifice, couronné d'un prix d'architecture, représentent un effort intéressant de lutte contre l'exclusion sociale des plus démunis.

10. Jacques Lazure, *op. cit.*, p. 28-29.

Les agents de la prise de conscience collective

Considérons de nouveau le problème du décrochage scolaire. Dans ce cas, ce sont les différentes formes de regroupements de jeunes qui attirent l'attention du public sur la situation à corriger. Ne sont-ils pas les premiers touchés ? Ainsi, le mouvement Action chômage, le Regroupement des chômeurs et chômeuses du Québec, le Regroupement des sans-emploi, le Regroupement autonome des jeunes, pour ne nommer que les principaux, ont contribué au cours des années 80 à faire connaître la réalité socioéconomique des jeunes. Ils ont offert leur soutien aux jeunes démunis en les aidant à s'organiser pour trouver du travail, à parfaire leur formation et à sortir de leur isolement.

Ont-ils réussi ? Il est difficile de le dire. Chose certaine, les statistiques des années 90 révèlent que le décrochage et la pauvreté existent toujours chez les jeunes. Ces groupes ont sans doute aidé plusieurs individus à reprendre le chemin de l'école et à se trouver un emploi, comme en témoignent les enquêtes réalisées par Madeleine Gauthier[11]. Mais ces réussites individuelles ne se traduisent peut-être pas par une baisse des taux relevés dans les statistiques, qui portent sur des grands nombres.

Le sociologue Marc Lesage[12] a pour sa part montré qu'il est important, pour obtenir des changements à l'échelle de toute une société, que les agents de changement mènent une ACTION CONCERTÉE. Les militants des divers groupes d'action doivent pouvoir collaborer avec les centrales syndicales et les responsables des dossiers sociaux aux différents niveaux de gouvernement. Cette concertation a d'ailleurs fait la fortune du mouvement étudiant des années 60. Que réclamaient alors les étudiants ? Ils voulaient obtenir la gratuité scolaire, mais aussi un système scolaire moins autoritaire, faisant place davantage à la participation étudiante. On voulait également que l'enseignement soit mieux connecté au milieu du travail et à la réalité socioéconomique du Québec.

Dans chacun de ces dossiers, le mouvement étudiant a fait des gains importants. Et pourtant, vingt-cinq ans plus tard, on constate que ces revendications sont toujours d'actualité. C'est dire que rien n'est jamais acquis !

L'action concertée doit aussi tenir compte de la participation de ceux qu'on appelle les DÉFINISSEURS DE SITUATION. L'importance de ce groupe d'intervenants tient au fait que ce ne sont pas toujours les individus directement touchés par un problème qui sont les premiers à en faire prendre conscience à la

11. Madeleine Gauthier, *op. cit.*

12. Voir Marc Lesage, *Les vagabonds du rêve,* Montréal, Boréal, 1986.

société. Ainsi, la lutte au décrochage scolaire est beaucoup plus l'affaire des enseignants, de la Centrale de l'enseignement du Québec et des journalistes que des décrocheurs eux-mêmes. On peut donc dire que ces agents de la prise de conscience sociale sont des définisseurs de situation, dans la mesure où ils définissent la problématique du décrochage et proposent des solutions à ce problème.

Les médias électroniques sont d'importants définisseurs de situation

Ces définisseurs de situation sont souvent en contact avec ceux que l'on appelle les *experts* ou les *spécialistes* d'une question. Dans le cas de la pauvreté des jeunes, plusieurs sociologues ont joué ce rôle[13]. Les départements de pédagogie et d'éducation des universités québécoises se penchent aussi sur le problème du décrochage scolaire et sur les liens entre l'école et la société. Et, finalement, il faut mentionner le Service de recherche et de développement du ministère de l'Éducation, qui traite ces questions d'adaptation des jeunes adolescents à la société.

Enfin, il faut souligner le rôle déterminant que jouent les médias dans la prise de conscience collective des différents problèmes sociaux. Les médias servent en effet de courroie de transmission entre la réalité sociale et l'opinion publique. On peut même affirmer que, de nos jours, un problème social n'est reconnu comme tel que s'il est médiatisé. La presse écrite et la presse électronique transmettent chaque jour dans des millions de foyers une grande somme d'informations sous la forme d'images, d'articles et d'analyses. La presse électronique, en particulier, peut mieux que quiconque conférer à une situation un caractère dramatique et urgent. La visibilité d'un problème est un élément essentiel de la prise de conscience collective des enjeux qu'il comporte. L'encadré 3 (p. 13) portant sur les risques de l'inégalité donne un exemple du rôle des médias dans le processus de prise de conscience.

Il faut mentionner aussi que les divers agents de prise de conscience se rencontrent régulièrement dans de nombreux colloques, congrès et débats, qui servent à clarifier les différents enjeux sociaux de l'heure de même qu'à mettre en commun analyses et stratégies d'action. La prise de conscience collective est donc bien différente de la prise de conscience personnelle.

13. Voir notamment les deux articles suivants : Simon Langlois, « Anciennes et nouvelles formes d'inégalités et de différentiations sociales », dans Fernand Dumont (dir.), *La société québécoise après 30 ans de changements*, Institut québécois de recherche sur la culture, 1989, p. 81-98 ; Madeleine Gauthier, « La sociabilité des jeunes chômeurs », dans Roger Levasseur (dir.), *De la sociabilité – spécificité et mutations*, Montréal, Boréal Express, 1990, p. 153-167.

4 L'AGIR COLLECTIF

Une fois qu'on a pris conscience d'un problème social et qu'on s'est informé de la situation, il faut passer à l'action. Comme l'écrivait Hannah Arendt à propos du mouvement étudiant américain des années 60, c'est « l'agir ensemble, la joie dans l'action, la certitude de pouvoir changer quelque chose grâce à ses propres efforts[14] » qui ont marqué ce mouvement. Les manifestations contre les motivations impérialistes de la guerre menée au Vietnam et en faveur d'une morale sociale et politique accrue ont marqué profondément la conscience politique américaine. L'identité américaine a été transformée par l'échec des forces armées américaines, dont le mouvement étudiant et les médias étaient en partie responsables.

Pour une collectivité, le processus de recherche d'une solution présente des difficultés tout à fait particulières, abstraction faite de la complexité des problèmes eux-mêmes. Ce processus demande l'engagement et la collaboration des divers acteurs sociaux. Et il n'y a pas de recette toute faite. Il est clair, souligne Hannah Arendt dans le même ouvrage, que les conditions de changement peuvent varier d'une société à une autre et, à l'intérieur de la même société, d'une époque à une autre. La prise de conscience et l'action politique qui suit doivent nécessairement en tenir compte. Il est certain qu'un mouvement social constitue souvent une occasion de renouvellement des structures sociales et des structures mentales. L'action collective libère en effet une créativité et un désir de dépassement de soi favorables à la transformation de l'identité sociale, et donc à la formation d'un « nous » différent.

ENCADRÉ 5

Les conditions nécessaires à la résolution des problèmes sociaux

Ce n'est pas dans l'abstrait qu'on trouve les solutions d'un problème social, mais à partir des forces existantes au sein d'une société et des possibilités propres à un contexte historique donné.

1. La lutte pour le progrès social ne peut pas être la même dans un pays où l'accès aux études supérieures est limité à une caste et dans un pays où les jeunes diplômés n'ont pas accès aux mêmes carrières, ni aux mêmes revenus que leurs aînés.
2. La lutte pour la démocratie n'est pas de même nature là où il faut encore revendiquer le droit de vote et là où ce droit est acquis depuis longtemps.

14. Hannah Arendt, *Du mensonge à la violence*, Paris, Calmann-Lévy, coll. Agora, 1972, p. 210.

3. Un pays endetté (par exemple, le Québec ou le Canada en 1996) n'a pas la même capacité de réforme qu'un pays non endetté (par exemple, le Québec de 1960 ou le Canada d'après-guerre).
4. On ne parle plus du développement de la même façon de nos jours qu'à l'époque où les ressources naturelles ou matérielles semblaient illimitées. Les conditions de changement ne sont pas les mêmes.

Lorsqu'on pose la question « Qu'est-il possible de faire ? », on doit toujours tenir compte de la situation concrète d'une société.

Les ressources

Pour pouvoir passer à l'action, il faut d'abord connaître les ressources dont on dispose. En d'autres termes, il faut faire l'inventaire des FORCES VIVES D'UNE SOCIÉTÉ. On entend par là les ressources humaines et les ressources matérielles et institutionnelles qui peuvent contribuer à la résolution d'un problème social. Ce sont les outils de ce qu'on appelle, en sociologie du changement, la responsabilisation ou l'*EMPOWERMENT*[15], c'est-à-dire la démarche par laquelle des personnes ou des groupes sont amenés à se prendre en charge.

En ce sens, la première des ressources humaines à mettre à contribution est bien évidemment l'individu lui-même touché par un problème social ainsi que son entourage immédiat. Celui-ci est constitué des membres de sa famille (père, mère, frères, sœurs, grands-parents), qui peuvent lui offrir une aide matérielle et un soutien affectif. Il comprend aussi ses amis, qui peuvent lui donner un appui affectif essentiel, et parfois aussi un soutien matériel.

Le fait que la victime d'un problème social, par exemple un jeune décrocheur, soit obligé de prendre des décisions pour améliorer son propre sort constitue bien évidemment un des aspects positifs d'une situation difficile. Par là, l'individu doit prendre conscience de ses propres ressources et apprendre à les utiliser. Il lui faut miser sur sa patience, son imagination et sa détermination. Par exemple, le décrocheur doit d'abord décider s'il abandonne définitivement ses études pour ensuite faire l'inventaire des ressources institutionnelles mises à sa disposition. Il peut adhérer à un club de recherche d'emploi, de manière à faire la connaissance d'autres personnes dans sa situation et à participer à des stages d'entraide dans la recherche d'emploi. Il peut aussi travailler en concertation avec d'autres jeunes de façon plus libre

15. Les programmes de responsabilisation – on parle parfois aussi d'habilitation – sont particulièrement courants dans les domaines de la gestion, du développement international et de l'amélioration de la condition des femmes et des groupes défavorisés.

pour mettre en commun des ressources (logement, alimentation, services de garde d'enfants) et peut-être voir à la création de son propre emploi.

En plus de découvrir les ressources matérielles disponibles, l'individu trouve en même temps, comme l'a bien montré Madeleine Gauthier[16], des ressources de sociabilité très importantes. Dans l'étude qu'elle a menée auprès de jeunes chômeurs, elle a mis en évidence ces lieux stratégiques de prise en charge de soi que peuvent devenir les groupes d'amis, les habitants d'une coopérative, la famille. Les repas, les sorties de groupe, les conversations téléphoniques permettent à l'individu de se sentir moins seul et de partager ses expériences et ses ressources avec les autres en vue d'établir une action concertée. Comme les individus ne sont jamais si forts qu'avec d'autres, c'est à l'intérieur de groupes et d'organisations qu'ils ont davantage de chances d'influer sur leur destin.

Les groupes organisés, tels les groupes populaires, les syndicats et les partis politiques, bénéficient de moyens d'action collective plus importants que les groupes de rencontre occasionnels ou les individus isolés. Ils ont les ressources nécessaires pour médiatiser un problème social, élaborer des stratégies d'intervention et les mener à bien. On pense ici aux groupes de pression et aux groupes communautaires, qui assurent par exemple la jonction entre le citoyen et les syndicats nationaux ou les gouvernements. Ces réseaux de solidarité et d'actions concertées sont des leviers importants d'une action plus globale.

Les niveaux d'intervention

Ces considérations nous amènent à soulever la question du pouvoir et des niveaux de pouvoir dans la société. Qui a le pouvoir de changer les choses ? L'expérience historique nous enseigne qu'il y a de multiples lieux de pouvoir. Un des lieux de pouvoir les plus importants, dans notre société, est sans contredit l'État. Ainsi, des circonstances particulières peuvent amener des groupes à chercher à en prendre le contrôle ou à l'influencer, pour ainsi agir sur l'évolution d'une société.

Mais l'État n'agit pas seul. S'il a un rôle de premier plan à jouer dans certains contextes historiques, il peut n'être qu'un acteur parmi plusieurs dans d'autres situations. C'est alors l'interaction dynamique entre toutes les forces sociales qui peut modifier les rapports qu'elles entretiennent entre elles. Il y a plusieurs niveaux de pouvoir dans une société, notamment celui de l'individu, celui des groupes d'appartenance, organisés ou spontanés,

16. Madeleine Gauthier, *op. cit.*

celui des organisations appelées corps intermédiaires et celui de l'État, sur lequel nous reviendrons au chapitre 8.

Nous avons vu plus haut que le processus par lequel une société relève un défi est un long processus, qui va de l'identification du problème jusqu'à l'action, en passant par la prise de conscience et par la décision d'agir. Pour revenir au cas de l'intégration sociale des jeunes, nous pouvons illustrer les composantes du défi social sous la forme d'un schéma (figure 2).

Figure 2 Un défi social

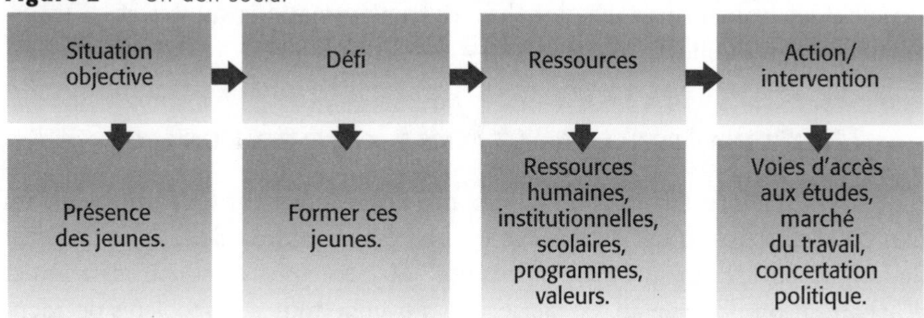

ENCADRÉ 6

Qu'est-ce donc qu'une société ?

Le passage de l'étude du défi personnel à l'étude du défi collectif nous oblige à préciser ce qu'est une société. Il est en effet important d'avoir une compréhension claire de ce qu'est une société, si l'on veut saisir en quoi consiste le changement social. Nous pouvons définir la société comme l'ensemble des structures économiques, politiques, sociales et culturelles dans lesquelles nous vivons. Durkheim l'avait bien mis en évidence : la société est une entité différente de la somme de ses parties. Elle comprend bien sûr des institutions : les modes de production des biens et des services, la division du travail, l'organisation politique, la famille, le système d'éducation, la religion, le droit. Mais elle est aussi formée par la représentation qu'elle se fait d'elle-même et des autres, ce que l'on appelle la culture. Ces grands cadres sociaux ou systèmes globaux s'appellent le MACROSOCIAL, alors que les cadres de vie quotidiens, ceux dans lesquels se déroulent les relations interpersonnelles, constituent le MICROSOCIAL.

5 LE CHANGEMENT SOCIAL

Nous avons vu qu'il existe un lien étroit entre les défis que se donne un individu et ceux que se donne la société. Nous avons aussi constaté que les problèmes que vivent les individus peuvent constituer des problèmes à l'échelle sociale. Nous observons que le CHANGEMENT SOCIAL se fait très souvent à notre insu, alors même que nous nous adaptons imperceptiblement, jour après jour, à des situations données. À l'école, dans la famille, dans l'entreprise, les gens innovent quotidiennement, transformant ainsi peu à peu leur environnement. C'est le propre d'une société d'effectuer sans cesse des ajustements à des situations données. Par exemple, le maintien d'une école de quartier ou de village, la hausse du salaire minimum, la construction de centres d'accueil, une grève et l'adoption d'une loi sont autant d'ajustements à des situations particulières. On peut définir trois types de transformations sociales : les transformations globales, les transformations subites et les transformations graduelles[17].

Les transformations globales

Il y a d'abord les transformations majeures dépassant les frontières d'un État ou d'un pays, que l'on nomme les processus sociaux de longue durée et de longue portée. C'est le cas par exemple du processus d'industrialisation et d'urbanisation observé au XXe siècle, qui a touché toutes les sociétés occidentales. Chacune de ces sociétés, que ce fût l'Angleterre, la France, les États-Unis, le Canada ou le Québec, s'est adaptée à ces changements de façon originale à partir de ses propres forces sociales.

Comment améliorer les conditions de vie dans les quartiers ouvriers ? Comment améliorer les conditions de travail à l'usine ? Comment empêcher le travail des enfants ? Comment protéger la femme enceinte ? Voilà autant de questions auxquelles ces sociétés ont dû répondre. Le mouvement ouvrier, qui a mené à la création de syndicats et de partis politiques, a joué un rôle très important dans l'amélioration des conditions de vie et de travail de la classe ouvrière née avec la société industrielle.

Il existe de nouveaux défis que d'autres processus imposent actuellement à nos sociétés, par exemple l'innovation technologique et la mondialisation de l'économie. Ces phénomènes se produisent à l'échelle planétaire et obligent chaque société à trouver des solutions qui tiennent compte des ressources humaines, matérielles et institutionnelles disponibles, et de la volonté politique d'agir.

17. Cette distinction recoupe à certains égards (le premier et le troisième type de transformations) celle établie par l'historien Fernand Braudel entre trois temps caractéristiques de l'histoire des sociétés : le *temps long,* dans lequel prennent place les transformations permanentes (industrialisation, urbanisation, modernisation, révolutions) ; le *temps moyen,* dans lequel se déroulent les fluctuations cycliques comme les saisons, les cycles économiques (récession et reprise) et les cycles de vie (naissance, formation, travail, vie de couple, vie familiale, vieillesse, mort) ; le *temps court,* dans lequel les événements passent et les individus s'adaptent aux changements plus ou moins à leur insu. Voir Fernand Braudel, *Écrits sur l'histoire,* Paris, Flammarion, 1969.

Sur le plan des valeurs et des représentations, nous vivons des transformations culturelles. Elles touchent les relations interpersonnelles et obligent les individus et les sociétés à trouver là aussi des solutions à des problèmes nouveaux.

Les transformations subites

Une autre forme de changement s'opère par une rupture radicale entre le passé et le présent. Il s'agit de transformations qui sapent les fondements mêmes du fonctionnement social. C'est le cas de la révolution. Une telle rupture peut se produire subitement par la lutte armée et fait souvent suite à une période de très grande agitation sociale. Le XXe siècle a connu beaucoup de ruptures de ce type.

Il arrive aussi que de telles ruptures se produisent de façon plus paisible, comme ce fut le cas dans les années 60 au Québec. On assista alors à une période de rattrapage intense durant laquelle on modernisa les institutions politiques et sociales. Cela ne se fit pas nécessairement sans heurts (les années 70 ont été des années de débats et de manifestations), mais toujours dans le cadre des structures politiques légales. C'est en ce sens que ce fut une révolution « tranquille ».

Récemment, on a qualifié la transformation sociale survenue en Tchécoslovaquie entre 1988 et 1990 de révolution de velours. Ce fut en effet une révolution sans violence, qui faisait appel à de nouveaux modèles en vue de remplacer des structures sclérosées. De gigantesques manifestations pacifiques eurent lieu dans tous les coins du pays, notamment dans les deux plus grandes villes, Prague et Bratislava. Elles ébranlèrent le régime communiste, en place depuis plus de 40 ans. Des écrivains, des intellectuels, des étudiants, des paysans et des ouvriers menèrent une action concertée. Ils réclamaient la liberté de presse, des élections démocratiques, l'instauration d'une économie de marché et l'ouverture des frontières. En décembre 89, Vaclav Havel, un écrivain maintes fois emprisonné sous le régime communiste, fut élu président de la République.

Ce sont là quelques exemples de changements globaux qui touchent tous les segments de la société. On trouve une illustration de ce type de changement dans l'encadré 7.

ENCADRÉ 7

De la tradition à la modernité

On a souvent parlé des changements qu'a connus la société québécoise des années 60 comme d'un exemple typique de la manière dont des transformations majeures

survenues dans l'ensemble des domaines sociaux peut changer le cours de l'histoire d'une société. On a surnommé cette période la Révolution tranquille. C'était une période de rupture par rapport à la tradition, qui a permis la modernisation de la société québécoise[18].

ÉTAT-PROVIDENCE

L'État qui prend à sa charge la satisfaction des besoins des individus.

Que s'est-il alors passé ? On a d'abord assisté à un déblocage politique au début des années 60. L'ensemble des mesures et des programmes implantés furent à l'origine de ce qu'on devait plus tard appeler l'**État-providence.** Sur une période d'une dizaine d'années, on nationalisa les compagnies d'électricité (1962), on mit en place l'assurance-hospitalisation (1961), on créa le ministère de l'Éducation (1964), on adopta le code du travail (1964), on créa la Caisse de Dépôt (1964), on mit sur pied le réseau des cégeps (1969) et celui de l'Université du Québec (1970), on instaura le régime d'assurance maladie (1970), on créa le réseau des Centres locaux de services communautaires (CLSC) (années 70) et on mit sur pied un vaste réseau d'éducation des adultes et d'éducation permanente (années 70). Par ailleurs, on entreprit de soutenir la création littéraire et artistique, qui connut une période de production explosive dans tous les domaines. Ce fut une époque de changements politiques, sociaux et culturels d'envergure.

Les analyses de la société québécoise tendent maintenant à faire ressortir le fait que ces changements se préparaient au Québec depuis la fin de la Deuxième Guerre mondiale[19]. Les idées dites modernes de l'époque, comme la nécessité pour l'État d'intervenir dans le développement économique et d'assurer un meilleur partage de la richesse collective et l'encadrement des conditions de travail, avaient été mises de l'avant bien avant les années 60. Ces idées avaient pénétré peu à peu la société québécoise durant les années 50. Comme elles n'ont été réalisées que plus tard, on a parlé de rattrapage. En fait, ce processus dit de modernisation était déjà en cours au sein des autres sociétés occidentales semblables à la société québécoise.

Ce fut donc une période de changement global en ce sens que toutes les parties de la structure sociale furent transformées. L'économie, la famille, les institutions religieuses et politiques connurent alors des mutations énormes. On n'a qu'à penser à l'émergence de la classe moyenne, qui a résulté de la création d'emplois engendrée par les mesures sociales dans les domaines de la santé et de l'éducation. Et de ce fait, la représentation que cette société se faisait d'elle-même fut transformée. La société québécoise des années 60 se percevait et se définissait par ses réalisations, par les discours qu'elle tenait sur elle-même, comme une société moderne et industrielle, et non plus comme une société traditionnelle et rurale.

Les institutions issues de cette période dans le domaine économique, social ou culturel sont encore là maintenant. Elles ont été adaptées aux défis des années 90, mais elles sont demeurées des éléments importants du patrimoine collectif. Les institutions d'enseignement (écoles, cégeps, universités, éducation des adultes) ou de santé et de services sociaux (CLSC, DSC) demeurent des ressources sociales sur

18. Voir Kenneth McRoberts et Dale Postgate, *Développement et modernisation du Québec,* Montréal, Boréal, 1989.

19. Voir notamment Gilles Bourque, Jules Duchastel et Jacques Beauchemin, *La société libérale duplessiste,* Montréal, Presses de l'Université de Montréal, 1995.

lesquelles les agents sociaux peuvent s'appuyer pour mener à bien le développement social et culturel de chacune des régions du Québec. Les changements sociaux ont pour caractéristique d'engendrer de nouveaux éléments de permanence.

L'étude d'un cas de changement social demande d'identifier les groupes ou les personnes ayant proposé et défendu ces changements, qu'on appelle AGENTS DE CHANGEMENT, ainsi que ceux ayant ralenti ou bloqué les changements, dénommés AGENTS DE RÉSISTANCE AU CHANGEMENT. On comprend facilement que, comme les changements survenus dans la société québécoise des années 60 étaient considérables et qu'ils se sont déroulés sur une courte période de temps, les forces de résistance étaient très importantes.

Les transformations graduelles

Il y a des transformations plus lentes et moins spectaculaires qui se font à l'intérieur même des systèmes. L'innovation, les changements de trajectoires d'un groupe ou d'une société peuvent se produire de façon presque imperceptible sous forme d'ajustements périodiques. Ce sont ces solutions apportées à des petits problèmes sans rupture apparente qui entraînent les transformations. Elles peuvent parfois constituer les premiers pas vers des changements plus globaux, voire historiques. Ainsi en allait-il de la société québécoise des années 50, qui se transformait de l'intérieur, préparait des changements plus importants.

Les transformations graduelles d'un groupe ou d'une société se produisent quotidiennement de façon presque imperceptible.

Hanna Arendt parle, dans la *Condition de l'homme moderne,* de la capacité de l'être humain de transformer les choses en déclenchant des réactions en chaîne : « Un seul fait, parfois un seul mot, suffit à changer toutes les combinaisons des circonstances. C'est une possibilité de l'homme de libérer des processus[20]. » Le changement ne résulte pas toujours de conflits et d'oppositions. Les stratégies individuelles de solution des problèmes peuvent aussi avoir un effet d'entraînement et créer une dynamique de transformation sociale autonome.

Neil Smelser, un sociologue américain contemporain[21], utilise l'exemple de l'émergence de l'industrie

20. Hannah Arendt, *Condition de l'homme moderne,* trad. de l'anglais par Georges Fradier, préf. de Paul Ricœur, Paris, Calmann-Lévy, 1983, p. 214.

21. Voir Neil Smelser, *Social Change in the Industrial Revolution,* Routledge & Kegan Paul, 1967.

textile, au début de l'industrialisation en Angleterre au XVIIIe siècle, pour illustrer les changements entraînés par ce type de réactions en chaîne. Dans ce processus, des gestes simples ont amené des transformations qui se sont avérées majeures pour le développement de la production industrielle.

Tout a commencé lorsque la forte demande de métiers à tisser dans les foyers a engendré une forte demande de fil. Cette demande a produit à son tour une accélération de la production de fil dont avaient besoin les artisanes. Celles-ci formèrent alors des ateliers pour mettre en commun leurs connaissances et leur matériel, et ces ateliers devinrent par la suite les premiers lieux de production industrielle. Ils favorisèrent l'émergence de nouveaux modes de production requérant la concentration de la matière première et de la main-d'œuvre ainsi que le déplacement de la production hors de la sphère domestique. Ce fut donc une innovation technique et sociale fort importante.

Ces gestes peuvent être occasionnés par un processus économique plus ou moins dirigé, comme c'était le cas pour l'industrie textile, mais ils peuvent aussi être le résultat d'un choix social. Joël de Rosnay[22] donne l'exemple du tri des ordures ménagères pour montrer comment l'activité même de tri amène chaque individu à prendre conscience à son tour des problèmes reliés à l'environnement. Alors qu'auparavant les individus enfouissaient pêle-mêle les déchets dans des sacs verts, ils doivent maintenant faire la sélection du papier et du carton, du métal, du verre, du plastique, et les disposer dans des sections appropriées dans des bacs verts ou bleus. En effectuant ce tri, l'individu prend conscience de la fonction de chaque matériau et, sans nécessairement y penser formellement, a le sentiment de participer au recyclage de produits différents. Par le fait même, il se transforme et, d'égocitoyen qu'il était, il devient un écocitoyen.

Derrière ces millions de petits gestes dans chaque foyer ou lieu de travail, il y a la prise de conscience d'un problème, la volonté d'agir et l'engagement responsable vis-à-vis d'un problème planétaire. C'est ainsi que change la société.

22. Voir Joël de Rosnay, *L'écologie et la vulgarisation scientifique – De l'égocitoyen à l'écocitoyen*, Québec, Musée de la Civilisation, coll. Les grandes conférences, 1991.

RÉSUMÉ

1. On peut établir une analogie entre les choix d'une personne et les choix d'une société. Dans les deux cas, ces choix correspondent à des défis et ils ont des conséquences sur l'avenir de celui qui les fait. La sociologie du changement social étudie les défis qui se présentent à une société, les choix qu'elle fait et les transformations qui en résultent.

2. Un défi social apparaît souvent sous la forme d'un problème social, c'est-à-dire d'un problème qui se rencontre chez un nombre important d'individus et dont l'importance est reconnue par la société. On observe quatre attitudes des sociétés envers leurs problèmes sociaux : elles les ignorent, elles les occultent, elles s'y résignent ou elles s'y attaquent.

3. La prise de conscience des problèmes sociaux est accomplie par des agents sociaux. Il s'agit d'individus ou de groupes d'individus (mouvements, regroupements, institutions) qui, en collaboration avec des définisseurs de situations (syndicats, associations professionnelles, gouvernements) et des spécialistes (sociologues, pédagogues), mènent une action plus ou moins concertée pour conscientiser la population à l'aide des médias et obtenir des changements.

4. Pour relever les défis qui se présentent à elle, une société doit compter avant tout sur ses ressources humaines et matérielles.

5. On peut distinguer trois types de transformation sociale en fonction de la durée et de la nature des transformations : les transformations de longue durée et globales, les transformations subites et radicales et les transformations graduelles et imperceptibles.

POUR CONTINUER LA RÉFLEXION

DUMONT, Fernand, « Approche des problèmes sociaux », dans Fernand DUMONT, Simon LANGLOIS et Yves MARTIN (dir.), *Traité des problèmes sociaux,* Québec, Institut québécois de recherche sur la culture, 1993, p. 1-22.

GAUTHIER, Madeleine, *Une société sans les jeunes ?,* Québec, Institut québécois de recherche sur la culture, 1994.

LANGLOIS, Simon, « Conclusion et perspectives : fragmentation des problèmes sociaux », dans Fernand DUMONT, Simon LANGLOIS et Yves MARTIN (dir.), *Traité des problèmes sociaux,* Québec, Institut québécois de recherche sur la culture, 1993, p. 1108-1126.

CHAPITRE 2

Le regard de la sociologie

CHAPITRE

2

« IL FAUT SAVOIR AFIN DE PRÉVOIR ET DE POUVOIR. »
(Auguste Comte)

C'est sur une société en transition, la société du XIXe siècle, que s'est d'abord porté le regard de la sociologie. Dès l'origine, cette science s'est donc intéressée au changement.

Dans le présent chapitre, nous allons nous arrêter brièvement au contexte dans lequel est née la sociologie. Puis, nous examinerons quelques-unes des théories et des concepts importants pour l'étude des transformations sociales mis au point par les précurseurs et certains auteurs contemporains de la pensée sociologique. Il s'agit de classiques dont il importe de connaître les principales idées.

Finalement, comme la sociologie est aussi une pratique, nous allons passer en revue les diverses méthodes de cueillette de données élaborées au fil des ans et sans lesquelles l'étude du changement social serait impossible. La spécificité de la sociologie tient d'abord à un certain nombre de méthodes d'analyse et de description des faits sociaux. Elle s'est constituée comme ensemble conceptuel sur la base de ces méthodes.

1 LE CONTEXTE HISTORIQUE

Deux courants de pensée importants, qui ont marqué leur époque, sont à l'origine de la sociologie : d'une part, les différents doctrines philosophiques axées sur les préoccupations sociales et, d'autre part, le développement de la pensée scientifique.

Il existe des visions du monde qui ne sont pas le fait de quelques individus, mais plutôt le résultat d'une longue évolution qui connaît son aboutissement dans un contexte social et historique particulier. Ce sont des IDÉOLOGIES. Au XIXe siècle, la question sociale était devenue une préoccupation majeure, au moment même où les sciences dites naturelles connaissaient un développement sans précédent. Ce n'était qu'une question de temps avant que ne germe l'idée d'appliquer la méthode scientifique à l'étude de la réalité sociale, et c'est cette science nouvelle qui s'est imposée vers la fin du siècle sous l'appellation de sociologie. L'apparition de cette science marquait le début d'un nouvel **humanisme**.

HUMANISME
Doctrine philosophique qui accorde une place prépondérante à l'épanouissement de l'être humain.

Les Lumières

Au cours du XVIIIe siècle, on avait commencé à remettre en question la conception plutôt fataliste qu'on s'était toujours faite des inégalités sociales. À une certaine époque, on considérait par exemple que la pauvreté était un état qui relevait d'un ordre supérieur et que l'on devait accepter comme inexorable. Le philosophe Jean-Jacques Rousseau (1712-1778) fut un des premiers à soutenir que l'inégalité sociale est le produit de l'organisation sociale, plutôt que la conséquence d'un ordre naturel immuable. Cette idée parut d'abord très subversive. Tous les êtres humains naissent égaux, soutenait-il ; c'est l'**absolutisme** qui crée les inégalités et les maintient.

ABSOLUTISME
Régime politique dans lequel le souverain détient un pouvoir absolu.

Jean-Jacques Rousseau (1712-1778).

Rousseau n'était pas le seul à faire ce genre d'analyse. Il adhérait à un courant de pensée, qu'on a dénommé les « Lumières », auquel appartenaient également D'Alembert (1717-1783) et Diderot (1713-1783). Ce courant critiquait les positions traditionnelles de l'Église et de l'État, et affichait une grande confiance en la capacité de l'être humain de connaître l'univers et de le transformer.

Le mouvement des Lumières est à l'origine de l'inscription des principes de liberté, d'égalité et de fraternité dans la *Déclaration des Droits de l'homme et du citoyen* de 1789. Ces idées sont aussi au fondement de la démocratie moderne. Elles présupposent que l'être humain a le pouvoir d'organiser la société selon différents modèles.

Déjà dans le siècle des Lumières, la foi dans le progrès et la science était grande et certains croyaient que celle-ci permettrait éventuellement de trouver une solution à tous les problèmes, y compris aux problèmes sociaux.

La pensée scientifique

Parallèlement à ce développement des idées philosophiques, on assistait à une transformation de la conception du monde sous l'effet de l'évolution des modèles et des méthodes scientifiques. Cette transformation est particulièrement manifeste dans les théories évolutionnistes de Lamarck (1744-1829) et de Darwin (1809-1882), qui considéraient désormais l'homme comme un maillon dans une longue chaîne évolutive, et non plus comme le centre de l'univers. On peut citer également les travaux de Pasteur (1822-1895), qui fut à l'origine de l'immunologie et contribua à modifier considérablement la conception que l'on se faisait de la santé et des moyens de protéger l'humanité contre la propagation des maladies.

Ainsi apparaissait l'humanisme social, qui était sous-tendu par un optimisme et une confiance en la science et en la capacité des hommes et des femmes d'agir sur leur milieu pour le changer. Les philosophes et les scientifiques faisaient du mieux-être des populations par la connaissance et l'action un de leurs principaux objectifs. Il faudra toutefois plusieurs générations avant que ces idéaux ne se traduisent par des principes politiques et que les droits de l'homme ne deviennent des droits des citoyens.

RÉVISION

Quels sont les courants de pensée importants à l'origine de l'humanisme social du XIXe siècle ? Expliquez.

L'industrialisation rapide du XIXe siècle vint bouleverser les structures sociales et entraîna une certaine désorganisation sociale. Il s'ensuivit une crise de civilisation. À la lumière de l'humanisme social, les injustices, la misère et la maladie furent perçues par l'ensemble de la société comme le produit d'une organisation sociale qu'on pouvait corriger au moyen d'interventions appropriées.

2 LES PRÉCURSEURS DE LA SOCIOLOGIE

On peut considérer que les penseurs des Lumières ont frayé la voie à la pensée sociologique. Les véritables précurseurs de la sociologie sont cependant Auguste Comte (1798-1857) et Karl Marx (1818-1883), qui ont été les premiers à appliquer la méthode scientifique à l'étude des phénomènes sociaux pour en dégager des lois de fonctionnement et de transformation.

AUGUSTE COMTE ET L'ÉVOLUTIONNISME SOCIAL

Mathématicien de formation, Comte commença sa réflexion sur la société industrielle en s'inspirant fortement des sciences naturelles. Il estimait qu'il fallait appliquer la même rigueur intellectuelle à l'étude des phénomènes sociaux qu'à l'étude des phénomènes physiques ou astronomiques. L'observation, la comparaison et la description dans le temps et dans l'espace étaient selon lui des étapes essentielles de la démarche visant à dégager les lois de fonctionnement de la société. Il croyait que les solutions aux problèmes sociaux apparaîtraient alors d'elles-mêmes.

Auguste Comte (1789-1857).

Il appela cette nouvelle science la sociologie. Comte distingue deux types de sociologie : la SOCIOLOGIE STATIQUE, qui étudie les structures en place et leur fonctionnement, et la SOCIOLOGIE DYNAMIQUE, qui étudie la société sous l'angle du mouvement et de la transformation. Il va être éventuellement amené à privilégier la deuxième.

Nous avons mentionné plus haut le nom du biologiste anglais Darwin. Darwin est le père de l'*évolutionnisme,* une théorie selon laquelle les espèces vivantes auraient évolué des formes les plus simples aux formes les plus complexes. Influencé par ce modèle théorique, Comte va chercher à classifier les sociétés des plus simples aux plus complexes, la société industrielle représentant pour lui le terme de l'évolution des sociétés. C'est ce que l'on a appelé l'évolutionnisme social.

Il ne se contente pas de classifier. Il établit aussi une hiérarchie des sociétés en fonction de leur degré de complexité et de rationalité, accordant la primauté à la société industrielle et postulant que toutes les autres sociétés vont évoluer vers cette forme de vie sociale. Les problèmes que l'on rencontrait à l'époque trouveraient leur solution, croyait-il, dans l'adaptation des modes de connaissances à cet objet complexe et changeant qu'est la société industrielle. Il considérait que le type d'explications qu'on avait jusque-là appliqué à ces problèmes était d'une autre époque. Il soutenait qu'il ne fallait pas voir dans l'industrialisation la cause des problèmes sociaux observés. À son avis, c'était plutôt la définition lacunaire des problèmes qui témoignait d'une connaissance insuffisante des réalités observées.

ENCADRÉ 1

Auguste Comte et la « loi des trois états »

Selon Comte, il faut distinguer trois états dans l'évolution de l'Humanité : 1) l'état militaire, reposant sur l'autorité du prince, des prêtres et de Dieu ; 2) l'état légiste, reposant sur l'autorité des hommes de loi et des parlementaires ; 3) l'état industriel, reposant sur l'autorité des entrepreneurs et des scientifiques, au nombre desquels il faut compter les sociologues.

À chacun des types de société correspond un mode de connaissance des choses. Au premier type correspond le mode théologique, où tout s'explique par le recours au pouvoir divin. Dans cette perspective, les inégalités sociales sont voulues par Dieu ou les dieux. Au deuxième type correspond l'état métaphysique des connaissances, qui s'en remet à des causes abstraites On considère dans ce cas que les inégalités sociales sont dans la nature elle-même. Enfin, au troisième type correspond l'approche positiviste, donc scientifique et rationnelle. D'un point de vue positiviste, les inégalités sociales s'expliquent par les structures sociales elles-mêmes et la connaissance que l'on en a. Cette approche a donné son nom à un système de pensée appelé le POSITIVISME, qui est la doctrine selon laquelle toute théorie doit s'appuyer sur la connaissance scientifique des faits.

Pour Comte, il est urgent de cesser de recourir aux explications d'ordre théologique ou métaphysique pour expliquer le monde nouveau. Il faut plutôt rechercher des lois de fonctionnement et d'évolution, comme celle des trois états. Cette exigence de Comte lui valut la réputation d'être autant un réformateur et un moraliste qu'un scientifique.

Ces principes de transformation sociale sont notamment élaborés dans le *Cours de philosophie positive* et dans son *Discours sur l'esprit positif*.

KARL MARX ET LA LUTTE DES CLASSES

Karl Marx est certainement un des penseurs qui a le plus influencé son époque. Son rayonnement a largement débordé les cercles académiques. Au XXe siècle, sa pensée a servi de modèle théorique pour l'instauration de plusieurs régimes politiques et pour le renversement de nombreux autres.

Karl Marx (1818-1883).

Économiste, sociologue avant la lettre, il a jeté sur la société de son époque un regard critique et révolutionnaire. Il décortiqua le **capitalisme** naissant, prenant l'Angleterre comme modèle de société industrielle, pour ensuite élaborer une théorie du dépassement de ce système économique. On peut dire qu'il avait une conception évolutionniste et téléologique de l'histoire en ce sens qu'il voyait dans la société capitaliste un stade plus évolué de vie sociale que la société féodale ou que les sociétés antérieures, mais moins évolué que la société fondée sur le **communisme**, qu'il considérait être le but ultime de son développement. Ce devait être une société sans classe, issue d'une lutte entre deux classes sociales antagonistes : la **bourgeoisie** et le **prolétariat**.

CAPITALISME

Système économique et social basé sur l'accumulation des biens et des capitaux.

COMMUNISME

Régime politique et social fondé sur l'appropriation collective des moyens de production.

BOURGEOISIE

Classe dominante possédant le capital et les moyens de production.

PROLÉTARIAT

Classes sociale ouvrière ne possédant que sa force de travail.

C'est donc du système capitaliste, davantage que de la société industrielle elle-même, qu'il voudra rendre compte. Il cherchait d'abord à expliquer les rouages du système pour en déceler ensuite les contradictions qui allaient mener à sa propre désintégration. Influencé par l'engouement de son époque pour la science, il tenta de formuler une analyse scientifique du système capitaliste. Mais, contrairement à Comte, il orienta son analyse davantage vers l'avenir que vers le passé, la référence aux sociétés anciennes (primitives, agricoles, féodales) n'étant utilisée que pour mieux faire comprendre le présent et prévoir l'avenir.

L'idée d'une construction du social, c'est-à-dire de la transformation possible des rouages sociaux par l'action humaine, est centrale dans son œuvre. Dans l'analyse qu'il fait des sociétés, il privilégie le niveau de la production économique pour expliquer la structure sociale et la structure idéologique. Les classes sociales, le mode de propriété, la culture, les religions et les croyances sont déterminés par le mode de production économique d'une société donnée. Par exemple, dans la société capitaliste, la recherche constante du profit et l'ensemble de la logique propre à la production des biens engendrent deux classes sociales distinctes et antagonistes : la bourgeoisie, qui possède le capital et les moyens de production, et le prolétariat, qui possède sa force de travail. Dans cette société, les idéologies et les croyances sont formulées par la classe dominante qui justifie ainsi l'ordre social et sa place à l'intérieur de cet ordre.

D'après Marx, la structure sociale comprend trois niveaux. Le premier niveau est celui de l'infrastructure économique, qui englobe les forces de production, soit les matières premières, l'outillage technologique, la main-d'œuvre et la science de la production. Vient ensuite le niveau des rapports de production, soit les relations que les individus et les groupes ont entre eux dans la production économique (classes sociales, rapports capital-travail, mode d'appropriation). Finalement, le troisième niveau est formé par les idéologies, qu'il appelle aussi la superstructure idéologique.

RAPPORT DIALECTIQUE

Rapport d'opposition, de contradiction, entre deux éléments.

MATÉRIALISME HISTORIQUE

Doctrine selon laquelle les forces économiques ont un pouvoir déterminant sur toute la structure sociale.

Ces trois niveaux sont dans un **rapport dialectique** les uns avec les autres. À la différence de Comte, qui estimait que c'est la connaissance que l'on a des choses qui détermine les choses elles-mêmes, Marx considérait que c'est le premier niveau qui est déterminant. Marx voit dans l'État, la famille et le droit des institutions au service de la classe possédante. Ainsi, les croyances religieuses font partie de l'idéologie régnante, c'est-à-dire d'un ensemble de représentations que la classe possédante s'est données pour maintenir son pouvoir sur le peuple. Le **matérialisme historique**[1] de Marx s'appuie donc sur l'idée que, pour comprendre une société dans sa totalité, il faut partir d'un examen de son organisation économique.

1. On trouvera une présentation des principales idées de Marx dans une perspective sociologue dans l'ouvrage de Henri Lefebvre, *La sociologie de Marx,* Paris, Presses Universitaires de France, 1966.

ENCADRÉ 2

La conception marxienne des transformations sociales

Marx considère qu'une société est essentiellement en mouvement. Traversée de part en part par l'histoire, elle se transforme par le biais d'une lutte des classes. Toute société capitaliste a tendance à se polariser selon deux classes antagonistes. Cette polarisation résulte des contradictions du système économique qui vont la mener à l'éclatement. Ainsi, Marx observe que, dans la société capitaliste, l'enrichissement des détenteurs des moyens de production que permet l'industrialisation s'accompagne nécessairement d'un appauvrissement du plus grand nombre. La bourgeoisie profite de la richesse accrue pendant que le prolétariat grandit et vit dans des conditions matérielles de plus en plus pénibles.

Ce sont des processus de ce type qui mènent selon Marx à la lutte armée et à la révolution. Tout comme la bourgeoisie a détrôné la classe dominante qu'était la monarchie à l'époque de la Révolution française, elle sera à son tour détrônée par le prolétariat. L'enjeu de cette lutte, c'est la prise du pouvoir par la majorité.

Marx a élaboré ces idées graduellement. Il a d'abord publié, en collaboration avec Engels, *L'Idéologie allemande*. Son œuvre principale s'intitule *Le Capital*, dont deux des trois tomes ont été publiés après sa mort. Le thème de la transformation sociale par la lutte des classes est traité notamment dans le *Manifeste du parti communiste* et *Les luttes des classes en France, 1848-1850*.

Nommez et décrivez quatre éléments des théories proposées par les deux précurseurs de la pensée sociologique qui sont importants pour l'étude des transformations sociales.

Expliquez en quelques phrases quel est le moteur du changement pour Comte et pour Marx.

3 Les auteurs classiques

C'est avec Émile Durkheim (1858-1917) et Max Weber (1864-1920) que la sociologie prend véritablement forme comme science. En effet, non seulement ces auteurs tentent-ils d'expliquer la société industrielle, mais ils proposent des méthodes de description et d'analyse des FAITS SOCIAUX. Comme les conséquences les plus violentes de l'industrialisation furent vécues en Europe, il n'est pas étonnant que les précurseurs et les fondateurs de la sociologie aient été des Européens. Nous allons maintenant examiner la pertinence de leurs travaux pour l'étude des phénomènes de transformation sociale contemporains.

Émile Durkheim et la solidarité sociale

Durkheim est l'auteur d'un nouveau concept, celui d'ANOMIE SOCIALE, qui sert à décrire les effets sur les individus et sur les sociétés de la transformation d'une société. L'anomie sociale décrit à la fois l'affaiblissement des valeurs fondamentales d'une société (la solidarité et l'altruisme) et l'éclatement des cadres sociaux traditionnels d'appartenance et d'intégration sociale (la famille, la religion et le travail) qui résultent d'un processus de transformation de la société.

Émile Durkheim (1858-1917).

Lorsqu'une société passe d'un stade à un autre, par exemple du stade préindustriel au stade industriel, on dit qu'elle est en transition. Durant une telle transition, les repères des individus changent au point que les liens sociaux ne leur permettent plus de s'orienter. Il s'ensuit des conditions favorables à l'apparition de phénomènes de déviance et d'autodestruction, tels que le suicide[2]. Durkheim appelle l'ensemble des problèmes occasionnés par la transformation sociale la PATHOLOGIE SOCIALE.

Face à une telle situation de confusion culturelle et de désorganisation sociale, le sociologue doit observer sa société, la comparer à d'autres pour mieux la comprendre, rechercher les causes des faits observés et les expliquer. Que ce soit en étudiant des phénomènes comme la division du travail, les formes de la vie religieuse ou le suicide, il doit toujours essayer de les comprendre en fonction d'une structure sociale donnée dans laquelle ils s'insèrent. Les structures d'une société comportent en effet les éléments d'explication des phénomènes sociaux, comme la marginalité et la normalité. Ainsi, le phénomène du suicide s'explique à la fois par la faiblesse des cadres sociaux d'appartenance et par des changements importants survenus dans le système de valeurs. La transformation d'une société préindustrielle en une société industrielle fait éclater les liens sociaux traditionnels, comme ceux du monde rural et de la famille. Du coup, les valeurs traditionnelles sont radicalement remises en question.

C'est donc davantage par une transformation de l'organisation sociale menant à des ajustements des institutions sociales, des institutions d'enseignement et des entreprises, que par une lutte des classes qu'on doit espérer solutionner de tels problèmes. La **prévention sociale**, dans laquelle la sociologie a un rôle important à jouer, doit aussi contribuer à résoudre ces problèmes.

PRÉVENTION SOCIALE
Ensemble des mesures de prévention des désordres sociaux.

Si le sociologue doit étudier les faits sociaux le plus objectivement possible, c'est pour en arriver à mieux les comprendre et pouvoir éventuellement aider à prévenir les désordres. Dans cet ordre d'idées, Durkheim accorde une grande

2. Cette thèse est défendue dans l'ouvrage majeur de Émile Durkheim, *Le suicide – Études de sociologie*, 2e édition, Paris, Presses Universitaires de France, coll. Bibliothèque de philosophie contemporaine, 1961.

importance à l'éducation[3] comme moyen d'inculquer à la jeunesse des idéaux collectifs de partage, d'égalité et d'altruisme. Ces valeurs ne lui apparaissent pas suffisamment présentes dans la société industrielle qu'il observe et décrit.

Malgré tout, cette société représente pour lui une forme supérieure de vie sociale par rapport aux sociétés précédentes parce qu'elle offre plus de possibilités aux individus et qu'elle leur permet d'établir des liens sociaux plus nombreux et intenses. Cependant, elle doit aussi leur offrir un encadrement suffisant pour leur permettre de faire des choix éclairés. À cet égard, le système d'éducation a un rôle de premier plan à jouer. Si l'individu jouit de plus de liberté et d'autonomie dans une société complexe, il doit avoir les moyens de faire rationnellement les meilleurs choix possibles. Durkheim considère en effet qu'une société qui offre plus de possibilités sans donner d'outils d'encadrement suffisants risque d'engendrer l'anomie, avec les conséquences que l'on connaît pour les individus et les sociétés. Ce sont ces cadres sociaux qui, en fournissant des lieux d'appartenance et d'échange, vont protéger les individus et les sociétés des phénomènes de marginalité et de déviance comme le suicide.

RÉVISION

Quels sont les moyens de prévention des problèmes sociaux sur lesquels les sociétés devraient miser d'après Émile Durkheim ?

ENCADRÉ 3

La solidarité selon Durkheim

Dans sa thèse de doctorat, publiée en 1893 sous le titre *De la division du travail social*[4], Durkheim soutenait que toute vie sociale repose sur la solidarité. Il y établissait une distinction entre deux types de solidarité, la *solidarité mécanique* et la *solidarité organique*.

La solidarité mécanique se rencontre au sein des petites sociétés rurales, simples et homogènes, où le sentiment du « nous » est plus fort que le sentiment du « je ». C'est une solidarité fondée sur la ressemblance et sur la proximité des membres, où la coopération est naturelle et spontanée. Là où la division du travail est peu poussée et où la tradition joue un rôle important, la solidarité dite mécanique se développe.

Il existe un autre type de solidarité, qu'il nomme organique, dans les sociétés complexes et diversifiées, telles les sociétés industrialisées. Cette solidarité est fonction du nombre, de l'intensité et de la complexité des rapports sociaux que l'on y trouve. C'est la complémentarité des rôles sociaux reliés à la spécialisation et à l'interdépendance des individus les uns par rapport aux autres qui la fonde. Mais la différenciation sociale favorise aussi l'éclatement du tissu social parce qu'elle présente de multiples voies de réalisation personnelle. En effet, le renforcement de la conscience individuelle, qui est nécessaire pour faire des choix, peut être en même temps propice à une désintégration du tissu social. Durkheim appelle ce processus la *décomposition du consensus*.

3. Voir Émile Durkheim, *Éducation et sociologie*, Paris, Presses Universitaires de France, 1973.

4. Émile Durkheim, *De la division du travail social*, 10e éd., Paris, Presses Universitaires de France, coll. Bibliothèque de philosophie contemporaine, 1978.

MAX WEBER ET LA CULTURE

À l'instar de Durkheim, Max Weber s'est donné comme projet de fournir une explication scientifique de la société industrielle de son époque. À la différence de Comte et de Marx, Weber n'est pas un évolutionniste. Pour lui, la société industrielle ne représente pas un stade supérieur de développement par rapport aux sociétés antérieures. Il considère plutôt qu'il convient d'étudier chaque société en elle-même, sans porter de jugement de valeur sur son état d'évolution et sans la classer dans une hiérarchie de sociétés[5].

Ainsi, à partir d'observations sur la société dans laquelle il vit et de comparaisons avec d'autres sociétés, Weber est en mesure d'établir une relation entre trois phénomènes qui n'apparaissent pas de prime abord nécessairement reliés entre eux, à savoir le *développement scientifique*, l'*expansion de la bureaucratie* et le *progrès du capitalisme*. Ce sont, soutient-il, trois faits de société interdépendants qui se renforcent mutuellement. Ils ont en commun une valorisation de la **rationalité**.

RATIONALITÉ
Caractère d'un raisonnement ou d'un fait répondant à certaines exigences logiques.

Max Weber (1864-1920).

Que ce soit en étudiant le monde du travail, les religions ou les systèmes économiques, Weber accorde toujours une importance primordiale à l'univers des valeurs pour rendre compte des phénomènes sociaux. C'est pourquoi on l'a appelé le *sociologue du sens*. Les valeurs sont les lignes de force selon lesquelles les êtres humains ont orienté leur action au cours des âges. Ceux-ci ne sont pas que des êtres rationnels, mais aussi des êtres animés de sentiments et d'émotions. Les fins qu'ils poursuivent et les systèmes qu'ils érigent témoignent à la fois de leurs connaissances et de leurs croyances spirituelles. Ces croyances forment l'univers de la culture. Le monde des valeurs a donc un poids déterminant dans les transformations sociales. En soutenant, à l'aide d'exemples historiques, que les conceptions religieuses et morales ont influencé l'activité économique et non l'inverse, Weber tend à réfuter la thèse du matérialisme historique.

Sur le plan de la méthode d'observation des phénomènes sociaux, Weber est le père de la SOCIOLOGIE COMPRÉHENSIVE, qui vise à rechercher, à expliquer

5. Voir à ce sujet Julien Freund, *Sociologie de Max Weber*, 2e éd., Paris, Presses Universitaires de France, coll. Le Sociologue, 1968.

et à comprendre le sens que l'acteur social donne à ses comportements. Selon Weber, c'est par cette compréhension du sens que le travail du sociologue se distingue de celui du physicien, du biologiste ou de l'astronome, qui n'ont pas à rechercher les significations intentionnelles des phénomènes naturels. Il est essentiel, note-t-il, que le sociologue se place du point de vue de l'acteur social, s'il veut bien en saisir les motivations. Par ailleurs, le travail du sociologue se différencie aussi du point de vue du scientifique œuvrant dans les sciences naturelles par le fait que celui-ci n'a pas à se pencher sur un objet en transformation constante.

La sociologie compréhensive demande de bien départager les motivations manifestes et les motivations latentes des acteurs sociaux. C'est souvent le non-dit qui est le principal moteur de changement. Ainsi, on vient au cégep pour parfaire une formation, obtenir un diplôme qui nous mènera sur le marché du travail ou à l'université. L'obtention d'un diplôme est la motivation manifeste de la fréquentation quotidienne du cégep pendant deux à trois années. Mais on peut y venir également pour rencontrer des amis et participer à des activités sportives, culturelles ou sociopolitiques. Cette composante latente de l'action peut avoir une influence tout aussi importante sur la réussite scolaire que la composante explicite. Pour les individus comme pour les sociétés, cette dimension affective et symbolique de l'action sociale est souvent déterminante pour les phénomènes de changement.

L'univers symbolique de significations est celui que le sociologue doit tenter d'expliquer et de comprendre. C'est là sa tâche de scientifique. Mais cette description peut aussi avoir une portée pratique : elle peut notamment jeter sur les phénomènes sociaux un éclairage utile à l'homme politique. Le scientifique n'a pas à s'impliquer lui-même dans l'univers de la décision politique. La sphère du savant et celle du politique sont deux sphères séparées mais complémentaires. Le sociologue n'est pas un réformateur. Il revient au politicien de l'être, car nos sociétés ont besoin de réformes qui ne peuvent se réaliser sans une connaissance précise des mobiles des comportements humains et sans une vision critique de ces comportements. Ainsi, alors que le sociologue doit se contenter d'aider les hommes politiques à exercer leur pouvoir, ceux-ci doivent nécessairement s'appuyer sur les données scientifiques fournies par les sociologues pour prendre des décisions éclairées[6].

Un autre aspect de sa réflexion concerne le pouvoir. Max Weber a vu dans la nature même de la société industrielle un nouvel ordre de domination qui diffère de la domination purement économique. Là aussi, il s'oppose à la thèse

6. Ces thèses sont exposées dans l'ouvrage suivant : Max Weber, *Le savant et le politique,* trad. de l'allemand par Julien Freund, Paris, 10-18, 1986.

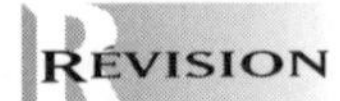

Qu'est-ce qui caractérise l'approche wébérienne ?

du matérialisme historique. Prenant l'exemple de la bureaucratie, il montre comment celle-ci engendre des inégalités politiques. La division rationnelle du travail effectuée en vue d'une plus grande efficacité est avant tout selon Weber une division inégale du pouvoir au sein des entreprises et dans l'ensemble de la société. Elle lui apparaît être un phénomène essentiellement politique.

ENCADRÉ 4

Les transformations sociales selon Max Weber

Weber illustre l'importance du facteur culturel dans l'étude du changement social à l'aide du cas suivant. Au XVIIe et au XVIIIe siècle, on assista dans certains pays européens à l'émergence de deux courants sociaux importants, l'un dans le domaine économique et l'autre dans le domaine de la morale et de la religion. Ce sont respectivement le capitalisme et la **morale** protestante de type **calviniste.**

MORALE CALVINISTE
Morale inspirée des doctrines et des pratiques de Calvin (1509-1564) valorisant le travail et un mode de vie austère.

L'*esprit du capitalisme* est la recherche du profit par l'accumulation des biens produits à partir d'une organisation du travail la plus rationnelle et la plus disciplinée possible. Il ne s'agit pas d'une orientation propre à la société européenne, mais celle-ci lui a fourni un terreau fertile, notamment dans les pays où régnait la morale protestante calviniste (Hollande, Allemagne). C'est ce que l'on a appelé le *puritanisme protestant.*

En quoi cette éthique consiste-t-elle et pourquoi aurait-elle favorisé l'expansion du système économique capitaliste ? Il s'agit d'une morale qui valorise fortement le travail individuel réalisé en vue de la réussite personnelle. Elle considère que l'argent, qui est le fruit de l'activité laborieuse, ne doit servir ni au luxe, ni même à la satisfaction des plaisirs immédiats, mais doit être réinvesti constamment dans de nouveaux projets. C'est ainsi que le travail assidu et discipliné, conjugué à un mode de vue austère et à la compétition des individus, permet l'accumulation du capital et de la richesse. Comme elle accorde une place de choix à la responsabilité individuelle dans la réussite, cette morale ouvre la porte à la compétition si caractéristique du système économique de type capitaliste. En privilégiant la rationalité scientifique dans l'activité humaine, elle facilite l'organisation scientifique du travail sans laquelle le capitalisme n'aurait pas eu le succès qu'on lui connaît.

Comme le souligne Weber, ce sont les affinités spirituelles entre l'éthique protestante et le capitalisme qui expliquent le développement sans précédent dans l'histoire du système capitaliste marchand au XVIIe et au XVIIIe siècle. Ils partageaient certaines valeurs et idées fondamentales, ce qui leur a permis de se renforcer mutuellement[7].

Weber est le dernier des quatre grands auteurs à l'origine de la sociologie. Comte, Marx, Durkheim et Weber partageaient la foi en la science, un intérêt prononcé pour la société industrielle dans laquelle ils vivaient et la croyance en la capacité de l'être humain d'agir sur son environnement pour le

7. Les thèses résumés ici sont sont élaborées dans l'ouvrage inaugural de Max Weber, *L'Éthique protestante et l'esprit du capitalisme,* trad. de l'allemand par Jacques Chavy, Paris, Plon, 1964.

transformer et l'améliorer. Ils considéraient tous que l'application de la méthode scientifique à l'étude de la société devait permettre d'expliquer non seulement des changements sociaux spécifiques, mais aussi les processus historiques généraux de transformation sociale. On les qualifie parfois de penseurs déterministes en ce sens que chacun d'eux jugeait avoir identifié le facteur déterminant pour la compréhension de la société elle-même et de son évolution.

Le tableau 1 met en regard les principaux éléments de ces théories du changement social.

Tableau 1 Précurseurs et classiques de l'étude des transformations sociales

	Objet d'étude	Causes des problèmes	Solutions	Rôle du scientifique	Facteur de changement (sociologue)
Comte	Société industrielle	État imparfait des connaissances	• Positivisme • Sociologie	• Éclairer • Expliquer • Intervenir	• Connaissance
Marx	Société capitaliste	Appropriation des ressources, du capital et du travail par la bourgeoisie (minorité)	• Lutte des classes : prolétariat contre bourgeoisie	• Expliquer • Intervenir • Conscientiser • Mobiliser	• Conscience des problèmes • Organisation • Action
Durkheim	Société industrielle	Anomie sociale et culturelle	• Prévention • Éducation • Appartenance	• Expliquer • S'engager	• Altruisme • Solidarité
Weber	Société bureaucratique	Domination politique	• Comprendre les motivations des acteurs sociaux	• Éclairer	• Valeurs spirituelles • Rationalité

L'INTERDÉPENDANCE DES FACTEURS EXPLICATIFS DU CHANGEMENT SOCIAL

Pour terminer cette partie sur les premières approches du changement social, il convient de souligner les visées contradictoires des précurseurs et des classiques présentés dans ce chapitre. Quel facteur a le plus de poids dans l'étude du changement social ? Marx considérait que c'était l'infrastructure économique. Pour Comte, c'était l'état des connaissances. Selon Max Weber, la morale et les croyances. Et d'après Durkheim, c'était le système d'éducation et les lieux d'appartenance. Ces divergences ne dépendaient pas uniquement du fait que la sociologie était une science jeune, mais étaient liées à la complexité même de son objet d'étude, la société. Aujourd'hui, nous savons qu'on ne peut pas expliquer les phénomènes sociaux en fonction d'un seul facteur, mais qu'il faut prendre en considération de multiples facteurs interdépendants. Ainsi, plusieurs facteurs expliquent les phénomènes sociaux comme le chômage et la monoparentalité. Pour comprendre une réalité complexe, il ne faut pas craindre d'élaborer des modèles complexes.

Il en est de même des grandes transformations de la société. Une société donnée peut, à un moment donné de son histoire, effectuer des changements de nature politique, économique ou culturelle. Nous savons que ces changements entraînent habituellement des répercussions sur tout l'ensemble social. Il faut donc tenir compte des effets réciproques de ces diverses transformations.

Parsons, Merton et le structurofonctionnalisme

On ne saurait terminer ce survol des penseurs de la société industrielle sans parler de la pensée sociologique américaine élaborée entre 1930 et 1950. Une fois que les inventeurs de la sociologie eurent jeté les fondements de cette science, l'intérêt pour les phénomènes de transformation sociale faiblit et on se tourna, avec le développement du structurofonctionnalisme, vers l'étude du fonctionnement des structures sociales et de la fonction des grandes institutions (famille, éducation, religion, politique) dans tout l'ensemble social. C'est surtout aux États-Unis que se développa ce courant sociologique. Deux raisons expliquent cette relative indifférence aux grandes transformations sociales et cet intérêt marqué pour le fonctionnement interne des sociétés.

D'abord, il faut souligner que le contexte social américain au XXe siècle était bien différent de celui de l'Europe du XIXe siècle. Les États-Unis connaissaient une immigration massive, la production industrielle était à la hausse et il existait de fortes tensions raciales. Il apparaissait donc moins important de comprendre les grandes transformations sociales que de chercher des solutions aux problèmes reliés au fonctionnement interne de la société. Les chercheurs en sciences humaines, que ce soit en psychologie ou en sociologie, tentèrent de définir des outils de compréhension des mécanismes d'intégration des individus à l'ensemble de la société. On a parlé de la sociologie américaine comme d'une sociologie de l'adaptation.

D'autre part, il arrive fréquemment, dans l'histoire d'une discipline, qu'un courant de pensée s'oppose à un autre. Ainsi en alla-t-il durant cette période, alors qu'on critiqua l'influence de l'évolutionnisme darwinien sur la sociologie. Il s'avérait important de cesser de toujours comparer une société à une autre et de classer les sociétés selon le même schéma évolutionniste. Que ce soit en anthropologie ou en sociologie, on se concentrait désormais sur l'étude du fonctionnement d'une société donnée vue comme un système où chaque institution a une fonction précise à remplir. Pour le structurofonctionnalisme, il est préférable de chercher à comprendre une société en elle-même, plutôt que comme le produit de son histoire.

Dans cette optique, les tensions sociales apparaissent comme une source d'innovations sociales plutôt que de grands bouleversements. Ainsi, les relations conflictuelles entre les Blancs et les Noirs, qui donnaient lieu régulièrement à des émeutes raciales, furent à l'origine des politiques d'accès à l'égalité pour les Noirs, que ce soit dans le milieu de travail ou à l'école. Les tensions entre les Amérindiens et les populations blanches ont donné lieu à des politiques visant à accorder une plus grande autonomie à certaines communautés autochtones, comme les Navahos de l'Arizona.

RÉVISION

Quelles sont les deux raisons qui expliquent l'importance du courant structuro-fonctionnaliste ?

ENCADRÉ 5

Un exemple d'innovation sociale

« Quand j'étais petit et que nous allions faire des courses, les autres enfants me traitaient de « sale Indien ». Première expérience du racisme. Ma mère refusait ce genre de situations ; elle se disputait toujours et disait : « Ça ne vous avance pas à grand-chose de parler ainsi et ça ne vous rend pas supérieurs à nous. Un de ces jours, nous, les Navajos, cesserons de faire nos courses chez vous. Et nous verrons alors à quel point vous appréciez les Navajos ! Parce que vous, les Blancs, ne connaissez qu'une seule chose : l'argent ! » Nous avons ainsi appris à nous défendre verbalement, quoique effrayés à l'idée d'avoir à le faire.

À 6 ans, on m'a rasé la tête et jeté dans une salle de classe à l'école des Blancs. Arraché à mes parents, bouleversé, je ne savais plus où ils se trouvaient, pourquoi ils n'étaient plus là. Nous étions une soixantaine du même âge, déracinés, coupés de notre système de références, de notre héritage. Dès ce premier jour, les enseignants ont tout fait pour nous inculquer de nouvelles valeurs et, à la fin de l'année, nous en étions déjà imprégnés. Ils nous disaient : « Les banlieues, les villes, c'est là que vous devez apprendre à vous adapter, vous, les Indiens, si vous voulez survivre. Abandonnez votre mode de vie à l'indienne ! » Nous y avons cru. Un grand nombre d'entre nous y croyaient tellement fort que lorsque leurs parents venaient les chercher pour les vacances, ils n'étaient plus très sûrs d'être heureux de les retrouver. Nous avons développé une attitude négative à l'égard de nos parents. Du point de vue des Américains, nous étions sur les rails de la victoire : ils nous avaient convertis à leur culture. J'éprouvais une sensation de perte, d'incompréhension de mon passé. Je ne permettrai jamais que cela arrive à mon fils ! C'est trop destructeur. À la fin des années soixante, les Indiens ont commencé à se révolter. De 1967 à 1969, je me suis engagé dans l'armée américaine. Je suis désolé de le dire : j'aurais dû être réfractaire, mais j'y suis allé. Ce n'est qu'après ma démobilisation que j'ai vraiment compris que quelque chose ne fonctionnait pas chez nous. Je me suis demandé ce qu'étaient devenues notre culture, notre histoire. Ce n'est qu'en 1975 que le gouvernement américain a reconnu aux Indiens le droit de prendre leurs propres décisions. Sous leur pression et celle d'une part de l'opinion, le Congrès a décidé de modifier sa politique envers eux. Il a donc fini par les considérer autrement : il a cessé de jouer au « puissant père blanc ». Il n'était plus le policier du monde œuvrant pour le bien de tous.

S'il existe un point commun à tous les Indiens, c'est le choc émotionnel résultant du conflit culturel avec le système américain. Aujourd'hui, les Indiens veulent programmer leur avenir et éliminer ces traumatismes, ou plutôt les minimiser, afin de rester en accord avec la Voie de beauté de notre peuple. Je souhaite donner à mon fils, âgé de 3 ans, une capacité d'adaptation et une autonomie de pensée. Mais aussi lui transmettre notre héritage navajo. Il participe déjà aux cérémonies ; il ne parle pas encore le navajo, car sa mère est une Pueblo de Jemez, et, pour correspondre, nous utilisons l'anglais. Mais je lui apprends le navajo à la maison ; je tiens à ce qu'il comprenne notre philosophie et connaisse nos cérémonies. Plus tard, ce sera à lui de décider ce qu'il veut garder ou rejeter. En attendant, j'espère lui donner le sens critique de l'Histoire, pour qu'il puisse évoluer dans les deux mondes. Je le mettrai dans une école indienne où l'éducation est donnée en anglais et en navajo. On y apprend aussi la culture, l'histoire et les concepts de notre peuple.

Les enfants fidèles à leur culture sont les meilleurs élèves

Je souhaite qu'il comprenne des choses simples, comme la course en direction du Soleil, le matin. Dans la culture navajo, cette course a une raison précise : elle contribue d'abord au développement physique, mais aussi à l'apprentissage de l'orientation spatiale. Et quand, plus tard, on lui demandera de « prendre une direction dans la vie », il saura comment aller d'un point à un autre. Je veux qu'il ait accès aux différentes possibilités pour atteindre un objectif. Pour chacune d'elles, il y a des pas spécifiques à faire, des implications diverses. C'est une bonne préparation, afin de pouvoir plus tard saisir un concept abstrait : l'idée du but à atteindre. Je souhaite que la structure de pensée de mon fils soit liée à sa culture.

Les parents navajos, bien qu'ayant une excellente connaissance du navajo, envoient leurs enfants dans des écoles où on enseigne essentiellement la culture américaine. Ils se disent que c'est ce qu'ils peuvent faire de mieux pour leurs enfants. Les mères pensent : « Je suis une pauvre femme, je ne peux m'exprimer qu'en navajo. Notre culture ne survivra pas, et elle n'enseignera rien d'utile à mon enfant dans ce monde de technologie ! Autant lui faire suivre un système scolaire étranger ! »

Lorsque des adultes me demandent si l'expérience qu'ils ont de leur culture est valable pour leur enfant, je peux leur répondre « oui » et j'en suis heureux. C'est important pour nous. Car nous ne sommes pas habitués à la valorisation de notre culture. Le gouvernement tribal n'est devenu un terme chargé de sens que depuis vingt ans. Donc nous sommes encore jeunes ! L'année dernière, nous avons mis sur pied un projet d'enseignement expérimental adapté à ce type de situation. Nous avons divisé la classe en deux : d'un côté, une vingtaine d'enfants recevant un enseignement classique, et

> de l'autre, une vingtaine d'enfants recevant en plus une transmission traditionnelle de la culture indienne par leurs parents. Nous avons alors observé que ces derniers réussissaient mieux leur scolarité que ceux du premier groupe. Quand l'élève retourne chez lui, il n'affiche pas de mépris vis-à-vis de ses parents, comme c'était le cas dans l'autre école[8].

Aux États-Unis, les principaux représentants du structurofonctionnalisme sont Talcott Parsons (1902-1979) et Robert K. Merton (né en 1910). Ce sont donc nos contemporains. On les considère comme des sociologues de la société industrielle. Ils furent très influencés par la pensée de Max Weber, notamment en ce qui concerne l'importance qu'il convient d'accorder aux valeurs et aux croyances dans l'étude des motivations des individus et des sociétés. Ils le furent aussi en ce qui a trait à la division du travail entre la sociologie et la politique, qu'ils concevaient selon le modèle de la distinction tracée par Weber entre le rôle du savant et celui du politique.

C'est ainsi que cette sociologie a élaboré une « éthique de la neutralité ». Selon cette éthique, le sociologue doit adopter une attitude neutre dans le traitement des problèmes sociaux sous peine de mettre en péril sa crédibilité scientifique. Elle exige de lui qu'il évite de s'engager personnellement dans les débats de société. Il doit contribuer à éclairer ceux qui ont des décisions à prendre. La recherche de connaissances et l'engagement sont des activités qui ne doivent pas interférer l'une avec l'autre. À certains égards, il peut sembler que cette exigence fut mieux respectée aux États-Unis qu'en Europe. Mais, comme nous l'avons souligné plus haut, les méthodes et les objets de la sociologie américaine et de la sociologie européenne ont été définis à partir de conditions sociales différentes, qui peuvent relativiser la portée de cette impression.

Comme le montre le sociologue québécois Guy Rocher[9], la sociologie américaine ne doit pas être automatiquement assimilée à une sociologie statique. Il est vrai qu'elle s'est plutôt intéressée aux divers mécanismes d'intégration sociale que met en place toute société pour maintenir un équilibre. On a qualifié cette approche d'*anhistorique* pour souligner le peu d'importance qu'elle accordait aux phénomènes de changement de structures sociales. Et pourtant, elle a ainsi tracé la voie à la mise sur pied de mécanismes d'intégration de groupes minoritaires, tels les immigrants, les Noirs, les jeunes délinquants, les déviants.

---

8. Propos recueillis par Dominique Godrèche, « La longue marche des Navahos », *Géo*, nº 193, mars 1995, p. 159-160.

9. Guy Rocher, *Talcott Parsons et la sociologie américaine*, Paris, Presses Universitaires de France, 1972.

Par ailleurs, il existe aussi une école américaine de « sociologie critique », dont Wright Mills est un des représentants. On lui doit notamment la notion d'imagination sociologique. Mills soutenait qu'il est important, pour le sociologue, d'aborder les problèmes sociaux dans la perspective des défis que la société se donne. Pour lui, l'éthique de la neutralité a plutôt favorisé le désengagement des sociologues envers leur propre société et encouragé le conservatisme. Il a mis en évidence l'appartenance du sociologue à sa société, qui s'exprime par ses valeurs, ses choix et sa position dans les débats de sa société. Selon Mills, ce n'est pas nuire à son objectivité que de prendre conscience de ses choix et de ses valeurs. Mills va plus loin en soulignant que la prise de conscience de ses choix doit entraîner un engagement face aux problèmes de société comme la pauvreté, le chômage, l'immigration et l'éducation.

RÉVISION

Face aux phénomènes de changement, en quoi la démarche de la sociologie est-elle différente de celle des sciences naturelles ?

Quels sont les éléments qui caractérisent le courant structuro-fonctionnaliste en sociologie ?

Rocher note également que c'est aux États-Unis que la « sociologie des conflits », d'inspiration marxiste, a été élaborée. Celle-ci est cependant centrée sur les problèmes de la société américaine[10]. Dans toute société, on observe des luttes de pouvoir entre divers groupes et entre diverses institutions. Ces luttes débouchent sur des aménagements qui prennent la forme de lois, de règlements et de politiques permettant de changer la société. Ces rapports de domination sont économiques, mais ils peuvent aussi être politiques et culturels. Ceux qui dominent tendent généralement à maintenir le statu quo, alors que ceux qui subissent la domination ont tendance à se rebeller et à vouloir changer les choses. Le conflit fait donc partie de la vie sociale.

4 La pratique de la sociologie

Le regard du sociologue est déterminé également par une pratique. Le sociologue doit apprendre à observer les faits *sur le terrain,* c'est-à-dire à voir la réalité des choses, de manière à pouvoir bien évaluer les changements survenus dans une société. Nous avons indiqué que les précurseurs et les fondateurs de la sociologie ont tous voulu appuyer leurs théories et leurs concepts sur des faits réels, que ce soient des faits historiques ou des faits actuels. Observer, décrire, expliquer les faits en recherchant les causes des phénomènes : telles ont toujours été les intentions de la pratique sociologique.

À l'aide de comparaisons dans l'espace et dans le temps, les sociologues ont pu évaluer des changements réels survenus dans des secteurs spécifiques de la vie sociale. Comment, de nos jours, obtenir les données qui permettent

10. Voir par exemple Ralph Darendhorf, *Class and Class Conflict in an Industrial Society,* Stanford, Stanford University Press, 1959.

cette évaluation ? Comment apporter un éclairage sur ce qui a changé ou ce qui est en train de changer ? Comment, par exemple, avoir accès à des sources d'information relatant la vie d'autrefois ? Le cinéma et la télévision présentent régulièrement des reconstitutions historiques dans la foulée d'un courant de retour aux origines. Cela nous donne l'idée de ce qu'ont pu être les modes de vie d'autres époques et d'autres lieux, et peut nous donner le goût d'en connaître davantage. Mais le problème d'une science, c'est d'arriver à présenter les faits le plus authentiquement possible.

Pour ce faire, il existe en sciences humaines plusieurs techniques de cueillette des données déjà éprouvées permettant ces incursions dans le temps. On a recours : 1) aux documents anciens, 2) aux monographies, 3) aux biographies, autobiographies et mémoires, 4) aux histoires de vie, et 5) aux données statistiques.

Les documents anciens

Les documents anciens contiennent des données brutes, c'est-à-dire des données non traitées et non analysées concernant des événements passés et oubliés. Ce sont notamment les registres de baptêmes, de mariages et de décès. On peut englober dans cette catégorie les documents contenant des photos et des cartes qui nous renseignent sur les modes de vie anciens, par exemple sur les formes d'habitations, les costumes, les moyens de transport, etc. La présentation et l'organisation de ces données sont souvent rudimentaires.

Les monographies

Les MONOGRAPHIES constituent aussi une source de données pertinentes. En effet, on trouve dans la monographie une présentation globale de villes ou de villages dans laquelle les données brutes sont colligées et rendues accessibles au grand public. Elles constituent une source d'informations d'un très grand intérêt, surtout pour ceux qui sont en mesure d'interpréter l'histoire de la communauté en question. Au Québec, c'est souvent à l'occasion du centenaire ou du bicentenaire d'une municipalité que ce type d'ouvrages est publié. On peut y lire aussi des informations historiques, démographiques, économiques, sociales et culturelles sur la localité. On y précise notamment quelles sont les premières familles ayant habité ce coin de pays et les raisons qui les ont amenées à s'y s'installer, de quoi vivaient ces pionniers, quelles ont été leurs relations avec les Amérindiens, quels étaient leurs loisirs, leur vie communautaire et sociale. On peut apprendre quels liens elles entretenaient avec les municipalités voisines, quand la municipalité est devenue une paroisse et quand elle a eu sa première école et sa première caisse populaire ou d'épargne.

Voilà autant de points qu'une publication de ce type peut clarifier. On y trouve non seulement ces données (chiffres, statistiques), mais d'autres indications plus personnelles, comme des photos et des extraits de manuscrits ou de lettres, qui contiennent une multitude de renseignements pertinents concernant la vie quotidienne. Dans ce type d'ouvrage, les références sont généralement fiables et les données bien citées.

En ce qui concerne le Québec, on peut par exemple trouver des monographies (intitulées «Histoire de...») sur les villes de Sainte-Agathe, de L'Annonciation, de Mont-Laurier, de Rimouski, de Mont-Joli, d'Amqui, de Jonquière, sans compter une multitude d'ouvrages sur les plus grandes villes comme Québec et Montréal, et même les quartiers de Montréal (Hochelaga-Maisonneuve).

LES BIOGRAPHIES, LES AUTOBIOGRAPHIES ET LES MÉMOIRES

Les biographies, les autobiographies et les mémoires représentent aussi une source importante de renseignements pour qui veut comparer une société à différents moments de son existence. La vie d'une société se reflète en effet dans la vie des individus qui l'ont marquée. À partir de leur expérience de vie, on peut donc connaître leur environnement physique, social et culturel. Que ce soient des chefs d'État, comme Charles de Gaulle, René Lévesque ou John Kennedy, des chefs militaires, comme Hô Chi Minh, des musiciens, comme Mozart ou Tchaïkovski (voir l'encadré 6), ou des écrivains, comme Albert Camus ou Marguerite Yourcenar, ces individus sont des témoins privilégiés de leur époque.

ENCADRÉ 6

Tchaïkovski à New York en 1891

« Dans ce pays merveilleux, tout était singulier. Peut-être la vie serait-elle ainsi dans un monde à venir ? L'Europe – cette parente pauvre – devrait peut-être dans une vingtaine d'années adopter les mêmes modes de vie, ces modes de vie étonnants, extraordinaires. Le chemin de fer passe dans l'air, des ascenseurs montent et descendent, volent d'étage en étage, les immeubles touchent presque les nuages... L'enchantement avait commencé dès le départ du transatlantique géant, *La Bretagne*.

Il fut un temps (vers 1880) où les bateaux ne mettaient pas moins de dix jours pour atteindre l'Amérique du Nord. Maintenant, en 1891, entre le Havre et New York on restait en mer six jours et quatorze heures.[...]

Il ne cesse de s'étonner : dans sa chambre d'hôtel, il y a le chauffage central, une salle de bains avec eau chaude et eau froide. Plus de bougies : partout l'électricité. S'il a besoin de quelque chose, il sonne, ou il décroche le récepteur du téléphone intérieur

et exprime ses moindres désirs. On parle dans un fil de fer. Inimaginable ! Dans les rues, très peu de fiacres, rien que ce chemin de fer qui passe entre les maisons avec un vacarme terrible. Beaucoup de nègres, qu'il dévisage avec curiosité. Et les maisons ! Certains [sic] ont dix, douze, dix-sept étages. Jamais il ne voudrait être au dix-septième. Et on dit qu'à Chicago certaines maisons ont vingt-quatre étages.

Mais les gens aussi sont étonnants : gais, simples, hospitaliers. Chaque matin, des femmes lui envoient des fleurs, des porte-cigarettes en argent, des parfums. Tous les jours, des cadeaux : une statue de la Liberté en argent, une écritoire... Pas de banquets officiels, mais des dîners agréables et animés. Pas de discours, rien que des toasts. Devant chaque couvert, un menu avec quelques fragments de sa musique ; à la place de chaque dame, un portrait de Tchaïkovski dans un cadre élégant.

Un mélange de luxe, de confort, de simplicité, des gens qui s'ingénient constamment à vous faire plaisir, tout cela étonne Tchaïkovski dès le premier jour de son arrivée. Carnegie l'invite à diriger plusieurs concerts. Chaque fois, l'orchestre est parfait, la salle – environ cinq mille places – pleine. Et on trouve cela tout à fait naturel[11]. »

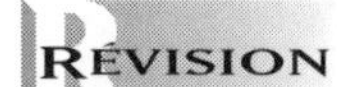

Quelles sont les principales différences sociales notées par Tchaïkovski selon Nina Berverova ?

Dans son autobiographie ou dans ses mémoires, un auteur raconte sa vie ou une partie de sa vie, mais à sa manière, en sélectionnant et en interprétant des faits. Ce sont souvent des ouvrages de référence intéressants dans la mesure où ils permettent de reconstituer tout un milieu de vie à travers le découpage même des événements. Qu'on s'interroge sur des événements mondiaux, comme une crise économique ou une guerre, ou sur des événements plus régionaux, comme l'obtention d'un prix ou une victoire, toujours, le récit d'une tranche de vie de 60 ou 70 ans propose une trame historique.

On peut donner quelques exemples d'autobiographies qui illustrent les liens entre l'individu, sa société et sa culture. Ainsi, l'autobiographie de Simone de Beauvoir[12] permet d'observer l'évolution de la société française de 1908 à 1987. La biographie d'Albert Camus[13] illustre l'itinéraire d'un homme né en Algérie de parents français et immigré en France dans les années 30. Un autre itinéraire comportant un déracinement est celui de Gabrielle Roy[14], née au Manitoba en 1909 et morte au Québec, en 1983. Il en va de même de Marguerite Yourcenar[15], née en Belgique en 1903 et décédée aux États-Unis en 1987. Ce sont là quelques exemples de biographies instructives, mais il y en a de nombreux autres.

11. Nina Berberova, *Tchaïkovski*, Paris, Actes Sud, 1987, p. 201-202.

12. *Les mémoires d'une jeune fille rangée* (1958), *La force de l'âge* (1960) *La force des choses* (1963).

13. Albert Camus, *Le premier homme.*

14. Gabrielle Roy, *La détresse et l'enchantement.*

15. *Souvenirs pieux* (1974), *Archives du Nord* (1977), *Quoi, l'éternité ?* (1988).

Dans la catégorie des témoignages individuels, il faut mentionner également le journal intime et la correspondance. L'univers intimiste des sentiments y étant exprimé de façon libre et spontanée, ce sont des témoignages importants des mœurs d'une époque. Un courant actuel de la sociologie s'intéresse à ce que l'on appelle le « territoire de l'intime » comme révélateur d'une époque[16].

Les histoires de vie

Les histoires de vie connaissent actuellement un regain de popularité. L'utilisation de cette source repose sur une technique de cueillette de données élaborée par les anthropologues qui est de plus en plus utilisée en sociologie comme complément à d'autres méthodes de nature plus quantitative (enquêtes statistiques, sondages). L'histoire de vie s'apparente aux techniques qualitatives précédentes en ce sens que l'on tente de connaître de l'intérieur, à partir de l'expérience d'une personne, ce qui s'est passé dans une société. Mais elle s'inscrit dans une problématique de recherche et doit répondre à des exigences techniques précises (schéma d'interview, enregistrement, résumé).

16. Manon Brunet et Serge Gagnon, *Discours et pratiques de l'intime*, Québec, Institut québécois de recherches sur la culture, 1993.

Une personne nous parle de son expérience en tant que membre d'un groupe, d'un village, d'une profession, d'une église, etc. Comme le dit Didier Le Gall, il s'agit d' « approcher l'histoire par la petite histoire[17] ».

ENCADRÉ 7

Histoire de vie d'un cadre de la fonction publique, recueillie en 1972

« – *Mais la grosse période dure de la crise, vous aviez l'air à dire que c'était une période sans histoire, où tout le monde allait assez bien.*

Y est venu la crise. Ça doit être '28, '29. Le crash qu'y appellent. Le fameux crash. Évidemment que là, ça a été réellement un trou. Tout le monde était embarqué dans ce trou-là. Pourquoi ? Parce que ça a commencé, ça a débuté par la bourse, par la finance. La finance, quoi qu'on dise, y nous en faut parce que le troc, ça existe plus, ça. Je peux pas changer une poche de patates contre une paire de souliers. Ça marchera pas cette affaire-là. Alors, la finance, ça a commencé par là. Évidemment que la finance était restreinte dans le commerce par le fait de la crise. Les marchés étaient à terre. Ça marchait plus. Là, les industries.... Nous autres, on avait ici à Québec... Je me souviens, l'industrie de la chaussure, on était les premiers dans l'industrie de la chaussure, ici, à Québec. [...]

L'industrie de la chaussure, l'exportation, y n'avait moins. Alors, y « slaquaient » du monde. C'était tout à fait normal : la demande était moins forte, la production s'en ressentissait. Alors là, c'est venu que ça allait mal. Ça allait mal évidemment. Là, y avait des chômeurs, par le fait que les gens « slaquaient ». Alors là, bien, ces gars-là travaillaient pas. C'était des organisations. Les allocations sociales, y en avait pas. Là, c'était les organisations de Saint-Vincent-de-Paul qui marchaient, les organisations charitables. Ça a été réellement une période creuse. Et puis, je me souviens, moi, que chez mes grands-parents, comme chez nous, papa avait une position solide parce que le chemin de fer marchait tout le temps Dans ce temps-là, vous aviez pas de « vannes » qui transportaient. C'était le chemin de fer. Alors, vous aviez pas de chômage, là. Là, les plus belles positions, c'était le chemin de fer, le gouvernement provincial et puis la ville. En tout cas, les grosses institutions. Ceux qui avaient des positions là... Je me souviens, moi, papa, y gagnait vingt-huit piastres par semaine. Pis y était habillé. Le chemin de fer les habillait. C'est évident. Alors, nous autres, on était considéré comme bien. Puis la compagnie d'assurance (N), ça allait bien aussi. Ça avait progressé. Ma tante était bien aussi. Mais à tout événement, ça a été mal pendant cette crise-là. Ça a été très mal durant cette crise-là. Y en a qui se sont relevés, pis y en a qui se sont jamais relevés. On a vu des gars qui antérieurement avaient des chevaux, pis des voitures, pis ça allait très bien leurs affaires. Pis durant la crise, le crash, y sont tombés très bas. Y les appelaient des pauvres honteux dans ce temps-là. La Saint-Vincent-de-Paul leur donnait, allait leur porter leur petite corde de bois. [...] Je me souviens moi, dans ce temps-là, ça a frappé

17. Didier LeGall, « Les récits de vie : approcher le social par le pratique », dans P. Deslauriers, *Les méthodes de la recherche qualitative,* Montréal, Presses de l'université du Québec, 1987, p. 35-88.

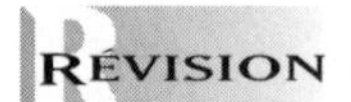

De quelle époque est-il question ici ? Que connaissez-vous de cette époque ?

plusieurs personnes. Ça a frappé. Pis y en a plusieurs comme ça. C'est pour ça que durant ce temps-là, la crise, le crash, ça a pris tout le monde. Personne a été épargné pour ainsi dire. Le riche a vu baisser ses affaires. Le pauvre s'est vu dans l'indigence pratiquement. Alors, ça a frappé tout le monde et puis ça a été remarquable. Je me souviens que mon grand-père.... pas mon grand-père, je crois qu'en '28 y était mort. À tout événement, je me souviens que chez ma tante là, que ma tante passait son temps à dire : « Faut ménager, faut ménager, parce qu'y en a qui en ont pas. » La compagnie d'assurance, les agents et dix cents par semaine... Dans ce temps-là, vous vous assuriez pour cent piastres, deux cent piastres pis c'était fort. À dix cents par semaine. Pis y avait des collecteurs qui allaient chercher leur dix cents par semaine dans ce temps-là. Aujourd'hui, le gars paye la prime en chèque. Mais dans ce temps-là, les collecteurs d'assurance à dix cents par semaine, la Métropolitaine, pis ainsi de suite...[18]

Les données statistiques

Les techniques précédentes font partie des méthodes de recherche dites *qualitatives*. Ces méthodes permettent d'approfondir, à l'aide d'expériences individuelles, divers aspects d'une culture.

Mais quand on veut connaître comment une population entière a changé, il faut s'en remettre aux statistiques et aux techniques de représentativité des méthodes quantitatives.

Il existe deux sources importantes de données largement accessibles aux sociologues. Elles sont d'origine gouvernementale et permettent de réaliser ces ÉTUDES LONGITUDINALES, c'est-à-dire des recherches quantitatives prenant en compte la variable du temps. Ce sont, en premier lieu, les données du recensement canadien qui se fait tous les dix ans depuis le début du siècle et qui paraissent sous le titre *Données du recensement 19XX*. On y trouve compilées une masse d'informations sociodémographiques sur toute la population canadienne. De plus, à tous les cinq ans depuis 1956, le gouvernement du Canada procède à un minirecencement dont les données sont également publiées.

De son côté, le gouvernement du Québec a mis sur pied en 1912 son propre Bureau de la statistique du Québec, qui a pour tâche de recueillir, de compiler, d'analyser et de publier régulièrement les données fournies par le recensement fédéral portant sur le Québec et celles qui émanent de divers ministères québécois.

Nous allons utiliser régulièrement au cours des chapitres suivants des données provenant de l'un ou l'autre de ces deux organismes pour illustrer les

18. Tiré de Louis Morin, « Un cadre de la fonction publique. Histoire de vie », *Recherches sociographiques*, vol. XIV, nº 2, 1973, p. 250-251. Extrait reproduit avec la permission de la revue *Recherches sociographiques*.

faits sociaux indiquant un changement social. En permettant de montrer ce qui s'est passé sur une période de quelques décades, ces données statistiques aident le sociologue à déceler des tendances et à effectuer une certaine prévision sociale.

Voici deux exemples de données quantitatives en fonction du temps. Elles permettent de percevoir certains changements dans la population québécoise relativement à la scolarisation et à l'âge de cette population.

Dans le tableau 2, nous voyons que sur une période de 40 ans, c'est-à-dire de 1951 à 1991, la scolarisation de la population québécoise s'est accrue de façon significative. Il y a, en effet, une baisse importante de la scolarisation faible (moins de 9 années) et une forte hausse de scolarisation élevée (études postsecondaires et grade universitaire). Nous remarquons également une plus forte hausse de scolarisation universitaire chez les femmes. Elles étaient 0,7 % à détenir un grade universitaire en 1951 contre 8,7 % en 1991.

Devant des données de ce type, on peut se demander quels sont les facteurs qui expliquent ces changements rapides. C'est évidemment la vaste réforme de l'éducation des années 60 qui est responsable de la hausse de la scolarisation au Québec. Mais pourquoi les femmes plus que les hommes ? N'y a-t-il pas eu, durant les années 70, le mouvement féministe et ses revendications concernant l'accessibilité des femmes aux études supérieures ? Nous reviendrons sur cette question au chapitre 4.

Tableau 2 Répartition de la population de 15 ans et plus selon le niveau de scolarité et le sexe (Québec, 1951-1991)[19]

	Hommes			Femmes		
Scolarité	**1951** (%)	**1971** (%)	**1991** (%)	**1951** (%)	**1971** (%)	**1991** (%)
0-8 ans	63,1	40,0	19,8	59,4	41,7	21,5
9-13 ans	33,8	36,8	40,3	39,9	40,5	41,7
Études post-secondaires	–	16,6	27,9	–	15,1	28,1
Grade universitaire	3,0	6,6	12,0	0,7	2,7	8,7

19. Tableau établi à partir de données du Bureau de la statistique du Québec (BSQ) publiées dans Suzanne Asselin *et al.*, *Portrait social du Québec*, Québec, Les Publications du Québec, 1992, p. 115 et Louise Motard, *Les Québécoises déchiffrées – Portrait statistique*, Québec, Les Publications du Québec, 1995, p. 59.

Le tableau 3 nous apprend que, de 1961 à 1991, la population québécoise a vieilli ou, ce qui est plus exact, qu'elle est moins jeune en 1991 qu'elle ne l'était en 1961. En effet, l'âge médian, c'est-à-dire l'âge qui divise une population en deux parties égales, est de 34 ans, ce qui est jeune. C'est d'ailleurs ce que disent les démographes de la population québécoise actuelle : c'est une population jeune mais qui est en voie de vieillissement. Devant des données de ce type, les démographes parlent d'une tendance vers le vieillissement.

Tableau 3 L'âge médian de la population du Québec de 1961 à 1991[20]

Année	Âge médian
1961	24,0
1971	25,6
1981	29,7
1991	34,1

20. Tableau établi à partir de données du Bureau de la statistique du Québec (BSQ), *op. cit.*, p. 35.

RÉSUMÉ

1. La sociologie est le produit de deux courants de pensée importants : un courant philosophique axé sur des préoccupations sociales et le développement de la pensée scientifique. On peut dire qu'elle s'est formée comme science par l'application de la méthode scientifique à l'étude d'un nouvel objet conçu au XIXe siècle : la société.

2. Auguste Comte est, avec Karl Marx, un des deux grands précurseurs de la sociologie. Inventeur du terme « sociologie », il a conçu l'idée d'une science ayant pour objet l'étude des différentes formes de sociétés. Influencé par l'évolutionnisme de Darwin, il a établi une hiérarchie de sociétés culminant dans la société industrielle. Pour Marx, l'autre grand précurseur, la structure d'une société était d'abord déterminée par son type de production économique. Il voyait la société capitaliste comme une forme inachevée de société comportant des contradictions internes, lesquelles donnaient lieu à une lutte des classes qui devait finalement déboucher sur la société communiste.

3. La sociologie est véritablement devenue une science avec la publication par Émile Durkheim et Max Weber d'ouvrages proposant des méthodes d'analyse et de description des faits sociaux. Alors que le premier mettait l'accent sur l'importance de la prévention sociale et de la solidarité en période de transition sociale, le second élaborait l'idée d'une sociologie compréhensive mettant en évidence les motivations des acteurs sociaux et rattachant le problème de la perte du sens au processus de rationalisation dans tous les secteurs de la vie économique et politique.

4. Dans son ouvrage classique *Le suicide*, Durkheim a forgé le concept d'anomie sociale et soutenu que les transformations de la société s'accompagnent d'une pathologie sociale. Dans *L'esprit du capitalisme,* Max Weber a tenté pour sa part de montrer quel rôle le facteur culturel a joué dans l'émergence du capitalisme.

5. Le structurofonctionnalisme marque l'émergence d'un nouveau courant de pensée sociologique aux États-Unis au XXe siècle. Les deux figures majeures de cette école sont Parsons et Merton. On peut dire que, de façon générale, cette école s'est davantage intéressée aux questions relatives à la stabilité des systèmes sociaux qu'à celles relatives à la transformation des sociétés.

6. Dans son étude des différentes facettes d'une même société à travers le temps, la sociologie du changement dispose d'une pratique de cueillette et d'études des données qui lui est propre. Elle tire notamment ses informations des cinq sources suivantes : les documents anciens, les monographies, les sources biographiques, les histoires de vie et les données statistiques.

POUR CONTINUER LA RÉFLEXION

RIOUX, Marcel et Yves MARTIN, *La société canadienne-française,* Montréal, HMH, 1971.

ROCHER, Guy, *Entre les rêves et l'histoire,* Montréal, VLB, 1989.

TOURAINE, Alain, *Lettres à une étudiante,* Paris, Seuil, 1974.

CHAPITRE 3

Les transformations récentes des sociétés occidentales

CHAPITRE

3

« Le XXIe siècle sera celui des innovations sociales et politiques. »
(Peter Drucker)

Les précurseurs de la sociologie et les premiers sociologues tentaient de comprendre la société industrielle. Ils ont observé son fonctionnement, ont décrit ses conséquences sur la vie des individus et des institutions sociales et les ont expliquées par diverses théories des transformations sociales.

Qu'en est-il des sociétés actuelles, de leurs défis et des facteurs de transformation qui les déterminent ? Quel sera leur avenir ? Personne ne peut répondre à une telle question, ni aucune science prédire l'avenir des sociétés. Il n'existe aucune boule de cristal permettant de prévoir l'avenir avec certitude. Une telle prétention apparaîtrait d'autant plus vaine que l'on considère que l'individu a son mot à dire dans le devenir de sa société.

RÉTROSPECTIVE
Retour sur les événements passés jugés les plus significatifs.

PROSPECTIVE
Anticipation des événements futurs jugés les plus probables.

De la même manière qu'on peut jeter un regard sur le passé et faire une **rétrospective**, on peut aussi regarder vers l'avenir et tenter de discerner les contours de la société de demain à partir de ce qui se passe maintenant. On fait alors de la **prospective**. Si nous ne pouvons prédire l'avenir avec absolue certitude, nous pouvons cependant, en nous appuyant sur des données actuelles, identifier des tendances, comme nous l'avons fait à la fin

du chapitre précédent lorsqu'il était question de l'évolution du taux de scolarisation au Québec depuis le début des années 60. Nous aurions pu tout aussi bien parler du taux de natalité, de l'espérance de vie, des habitudes de consommation des ménages ou du taux d'activité des femmes. Ce sont là ce que l'on appelle des INDICATEURS SOCIAUX à partir desquels il est possible d'identifier des tendances de l'évolution d'une société. Le regard jeté sur l'avenir porte donc plutôt sur un éventail de possibilités dégagées des conditions présentes.

Nous savons que la société dans laquelle nous vivons est bien différente de celle qu'ont connue nos parents et nos grands-parents. Nous sommes également certains que celle où vivront nos enfants et nos petits-enfants sera très différente de celle que nous connaissons actuellement. C'est avec le temps qu'apparaissent vraiment les changements de société fondamentaux. Ceux-ci demeurent la plupart du temps imperceptibles au regard quotidien. Ils sont en effet dissimulés sous la multitude d'ajustements ponctuels plus ou moins significatifs qu'exige de nous l'adaptation à de nouvelles situations. Nous faisons des projets, solutionnons des problèmes, innovons au jour le jour. Il en va de même des sociétés. C'est cette capacité de recréation continuelle que l'on a appelée l'IMAGINAIRE SOCIAL[1].

Les sociologues essaient de nommer les nouvelles réalités qu'ils observent ou que leur révèlent des recherches sur le terrain. La sociologie est un regard, mais c'est aussi une voix, comme le dit Alain Touraine, car elle tente de nommer ce qu'elle a observé. Les techniques d'observation et d'enquête ainsi que les concepts et les théories servant à nommer et à expliquer les phénomènes observés constituent ce que l'on appelle la *perspective sociologique*.

RÉVISION

Nommez des indicateurs sociaux et dites en quoi ils sont importants et quelle tendance ils mesurent.

Tout comme les premiers sociologues, les sociologues contemporains doivent inventer des outils analytiques qu'on appelle des concepts. Ainsi, pour décrire notre propre société, ils ont inventé de nouveaux concepts, notamment celui de société postindustrielle. Et pour parler des transformations de ces sociétés, ils ont parlé des mouvements sociaux. Ce regard s'est porté autant sur les grands ensembles sociaux que sur la vie quotidienne.

7 LA SOCIÉTÉ POSTINDUSTRIELLE

La SOCIÉTÉ POSTINDUSTRIELLE se distingue de la société industrielle par un certain nombre de traits que nous allons maintenant exposer. On peut en

1. Voir Cornélius Castoriadis, *L'institution imaginaire de la société,* Paris, Seuil, 1975, p. 498.

situer approximativement l'origine, mais non le terme, puisque nous sommes encore en train de l'édifier, jour après jour.

ENCADRÉ 1

Caractérisations de la société actuelle

Parmi les nouveaux concepts formés par les sociologues pour décrire la société actuelle, mentionnons d'abord celui de SOCIÉTÉ PROGRAMMÉE. C'est le sociologue Alain Touraine qui a utilisé ce concept dans le cadre de ses travaux sur la société postindustrielle. Il visait à mettre en évidence l'aspect organisationnel de nos sociétés, déterminé par l'utilisation de l'ordinateur dans tous les domaines. La création et l'utilisation de vastes banques de données à l'école, à l'hôpital et au travail contribuent à réduire l'identité du citoyen à la somme des informations associées à son code ou à son numéro d'identification.

D'autres auteurs parlent, à l'instar du philosophe français Jean-François Lyotard, de SOCIÉTÉ POSTMODERNE pour désigner la société actuelle. Alors que la modernité avait été définie par la rationalité, l'économisme[2] et la foi dans la science et le progrès technique, le postmodernisme valorise davantage la recherche du sens, la reconnaissance de la dimension affective et la mise au point de technologies plus respectueuses de l'environnement et de l'être humain. Mais ce concept a été employé d'abord dans le domaine des arts et de l'architecture pour exprimer une remise en question des critères d'esthétique et de jugement admis jusqu'alors. Son utilisation en sociologie est donc plus récente et ne met l'accent que sur certains aspects de la vie sociale et culturelle.

Dans ce qui suit, nous utiliserons de préférence le concept de société postindustrielle, car il sert à décrire une réalité plus globale que celui de société postmoderne. Il vise en effet un type d'évolution technologique, un mode d'organisation économique, des rapports de classe et des modes d'expression culturelle spécifiques, mais, contrairement aux concepts de société industrielle élaborés au XIXe siècle, il ne présuppose pas l'aboutissement de l'évolution sociale dans un type de société prédéfini.

LES ÉTAPES DE LA SOCIÉTÉ POSTINDUSTRIELLE

On considère généralement que l'ère de la société postindustrielle s'ouvre à la fin de la Deuxième Guerre mondiale. Il va sans dire qu'elle s'est beaucoup transformée depuis cinquante ans. On peut observer que les processus qui existaient à cette époque se sont fortement accentués, entraînant des transformations dans de nombreux autres domaines. En Occident, nous avons connu deux périodes importantes : de l'après-guerre jusqu'aux années 80 et du début des années 80 à maintenant.

---

2. Il ne faut pas confondre économie, économique et économisme. La notion d'économisme est une expression critique utilisée pour désigner l'approche théorique accordant une trop grande importance aux facteurs économiques au détriment d'autres facteurs, par exemple les facteurs sociaux et culturels, dans l'organisation des sociétés. Par contre, lorsqu'on parle d'économie ou d'économique, on parle de la science sociale qui étudie les modes de production, de distribution et de consommation des biens et des services dans une société donnée.

Nous nous attarderons dans cette section à la première période. Ce furent des années de forte croissance économique, que l'on a appelées les *Trente Glorieuses*. Il se créait beaucoup de nouveaux emplois, ce qui engendrait une très grande prospérité. L'invention du crédit marqua le début de la société de consommation. Durant cette période, on investit des sommes considérables dans la reconstruction de l'Europe et du Japon, ravagés par la guerre. Les États-Unis et le Canada, dont le Québec, profitèrent grandement de cette prospérité. Sur toute l'Amérique du Nord, on observa alors le début de l'étalement urbain, c'est-à-dire le développement des banlieues. Nous pouvons maintenant constater l'effet de ce nouvel aménagement urbain sur la construction domiciliaire et les réseaux routiers. On observa aussi que les États essayaient de jouer un rôle plus actif dans le contrôle du chômage et de l'inflation. Ce fut l'ère du **keynesianisme**.

KEYNESIANISME
Doctrine élaborée par l'économiste anglais Keynes accordant à l'État un rôle central comme stabilisateur de l'économie.

Sur le plan politique, ce fut le début du développement de l'État-providence. L'État assura alors une certaine redistribution de la richesse au moyen de mesures d'assistance sociale et dispensait de nouveaux services en éducation et en soins de santé.

Jusqu'à la fin des années 60, le principal rôle proposé à la femme était celui de femme au foyer. Celle-ci tirait son statut social et son identité du mariage. En revanche, le statut social de l'homme lui venait de son travail et c'est le nom de son métier ou de sa profession (plombier, plâtrier, électricien, médecin, avocat, professeur) qui servait à le désigner socialement, par exemple sur sa carte d'affaires.

Au Québec, les années 60 ont connu la réalisation de grands projets, notamment dans le domaine de l'énergie (construction de barrages hydroélectriques) et dans le domaine social et culturel (construction d'hôpitaux et d'écoles, mise en place de nouvelles structures institutionnelles), comme nous l'avons mentionné au chapitre 1 (voir l'encadré 7). L'ensemble de ces réalisations équivalait à une véritable modernisation du Québec. Le cas du Québec montre bien que toutes les sociétés ne se développent pas même rythme. Chacune le fait à partir de son histoire personnelle et de ses ressources. L'apparition de la société postindustrielle a provoqué des transformations d'envergure qui ont touché d'abord l'ensemble des sociétés occidentales, puis toutes les sociétés de la planète.

LES TRANSFORMATIONS DANS LE MONDE DU TRAVAIL

La société industrielle était caractérisée par la production massive de biens rendue possible notamment par la rationalisation des modes de production.

Ce mode d'organisation rationnel du travail était le **fordisme**. L'application des normes de travail du fordisme dans les usines et les manufactures a entraîné la formation d'une nouvelle classe sociale, la classe ouvrière.

FORDISME
Organisation scientifique du travail mise sur pied par Henry Ford dans ses usines d'automobiles au début du siècle visant une productivité maximum à un coût minimal.

Aujourd'hui, les modes de production des biens et services répondent toujours à ces exigences de rationalité, mais on dispose de robots et d'ordinateurs pour accomplir une grande partie des tâches répétitives qui étaient auparavant effectuées par des personnes. L'automatisation du travail a eu pour effet d'augmenter la proportion de la main-d'œuvre employée dans le secteur des services. C'est la main-d'œuvre dite de services, qui regroupe près des trois quarts des travailleurs. Le tableau 1 présente la distribution de la main-d'œuvre au Québec au XXe siècle.

Ligne de montage d'automobiles de marque Buick dans les années 50.

Tableau 1 Répartition de la main-d'œuvre selon les secteurs d'activité (Québec, 1900-2000)[3]

	Primaire (%)	Secondaire (%)	Tertiaire (%)
1900	45,0	45,0	10,0
1961	11,5	33,5	55,0
2000*	3,0	22,0	75,0

* Prévision.

La notion de société de services recouvre des réalités bien différentes. Elle désigne d'abord les *services aux personnes,* c'est-à-dire les services de

3. Tableau établi à partir des données du *Bulletin du Conseil du patronat,* juillet 1995. (Primaire : agriculture, mines, forêts, pêche, chasse, trappe ; secondaire : transformation, construction ; tertiaire : services.)

vente dans les magasins, les salons de coiffure, les instituts de beauté, les restaurants, les hôtels, les guichets de cinéma ou de théâtre, etc. Avec le développement des loisirs, des vacances et de la consommation, ces divers services ont pris une très grande importance : il n'est pas donc pas étonnant qu'une grande partie des emplois s'y concentrent.

On y retrouve ensuite les *services financiers,* qui comprennent les services offerts par les banques, les compagnies d'assurances et de finance. Ces services, élaborés d'abord durant la période d'industrialisation, ont pris de plus en plus d'importance depuis le début des années 50.

Il faut parler également du travail relié au secteur des *communications et des arts,* actuellement en pleine expansion. Ce secteur comprend des emplois dans le domaine de la création et de la production cinématographique, télévisuelle et théâtrale, dans le domaine des médias, écrits ou électroniques, de la publicité et de l'édition. On y trouve beaucoup de travail à contrat effectué par une main-d'œuvre professionnelle. On prévoit que ce secteur prendra de plus en plus d'importance à mesure que la population sera plus scolarisée et qu'elle consacrera plus de temps à des activités culturelles.

Il faut mentionner enfin les *services publics,* c'est-à-dire les services offerts par l'État et la fonction publique ou parapublique. Les employés des services publics sont les fonctionnaires, les travailleurs des hôpitaux et de l'éducation. Au Québec, ces services se sont beaucoup développés durant les années 60.

L'innovation technologique qui a le plus facilité cette transformation du monde du travail est bien sûr l'ordinateur. On le trouve maintenant partout, y compris à la maison. À l'origine, c'était un appareil lourd et très coûteux. Mais, depuis le début des années 80, on a considérablement réduit son prix et sa taille, de telle sorte qu'il est devenu de plus en plus accessible. Nombreux sont maintenant les étudiants qui en possèdent un. Dans les bibliothèques, on s'en sert pour trouver des références. On l'utilise aussi pour rédiger des travaux à l'aide des programmes de traitement de texte. Il devient ainsi possible de dresser des tableaux et de dessiner des figures et des graphiques précis en un tour de main. La mise sur pied de l'autoroute électronique va encore accroître considérablement les possibilités de travail à l'ordinateur. Cette révolution informatique est à l'origine de la **robotique** et de la **bureautique**.

ROBOTIQUE

Système de travail de bureau basé sur l'emploi des robots.

BUREAUTIQUE

Système de travail de bureau basé sur l'emploi de l'ordinateur.

Ces transformations du marché du travail ont entraîné de nombreuses mises à pied et ont obligé beaucoup d'employés à se recycler. Les entreprises ont dû procéder à des réorganisations, ce qui a donné lieu à une restructuration industrielle profonde. À son tour, le système d'éducation a dû s'ajuster à ces changements. Nous reparlerons en détail de ces transformations dans le monde du travail au chapitre 5 et dans le domaine de l'éducation au chapitre 6. Retenons pour l'instant que cette innovation technologique, qui date de la fin de la Deuxième Guerre mondiale, a eu des conséquences incalculables sur nos vies et qu'elle continuera d'en avoir. C'est précisément pour décrire ces changements que l'on a inventé le concept de société postindustrielle.

Daniel Bell en est le père[4]. Pour lui, le problème principal que pose la société postindustrielle consiste à mettre en évidence la position centrale du savoir théorique en tant qu'axe autour duquel s'ordonnent la technologie nouvelle, la croissance économique, la stratification sociale et la culture.

LES MÉTIERS ET LES PROFESSIONS

Tout comme la classe ouvrière était née de l'industrialisation, de nouveaux métiers et de nouvelles professions ont été engendrés par cette réorganisation du travail. Ce sont en premier lieu le métier de *technicien* et la profession d'*ingénieur,* mais également de nouveaux types de cols blancs (employés de bureau, secrétaires, caissières).

ENCADRÉ 2

Une illustration de l'importance du technicien dans notre société

Quand les cégeps furent mis sur pied en 1969, on créa tout de suite un important secteur technique qui avait pour but de former ces futurs techniciens dont la société québécoise allait avoir grand besoin. Il y a maintenant des techniciens dans tous les domaines : l'administration, la publicité, la justice, les soins de santé, la physique, la biologie, l'architecture, l'éducation, etc. En général, les étudiants qui terminent leurs études dans ces programmes dits professionnels se trouvent assez facilement de l'emploi parce que leurs études sont directement reliées aux besoins du marché du travail.

Ce niveau de formation et d'emploi n'existait pas avant les années 60. Il constitue un niveau intermédiaire entre l'apprentissage d'un métier, qui exige des études secondaires, et l'apprentissage d'une profession à l'université. Il permet de former des techniciens dans tous les domaines. Les techniciens remplissent donc une FONCTION SOCIALE très importante.

Pour Bell, le *savoir* constitue, dans ce type de société, l'outil privilégié permettant aux individus d'avoir la main haute sur leur propre existence et aux sociétés de progresser vers de nouveaux horizons. Pour l'individu, la

4. On trouve une analyse des principales caractéristiques de la société postindustrielle dans l'ouvrage classique de Daniel Bell : *Vers la société postindustrielle* (Paris, Robert Laffont, 1973).

Nommez et décrivez quatre caractéristiques des sociétés dites postindustrielles.

connaissance est la clé qui lui donne accès au travail et à la culture. Quant aux sociétés, c'est grâce aux découvertes réalisées dans tous les domaines par la recherche scientifique qu'elles peuvent se développer. Par ailleurs, il est important de souligner que la recherche et l'innovation ne sont pas seulement possibles dans le domaine technique, mais également dans ceux de l'éducation, de la santé et des services sociaux. Les individus peuvent, si on leur en donne les moyens, y déployer leur créativité et y participer à la création de la richesse collective[5].

La technocratie

Le savoir en cause n'est plus le savoir propre à tout citoyen dit « cultivé », mais un savoir spécialisé dans un domaine spécifique, l'univers des connaissances étant désormais beaucoup trop vaste pour être accessible à un seul individu. Selon Bell, ce savoir est en relation directe avec le pouvoir économique et gouvernemental. Tout comme les capitaux, il se concentre souvent entre les mains d'une minorité, en l'occurrence la classe des TECHNOCRATES. On retrouve cette classe, détentrice d'un savoir technique poussé, aux postes de commande de l'entreprise privée et de la fonction publique. Cette réalité a donc engendré un nouveau phénomène social : la TECHNOCRATIE.

Le tableau 2 met en regard les caractéristiques de la société postindustrielle et celles de la société industrielle.

Tableau 2 Caractéristiques de la société industrielle et de la société postindustrielle

	Société industrielle	Société postindustrielle
Technologie	Machine (vapeur, électricité)	Ordinateur
Travail	Secteur secondaire	Secteur tertiaire
Lieu de travail	Usine, fabrique	Technostructures
Nouvelle classe sociale	Classe ouvrière	Cols blancs, techniciens
Politique	État non interventionniste	État-providence
Identité individuelle	Statut dans le système de production	Pouvoir de consommation
Axe de conflits	Exploitation	Aliénation
Moyen de domination	Capital	Savoir-information

5. Daniel Bell, « La dynamique des sociétés », *Sciences humaines*, n° 56, déc. 1995, p. 32-35.

L'ALIÉNATION DE L'INDIVIDU

Pour Touraine[6], la société actuelle aliène les individus à différents degrés en raison de sa nature technocratique et de son caractère de société de consommation. Dans ce contexte, le concept d'aliénation sert à décrire deux processus.

1. *La prédominance de la consommation.* – Nous sommes désormais dans une société où la consommation prévaut sur la production, contrairement à la société industrielle du siècle précédent. À cette époque, l'identité de l'individu était déterminée par sa situation à l'intérieur du système de production économique (patron-ouvrier). Actuellement, soutient Touraine, c'est plutôt la consommation qui est le facteur déterminant de l'identité individuelle. Pour répondre à la question « Qui est-il ? », on cherche à répondre à la question « Que consomme-t-il ? » On se demande par exemple quel type de voiture il a acheté et quelle destination de vacances il a choisie.

Autrement dit, ce n'est pas seulement le montant d'argent dont dispose une personne qui permet de la situer à l'intérieur d'une classe sociale, mais aussi la façon dont cette personne ou le groupe auquel elle appartient dépense son argent. C'est ainsi que le concept de classe sociale s'enrichit de nouvelles dimensions. Touraine parle d'une STRATIFICATION CULTURELLE pour définir ce phénomène. Dans cette perspective, l'aliénation de l'individu résulte non seulement d'un manque de moyens matériels, mais aussi de l'incapacité de faire des choix personnels éclairés. L'individu peut être dans l'impossibilité de se procurer les biens que fait miroiter la publicité, et il subit ainsi une contrainte matérielle. Mais il peut aussi être incapable de juger par lui-même si les biens proposés par la publicité et les médias lui conviennent et, dans ce cas, il est victime de ses limites psychologiques.

2. *L'inclusion dans des organisations anonymes.* – L'aliénation a aussi un sens politique. L'individu est appelé à fonctionner à l'intérieur de vastes organisations bureaucratisées, gouvernementales ou industrielles, appelées TECHNOSTRUCTURES. Celles-ci débordent parfois les frontières d'un pays, notamment dans le cas d'entreprises multinationales ou transnationales, ou sont concentrées dans des appareils d'État. Pour pouvoir se retrouver à l'intérieur de ces organisations anonymes et centralisées, il doit pouvoir se faire entendre et avoir le sentiment qu'il leur appartient et peut participer à leurs

Le sociologue Alain Touraine (né en 1925).

6. Alain Touraine, *La société post-industrielle*, Paris, Denoël, 1969.

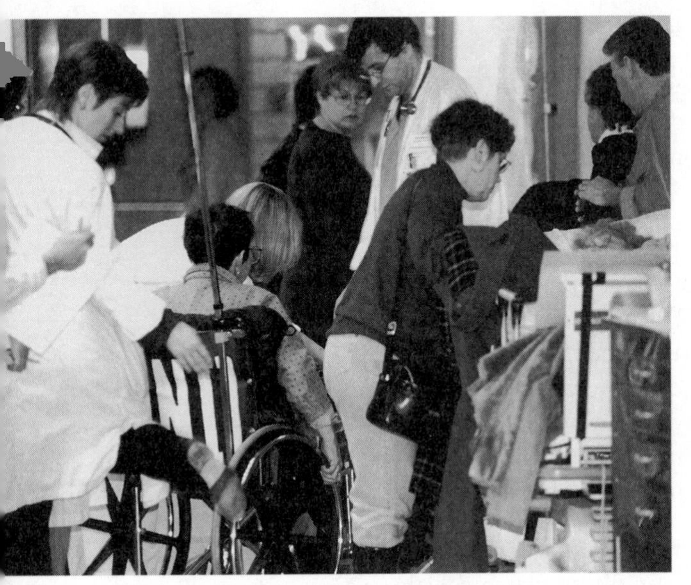

Les hôpitaux font partie de ces organisations bureaucratisées qui suscitent fréquemment un sentiment d'aliénation chez ceux qui en dépendent.

activités. C'est le deuxième sens que Touraine donne au concept d'aliénation : il décrit la limitation de l'autonomie qui provient du sentiment d'impuissance et d'exclusion que suscite le rapport de l'individu à des structures politiques vastes et anonymes.

La société « programmée » engendre donc ses propres conflits politiques à l'intérieur des organisations elles-mêmes. Ce phénomène, que Max Weber avait pressenti dans ses réflexions sur la bureaucratie, apparaît être une des caractéristiques politiques de notre époque. C'est le pouvoir même de l'individu à l'intérieur de ces organisations qui est remis en cause.

Pour Touraine, il est important que l'individu puisse prendre conscience de sa situation, de manière à devenir capable de modifier son environnement. Pour définir ses choix dans l'univers de la consommation et dans le monde programmé du travail, il doit pouvoir faire preuve d'imagination et élaborer, avec d'autres, des stratégies d'action. Or, il est certain que la consommation encourage une certaine passivité. De plus, les organisations bureaucratiques engendrent un sentiment d'impuissance. Pour réagir contre ces influences et devenir un véritable acteur social, l'individu doit, selon Touraine, se percevoir comme SUJET HISTORIQUE, c'est-à-dire comme un être conscient en mesure de se situer dans une lignée historique. C'est ainsi seulement qu'il deviendra capable de prendre son destin en mains.

RÉVISION

À partir de quels éléments de la vie sociale le sociologue Alain Touraine définit-il la société d'aujourd'hui ? En quoi ces éléments sont-ils différents de ceux qui caractérisaient la société industrielle ?

Une des caractéristiques de la sociologie contemporaine est l'importance qu'elle accorde au sujet qui fait et construit la société. Contrairement aux théories de Comte, de Durkheim et de Marx, qui étaient déterministes et globalisantes, la théorie sociologique contemporaine reconnaît à l'individu ou au groupe le statut de sujet, c'est-à-dire le statut d'un agent conscient qui prend part à la solution des problèmes et des défis qui se présentent à lui. Comme le note Touraine[7], s'il est vrai que les êtres humains changent leur univers, ils ont aussi *conscience* de le changer. C'est là un élément nouveau dans l'analyse du changement qui est d'une très grande importance : il existe un sujet qui a conscience de ce qu'il faut faire et de l'importance de le faire.

7. Voir Alain Touraine, *Production de la société*, Paris, Seuil, 1973.

La critique de la modernité

On peut dire que la société postindustrielle s'est développée durant la période allant de 1945 à 1980 sur le fondement d'un certain nombre de valeurs de la modernité, soit celles de la croissance économique, de la prospérité et du progrès, qu'elle a endossées sans réserve. Cependant, dans les années 80, cette logique de la rationalité et du progrès technique commença à être remise en question au sein des sociétés occidentales. Les crises économiques résultant de l'automatisation, qui entraînaient à la fois des hausses du chômage et de l'inflation, obligèrent les observateurs sociaux à se questionner sur les modes de production en place. La prise de conscience de ce que l'on a appelé les *effets pervers du développement industriel,* c'est-à-dire ses effets non voulus et contraires aux buts recherchés, a entraîné une crise des valeurs. On a ainsi été amené à questionner le rôle prépondérant accordé à la rationalité comme principe moteur des organisations économiques et politiques. Cette réflexion a débouché sur une critique de la modernité, comme en témoigne l'ouvrage du sociologue Anthony Giddens sur les conséquences de la modernité[8].

Cette sociologie, comme celle de Touraine, a une visée critique et une visée constructive. Elle cherche à trouver une façon de corriger la trajectoire sociale d'une manière qui soit bénéfique pour tous et, plus spécifiquement, à redonner aux individus le sens de leur autonomie et de leur créativité.

La remise en question du progrès

La société industrielle s'est développée au siècle dernier, à une époque de l'histoire où l'on misait sur la rationalisation des procédés de production et où l'on professait une foi sans limite dans le progrès et dans la science. Celle-ci devait apporter des solutions à tous les problèmes, y compris aux problèmes sociaux. C'est d'ailleurs dans ce contexte qu'est née la sociologie, comme nous l'avons vu au chapitre précédent.

Or, près d'un siècle plus tard, les sociétés occidentales sont aux prises avec des problèmes résultant du type de développement que l'on a alors privilégié : pollution, pauvreté liée à des écarts sociaux grandissants, maladies industrielles, sous-développement de nombreuses régions du globe, épuisement des ressources, incapacité de contrôler le chômage et l'inflation. La science et la technologie ont certes permis de solutionner des problèmes, mais elles en ont créé de nouveaux. De plus, il est apparu que certaines ressources, qui semblaient illimitées, sont épuisables. Des protestations se sont élevées contre l'utilisation de techniques de plus en plus raffinées et efficaces qui ont

RÉVISION

Nommez des problèmes qui ont été résolus par la technologie et des problèmes créés par la technologie. Qu'en pensez-vous ?

8. Anthony Giddens, *The Consequences of Modernity,* Stanford, SUP, 1990.

pour effet de détruire, non seulement l'environnement, mais aussi l'être humain lui-même. Le XXe siècle a connu le premier voyage à la Lune, mais également l'**holocauste** et la destruction d'Hiroshima par une bombe atomique. Certains voient dans la technique une force de destruction et dénoncent cette résurgence du mythe prométhéen (voir l'encadré 3). D'autres, comme André Gorz, considèrent que les dégâts du progrès sont davantage dus à l'utilisation que l'on fait de la science et de la technologie qu'à une essence destructrice de la technique elle-même[9]. De façon générale, c'est cette utilisation abusive qu'on remet en question. Nos sociétés se voient ainsi forcées de chercher de nouvelles avenues de développement.

HOLOCAUSTE
Extermination systématique dont furent victimes les Juifs en Europe durant la Deuxième Guerre mondiale.

ENCADRÉ 3

Le mythe de Prométhée

La critique de la notion moderne de progrès fait souvent allusion à la nécessité de détruire le mythe de Prométhée. Dans la mythologie grecque, Prométhée est celui qui vole le feu aux dieux pour le donner aux hommes. Les dieux en colère se vengent en enchaînant Prométhée au sommet d'une montagne du Caucase où il est exposé aux attaques d'un aigle qui lui perfore le foie et les yeux. Mais désormais les hommes ont le feu qui leur permettra de domestiquer peu à peu leur environnement. C'est par la maîtrise du feu qu'ils parviennent progressivement à se libérer des contraintes de la nature pour en prendre le contrôle. Le mythe de Prométhée symbolise donc la prise en charge par l'être humain de son destin au moyen de la connaissance et de la culture, mais aussi les risques que lui fait courir son arrogance envers des forces qui le dépassent.

On trouve les premières traces écrites de ce mythe de tradition orale chez Hésiode, poète et historien grec ayant vécu vers 800 ans av. J.-C., dans un ouvrage intitulé *Les travaux et les jours*. Par analogie, on parle d'esprit prométhéen pour caractériser la foi en la connaissance et en la technologie visant une plus grande emprise sur l'environnement.

L'AFFECTIVITÉ ET LA RATIONALITÉ

Nous avons vu que la critique de la modernité met en cause la rationalité comme principe intégrateur de nos sociétés. On a soudain pris conscience du fait que les comportements humains ne sont pas déterminés uniquement par la raison, mais également par les affects. Il est apparu que l'être humain a besoin de lieux où il peut exprimer son affectivité et son identité.

Jusque-là, les sociologues avaient tendance à ranger l'affectivité dans le domaine de la vie privée et à considérer qu'il revenait à la psychologie d'en

9. Voir l'article de André Gorz publié dans le recueil suivant : Confédération française démocratique du travail (dir), *Les dégâts du progrès – Les travailleurs face au changement technique*, Paris, Éditions du Seuil, 1977.

étudier les mécanismes. Pourtant, Max Weber avait souligné l'importance des croyances et des passions comme moteur de transformation des sociétés. Il avait su mettre en évidence le rôle des valeurs spirituelles dans toute vie sociale. Mais ses successeurs ont préféré mettre l'accent sur l'aspect organisationnel des valeurs et sur les idéaux collectifs plutôt que sur leur potentiel mobilisateur.

À première vue, il peut sembler que ce manque d'intérêt provient de la crainte d'étudier un objet flou et mal défini. En réalité, toute science se constitue par étapes et c'est maintenant seulement que nous pouvons reconnaître que les émotions, autant que les idées, déterminent la vie en société. En tâchant d'intégrer cette importante réalité dans leurs analyses, les sociologues parviendront peut-être à se donner des outils plus adéquats pour rendre compte de ce qui se passe et pour permettre une meilleure gestion des affaires de nos sociétés. Au Québec, l'importance de cette réflexion a particulièrement été mise en évidence par le sociologue Marcel Rioux, qui conçoit l'être humain comme un être de besoin et de désir. L'être humain a, note-t-il, certainement besoin de structures pour fonctionner avec ses semblables, mais il a aussi besoin de rêver pour changer les choses[10].

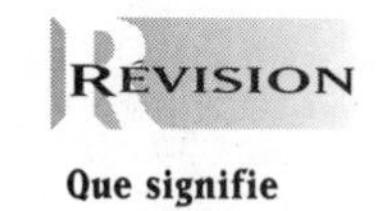

Que signifie la critique de la modernité ?

LA CRITIQUE DE L'ÉTAT-PROVIDENCE

À la suite de la récession des années 80, il devint évident, dans les sociétés occidentales, que l'idée même d'État-providence devait être soumise à un examen critique. On remit en question les dépenses encourues pour maintenir le filet de la sécurité sociale ainsi que les politiques fiscales de redistribution de la richesse qui avaient été élaborées dans les années 50. Le déficit des gouvernements s'accroissait à un rythme inquiétant. On s'interrogea sur la capacité des gouvernements de continuer à offrir à la population les services de santé, d'éducation, de sécurité auxquels elle était habituée. Cette question fait encore maintenant l'objet de nombreux débats, d'autant plus que les finances publiques sont en très mauvais état.

En remettant en question le rôle de l'État-providence, on visait notamment la lourdeur de la bureaucratie et la dépendance accrue des citoyens à son endroit. Au chapitre 8, nous discuterons différentes conceptions du rôle de l'État dans la société. Retenons pour l'instant que la critique de l'État-providence est une composante de la critique de la rationalité et de la modernité dans nos sociétés.

10. Marcel Rioux, *Le besoin et le désir*, Montréal, Hexagone, 1985.

LE CHANGEMENT DANS LA SOCIÉTÉ POSTINDUSTRIELLE

Nous nous trouvons dans une société de transition : le monde du travail est en mutation, de nouvelles valeurs émergent. Des outils conceptuels sont élaborés pour analyser cette nouvelle réalité, qui doivent permettre d'innover sur le plan social, politique et culturel.

Comme le soulignait Durkheim dans ses réflexions sur l'anomie, une société qui subit des transformations n'est pas fatalement plongée dans un état d'impuissance ; elle vit aussi un moment d'effervescence créatrice. L'obligation de remplacer un cadre social désuet par un nouvel environnement peut stimuler l'imagination. Nous vivons actuellement une telle transformation : les repères traditionnels ne sont plus reconnus par tous. On observe que la famille, le milieu de travail, les institutions et les croyances, et les classes elles-mêmes se métamorphosent. L'identité des hommes et des femmes doit être repensée radicalement sous l'effet combiné des transformations du monde du travail et de celui du mouvement des femmes, qui a remis en question la division traditionnelle des rôles sociaux. L'homme ne se définit plus uniquement par son travail et la femme, par l'alliance juridique à un homme que lui procure le mariage.

Pour étudier ces phénomènes, la sociologie contemporaine a élaboré de nouvelles approches. Comme jadis, elle se demande : « Comment se transforment les sociétés actuelles ? Quelles nouvelles formes pourraient-elles prendre éventuellement ? » Mais pour répondre à ces questions, elle a recours à de nouvelles notions. C'est ainsi que Touraine aborde l'étude du changement social en considérant les mouvements sociaux comme des lieux privilégiés d'action du sujet historique.

QU'EST-CE QU'UN MOUVEMENT SOCIAL ?

Un MOUVEMENT SOCIAL est un ensemble organisé de groupes, de personnes et d'institutions qui militent en faveur d'une cause en dénonçant des injustices et en proposant des stratégies de changement à court et à plus long terme. Reprenons chacun des éléments de cette définition.

1. Un ensemble organisé de groupes, de personnes et d'institutions... – Un mouvement social comprend plusieurs acteurs sociaux et est structuré en fonction d'actions précises à mener. Ainsi, le mouvement souverainiste au Québec comprend plusieurs groupes et organisations, notamment le Mouvement Québec français, les centrales syndicales, des intellectuels qui s'expriment sur la langue et la culture françaises, la Société Saint-Jean-Baptiste et les « Partenaires pour la souveraineté ». Ces groupes et ces organisations peuvent différer d'opinion sur bien d'autres sujets, mais ils s'allient pour défendre et faire la promotion du projet de souveraineté du Québec. Ils ont leurs porte-parole, s'entendent sur des déclarations communes quand l'actualité l'exige de même que sur des actions communes. Ils cherchent à créer des consensus conjoncturels. La solidarité est une condition de l'efficacité de leur action. D'autres personnes peuvent s'exprimer sur le même sujet et être considérées comme des alliés du mouvement, même si elles n'en font pas partie. Mais, dans la majorité des cas, les différentes composantes d'un mouvement social doivent se concerter pour agir avec cohésion.

2. ...qui militent en faveur d'une cause... – Un mouvement social s'identifie fortement à une cause et à des valeurs. Ses adhérents sont souvent amenés à s'engager pour cette cause après avoir comparé leur situation et celle d'autres groupes sociaux et pris conscience de l'existence d'inégalités sociales. Ainsi, les groupes d'homosexuels peuvent revendiquer un traitement semblables aux autres citoyens et rejeter l'intolérance dont ils sont victimes. Les Noirs peuvent revendiquer un statut économique égal aux Blancs et refuser d'être victime de discrimination raciale. Les femmes peuvent réclamer une représentation égale en politique et dans les affaires. C'est ce qu'elles ont fait durant les années 60. Durant les années 70, le mouvement féministe a beaucoup fait pour améliorer la condition des femmes. Il a notamment dénoncé l'infériorité sociale et économique des femmes. Dans un autre ordre d'idées, le mouvement pacifiste s'est opposé à la militarisation des entreprises de production et a dénoncé la violence à la télévision, notamment celle risquant d'affecter les enfants. Il convient de mentionner également l'émergence du mouvement vert, qui lutte pour la protection de l'environnement.

Dans la plupart des cas, la visée de ces mouvements est locale, mais les causes qu'ils défendent ont un caractère international. L'amélioration de la condition féminine, la promotion de la paix et la protection de l'environnement sont autant de causes dont les enjeux ont un caractère mondial. Les actions des mouvements qui les défendent ont ainsi des répercussions internationales.

Un membre du groupe Greenpeace distribue des contraventions symboliques aux automobilistes pour infraction à l'environnement par le monoxyde de carbone.

3. ...en dénonçant des injustices et en proposant des changements à court terme... – Les mouvements sociaux essaient habituellement d'exercer des pressions sur les gouvernements pour que ceux-ci entreprennent des actions immédiates visant à mettre fin à certains comportements ou à certaines attitudes. Ils revendiquent par exemple l'adoption de nouvelles lois, la modification de lois existantes ou l'application des sanctions et amendes prévues par ces lois. Ils font également pression sur l'opinion publique en utilisant les médias pour convaincre les gouvernements d'agir.

4. *...et à plus long terme.* – Pour Touraine, un mouvement social comporte toujours une vision globalisante de la société. Ainsi, lorsqu'ils militent pour la paix, la sauvegarde de l'environnement ou la condition féminine ou les mouvements sociaux tendent à modifier les rapports sociaux en défendant l'égalité des citoyens, la non-violence, la solidarité avec le Tiers-monde, etc. Les mouvements sociaux prônent ainsi de nouveaux projets de société, souvent à l'origine d'innovations sociales.

RÉVISION

Illustrez et expliquez les trois principes inhérents à tout mouvement social au moyen d'un cas particulier.

Selon Touraine, il existe trois principes inhérents à tout mouvement social, soit les principes d'opposition, d'identité et de totalité. On peut résumer la portée de chacun de ces principes en énonçant une question à laquelle ils permettent de répondre :

- principe d'opposition : à quoi s'oppose le mouvement ?
- principe d'identité : que propose le mouvement ?
- principe de totalité : quel type de société recherche le mouvement ?

MAI 68

Vaste mouvement de contestation politique, économique et culturelle qui se déroula dans les usines, dans les écoles et dans la rue au mois de mai 1968 en France.

Ainsi, chacun des mouvements que nous avons nommés, soit le nationalisme, le féminisme, le pacifisme et l'écologisme, fournit des réponses spécifiques à ces questions. Le cas du mouvement étudiant des années 60 en France en fournit une bonne illustration. On peut en effet établir clairement les réponses qu'il donnait à ces questions à partir des revendications de **mai 68**.

LE DÉVELOPPEMENT DES MOUVEMENTS SOCIAUX

Selon Macionis[11], il faut distinguer quatre phases dans le développement des mouvements sociaux.

1. *L'émergence.* – Cette première phase est caractérisée par le caractère spontané de l'action. Mécontents ou insatisfaits d'un état de choses, des individus manifestent leur opposition. Ils tentent de sensibiliser l'opinion publique et de recruter des adhérents à leur cause, le nombre étant toujours un facteur important de légitimité d'une action. Ainsi en va-t-il des étudiants qui font la grève pour protester contre la hausse des frais de scolarité ou des

11. Voir John J. Macionis, « Collective Behavior and Social Movements », dans *Sociology*, Prentice-Hall, 1987.

Montagnais qui manifestent contre la construction d'un barrage sur la rivière Sainte-Marguerite. Au départ, ils sont peu nombreux, mais ce noyau de manifestants pose les fondements d'un mouvement plus important.

2. *L'organisation.* – La seconde phase est celle de l'organisation. Le mouvement se structure, des leaders et des porte-parole émergent. On annonce des conférences de presse et on établit des contacts avec les médias afin d'obtenir la plus grande visibilité possible. Dans certains cas, on fonde un journal ou une revue. Ainsi, les revues *Québécoises Deboute* et *La vie en rose* ont été des publications féministes très actives durant les années 70 au Québec. On prépare diverses actions, des manifestations destinées à faire pression sur des responsables politiques. C'est la phase de mise en place de structures permettant d'agir sur les gouvernements et sur l'opinion publique, qui sont les principales cibles des mouvements sociaux.

3. *La bureaucratisation.* – Une fois le mouvement organisé, il se ramifie. Il prend pignon sur rue, a une adresse, un numéro de téléphone ou de télécopieur. Il se hiérarchise : on observe une division de l'autorité et des tâches, et l'établissement de canaux de communication à respecter. On peut penser par exemple au mouvement Greenpeace, dont les activités touchent l'ensemble de la planète : l'Antarctique, la baie James, l'Europe, etc. À ce stade, l'efficacité prend souvent le pas sur la spontanéité qui avait marqué les débuts du mouvement. Il devient un lieu politique visible et organisé.

Flotte de voitures de l'organisme La popote roulante.

4. *L'institutionnalisation.* – La dernière phase est celle de la récupération par l'État, qui peut sonner le glas d'un mouvement social. Macionis donne l'exemple du mouvement hippie des années 60 aux États-Unis. Ce fut un important mouvement de contestation de la morale puritaine américaine et de défense de l'hédonisme par la promotion des relations sexuelles, de l'usage des drogues, de codes vestimentaires éclatés, de la vie en commune, de conditions de travail ouvertes, etc. Il eut une grande popularité partout en Occident vers la fin des années 60, puis s'éteignit peu à peu. Un certain nombre des acquis importants de ce mouvement passèrent dans les mœurs, notamment ceux relatifs à la sexualité, à l'habillement et à la consommation de la drogue. Il perdit de la sorte son pouvoir mobilisateur et contestataire.

D'autres fois, l'État peut par ses lois intégrer une partie des éléments subversifs d'un mouvement social. La création du Conseil du statut de la femme au Québec, en 1976, et du Secrétariat à la condition féminine, à Ottawa, en 1975, sont des exemples d'institutionnalisation d'un mouvement social. Même la nomination d'une militante féministe au poste de ministre constitue une forme d'institutionnalisation. Ce processus peut être vu comme une récupération en ce sens que le mouvement risque alors de perdre sa capacité de sensibilisation et de mobilisation.

Dans le cas du mouvement féministe, on peut parler surtout de déplacement de l'action des femmes. Il a été moins visible sur la place publique durant les années 80 que durant les années 70. Cependant, ses actions ont certainement eu des conséquences positives dans la vie quotidienne, donc sur le plan du microsocial. On a assisté à un meilleur partage des tâches domestiques, de l'éducation et des soins aux enfants, à l'instauration de politiques locales d'accès à l'égalité et de lois contre le harcèlement sexuel. Il est vrai que son action a été moins visible parce qu'elle s'est déplacée dans la sphère de la vie privée. Mais elle a pu être tout aussi positive pour l'amélioration de la condition féminine.

Les mouvements sociaux et le changement social

Comme l'écrit Macionis, les mouvements sociaux sont à la fois la cause et la conséquence du changement social. Ils se suivent parfois dans le temps. Ce que les ouvriers ou les Noirs américains ont obtenu, d'autres vont le vouloir. Les groupes qui considèrent qu'ils sont l'objet d'une infériorisation ou d'une discrimination suivent l'exemple des groupes revendicateurs. Ils s'organisent à leur tour pour former un mouvement social en vue d'obtenir un certain nombre de pouvoirs et de droits (reconnaissance sociale, politique, culturelle, avantages monétaires). Cela crée un effet d'entraînement. Au Québec, les revendications des francophones ont été suivies par celles d'autres groupes, notamment les anglophones, les femmes et les autochtones.

On le voit : les mouvements sociaux et le changement social sont intimement liés. Pour Touraine, les mouvements sociaux constituent le principal moteur de transformation de nos sociétés. Il les nomme les *agents d'action historique*. Les mouvements ont des racines profondes qui le nourrissent. Les revendications féministes ne datent pas des années 70, pas plus que celles des Amérindiens ou du mouvement syndical. Une conjoncture peut favoriser l'émergence de certains mouvements sociaux, mais, en général, leur force et leur permanence dépendent d'une longue tradition.

ENCADRÉ 4

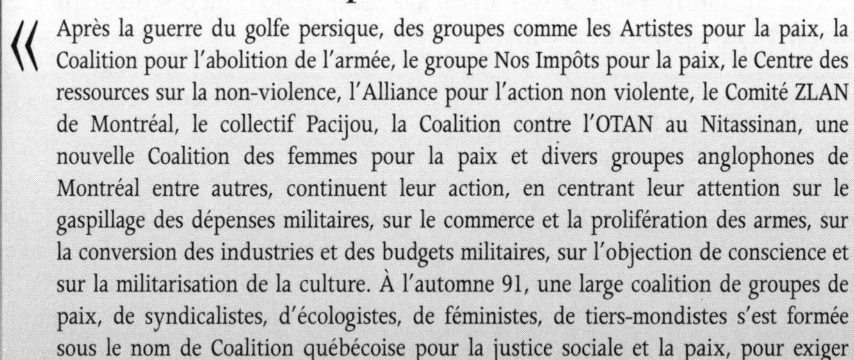

Le mouvement pacifiste au Québec

« Après la guerre du golfe persique, des groupes comme les Artistes pour la paix, la Coalition pour l'abolition de l'armée, le groupe Nos Impôts pour la paix, le Centre des ressources sur la non-violence, l'Alliance pour l'action non violente, le Comité ZLAN de Montréal, le collectif Pacijou, la Coalition contre l'OTAN au Nitassinan, une nouvelle Coalition des femmes pour la paix et divers groupes anglophones de Montréal entre autres, continuent leur action, en centrant leur attention sur le gaspillage des dépenses militaires, sur le commerce et la prolifération des armes, sur la conversion des industries et des budgets militaires, sur l'objection de conscience et sur la militarisation de la culture. À l'automne 91, une large coalition de groupes de paix, de syndicalistes, d'écologistes, de féministes, de tiers-mondistes s'est formée sous le nom de Coalition québécoise pour la justice sociale et la paix, pour exiger entre autres une réduction de moitié du budget militaire canadien et le transfert des sommes ainsi économisées vers la conversion industrielle, la santé, l'éducation, l'environnement, le développement durable au plan international, les arts, les groupes de citoyens, etc.[12] »

Considérons de plus près le cas du mouvement pacifiste au Québec. Comme le montre J.-G. Vaillancourt, il est possible de retracer les diverses actions pacifistes qui ont marqué le Québec dans l'histoire. Pour le XIXe siècle, on peut par exemple mentionner l'opposition à la guerre des Boers. Durant la période d'après-guerre, il y a un mouvement d'opposition aux bombes atomiques sur Hiroshima et Nagasaki en 1945, puis l'opposition à la guerre du Vietman vers la fin des années 60 et au début des années 70. Durant les années 80, certains groupes se sont opposés à la « guerre des étoiles » du président américain Ronald Reagan et à l'invasion de l'Afghanistan par l'armée soviétique. Il y a eu aussi un mouvement d'opposition à la guerre dans le golfe persique au début des années 90. Récemment, le collectif Pacijou a mis au point du matériel didactique destiné aux écoles maternelles, primaires et secondaires pour une pédagogie de la paix. Le mouvement pacifiste distribue des tracts contre la vente de jouets de guerre dans les grands magasins et dans les centres commerciaux durant la période des Fêtes.

Ce sont là quelques exemples des actions entreprises par le mouvement pacifiste au Québec. Il s'agit d'un des mouvements les plus récents de notre paysage politique et pourtant il a des racines profondes. Lorsqu'on observe la stratégie d'action de ce groupe, on constate qu'il s'allie à d'autres groupes, tels que les communautés chrétiennes pour la paix, les centrales syndicales, les

12. Jean-Guy Vaillancourt, « Deux mouvements sociaux québécois : le mouvement pour la paix et le mouvement vert », dans Gérard Daigle (dir.), *Le Québec en jeu – Comprendre les grands défis*, Montréal, Presses de l'Université de Montréal, 1992, p. 796-797.

groupes de femmes, etc. Il travaille également avec le mouvement vert dans sa lutte contre l'énergie nucléaire ou pour la protection de la couche d'ozone. Et finalement, ce mouvement a des liens avec des mouvements analogues en Europe, aux États-Unis et au Canada.

Les stratégies des mouvements sociaux

La plupart des mouvements sociaux, qu'il s'agisse du mouvement féministe, du mouvement vert ou du mouvement syndical, ont des liens avec l'État. Ils ne se contentent pas de revendiquer l'adoption de lois et de règlements. Ils tentent aussi de faire inscrire leurs demandes dans les programmes des partis politiques. Aucun parti politique sérieux ne saurait désormais éviter de prendre position sur les questions relatives à l'environnement, à la condition féminine, au monde du travail. Or, cela est le résultat de pressions exercées par des groupes sur les gouvernements et sur l'opinion publique.

Certains mouvements débouchent même sur la formation de partis politiques et espèrent, avec plus ou moins de réalisme, prendre le pouvoir. Ainsi, différents partis verts européens ont réussi à faire élire suffisamment de députés pour former une faction avec laquelle il faut compter au sein de l'opposition. Il en a été de même du mouvement ouvrier, qui s'est donné dès le début du siècle des partis politiques qui ont pris le pouvoir à l'occasion.

ENCADRÉ 5

La politique et le politique

Parler de l'État, de partis politiques et de programmes de parti, c'est parler des institutions servant à l'exercice du pouvoir dans notre société et, de façon plus générale, des cadres propres à l'exercice de *la* politique. Un discours électoral, une campagne électorale ou référendaire, une loi passée à l'Assemblée nationale sont autant de manifestations de la politique. Il s'agit là d'une dimension très importante de notre vie collective. On y prend des décisions qui touchent tous les citoyens. Et c'est pourquoi les mouvements sociaux tentent d'influencer ces lieux du pouvoir dans une société.

Cependant, le pouvoir n'est pas exercé seulement dans les institutions politiques, mais aussi dans la famille, au travail, à l'école, dans le quartier, c'est-à-dire partout où l'individu joue un rôle social. Ces lieux sociaux sont des lieux d'exercice du pouvoir et d'action politique en un sens qui dépasse la politique institutionnelle et rejoint *le* politique au sens large. Il s'agit, selon l'expression de Melucci, de l'action menée à partir des identités et des besoins socioaffectifs des individus[13]. Ces lieux de l'identité et de

13. Voir Alberto Melucci, « Mouvements sociaux et mouvements postpolitiques », *RIAC*, n° 10, automne 1983, p. 13-30.

l'affectivité sont propices à la prise en charge par l'individu de son destin, à sa responsabilisation. Il peut y agir, tout en préservant une certaine marge de manœuvre.

Dans l'espace quotidien, l'individu jouit du pouvoir de se diriger lui-même. Il s'agit pour lui de prendre les choses en mains là où il se trouve. Comme le disait Hanna Arendt, penser, juger, évaluer sont aussi des gestes politiques dans la mesure où ils permettent à l'individu de faire les choix qui l'inscrivent dans la vie d'une communauté et préservent ses zones de liberté. C'est une autre façon de « prendre le pouvoir ».

Cette approche de l'univers du pouvoir suppose que ce dernier n'est pas la chasse gardée des professionnels de la politique, mais appartient à tout le monde, dans toutes les sphères de la vie sociale.

Les mouvements sociaux accordent aussi une très grande importance à l'exercice du pouvoir dans la vie quotidienne. Ainsi, le mouvement écologiste fait la promotion du respect de l'environnement dans les garderies, les écoles, les cégeps, les municipalités et les quartiers. Chacun est encouragé à collaborer à cette tâche collective en participant à l'entretien des lieux publics, au recyclage, au jardinage ou à la lutte contre le gaspillage. Le mouvement pacifiste met de l'avant une pédagogie fondée sur la médiation et la négociation, plutôt que sur la violence et la loi du plus fort. Le mouvement féministe met en évidence l'importance de faire un partage équitable des tâches domestiques à la maison et valorise les « hommes roses » et les « nouveaux hommes », qui prodiguent les soins quotidiens aux enfants. Bref, le quotidien est un important terrain d'action pour les mouvements sociaux.

La société civile

Entre le macrosocial (l'État, les grands ensembles économiques et politiques) et le microsocial (la famille, le milieu de travail et le cercle des amis), les mouvements sociaux se déploient aussi dans ces structures intermédiaires que sont les groupes populaires et communautaires. On y retrouve par exemple des regroupements volontaires non gouvernementaux voués à la défense des démunis. L'ensemble de ces groupes et des relations qu'ils entretiennent entre eux constitue ce que l'on appelle la SOCIÉTÉ CIVILE. La société civile est littéralement la société des habitants de la *cité*, selon l'étymologie du mot. On peut concevoir la cité comme un espace public dans lequel les relations entre les gens ont un caractère informel qui favorise la conclusion d'ententes basées sur l'engagement individuel, la parole donnée et la recherche de solutions concrètes par les personnes concernées, aidées à l'occasion de professionnels. On n'y exclue pas l'intervention des représentants des divers paliers gouvernementaux.

Les organisations, les groupes et les associations qui s'y forment ont en effet souvent besoin de ressources de démarrage ou de fonctionnement. Cependant, ils tiennent à sauvegarder leur autonomie face à l'État. Et comme ces groupes comptent énormément sur les divers types de bénévolat pour survivre et se maintenir, ils sont finalement un atout fort précieux pour l'État[14] Ils constituent ce qu'on appelle le *tiers secteur*.

ENCADRÉ 6

Quelques groupes de la société civile

Dans le domaine des services d'abord, on peut mentionner les Associations coopératives d'économie familiale (ACEF), les coopératives d'habitation, les cliniques juridiques, les maisons des jeunes, les maisons pour itinérants et les maisons pour femmes battues, les groupes d'alphabétisation et les organismes volontaires d'éducation populaire (OVEP). En font également partie les divers groupes de soutien et d'encadrement en santé mentale, ceux voués à la lutte contre la consommation de drogues ou d'alcool, comme les AA (Alcooliques anonymes). On peut nommer également les réseaux informels d'amis et d'homosexuels mis en place pour venir en aide aux malades du sida. Ces réseaux prennent souvent le relais des services professionnels de la santé, insuffisants et débordés.

Les groupes de pression forment un autre type de groupes appartenant à la société civile. Pensons par exemple à l'Association québécoise pour la défense des droits des retraités (AQDR) et au Mouvement Action chômage (MAC).

En milieu rural, on trouve des groupes de défense de villages ou de la forêt fonctionnant sur une base coopérative. Le JAL (regroupement des villages de Saint-Juste, Auclair et Lejeune), dans le Témiscouata, et le SERV (Service d'exploitation des ressources de la vallée), dans la Matapédia, en sont des exemples.

Nous pourrions en trouver d'autres qui luttent pour l'emploi, contre le chômage, pour l'environnement, pour la condition féminine, contre le racisme, etc. En 1994, on comptait 3000 groupes communautaires et populaires dans la seule ville de Montréal.

En plus d'offrir des services à la communauté, ces divers regroupements sont des lieux importants d'appartenance pour les individus qui y œuvrent. Ils y occupent des fonctions précises et ils y nouent des relations amicales spontanées, qui s'avèrent parfois très importantes pour le groupe et pour les individus. Elles sont souvent même un facteur de cohésion au sein du groupe. Les membres peuvent par exemple siéger sur le conseil d'administration d'un groupe d'alphabétisation, faire la comptabilité ou passer les commandes de matériel didactique, puis, sortir le soir au restaurant avec des amis du même groupe.

14. Pour en savoir davantage sur la société civile, on peut se reporter au livre suivant : Louise Favreau, *Mouvement populaire et intervention communautaire de 1960 à nos jours,* Montréal, CFP et Éditions du Fleuve, 1989.

4 La sociologie de la vie quotidienne

Il est une autre sphère de la société où l'on rencontre la solidarité, l'entraide et l'engagement personnel, et c'est la sphère de la vie quotidienne. Il n'est pas étonnant que la sociologie contemporaine se soit intéressée à mieux connaître cette face cachée de la vie sociale. La sphère de la vie quotidienne englobe l'espace de la famille, de la DOMESTICITÉ, des amis, du quartier, du village, des communautés de base. Bref, c'est là où se déroulent les relations interpersonnelles marquées par la spontanéité et l'affectivité. Cela recoupe ce qu'on a désigné plus haut sous le vocable *microsocial*. On s'intéresse aux phénomènes du quotidien non pas pour les relier à l'ensemble des structures sociales dites *macrosociales,* mais surtout pour concevoir le rôle privilégié qu'ils jouent dans la transformation de la société.

Nous avons vu plus haut qu'un des fils conducteurs d'une transformation positive des structures sociales réside dans la capacité de l'individu de prendre conscience de sa propre identité pour devenir l'agent de son destin. Le cadre offert par la sociologie de la vie quotidienne est tout à fait propice à une telle réflexion. Elle propose en effet d'observer les comportements quotidiens de l'individu et de faire ressortir les structures de son activité. L'individu apparaît en effet déjà engagé dans des réseaux au sein desquels il interagit avec ses semblables et avec des structures institutionnelles formant des grands ensembles (milieu du travail, marché, école, etc.).

Le quotidien : lieu des affects et de l'identité

On observe l'émergence en sociologie contemporaine d'une branche qui s'occupe du domaine des affects dans la vie sociale. Si le sujet dont parle Touraine est un agent conscient, c'est notamment parce qu'il est un être sensible, capable de jouir et de souffrir, d'être tolérant ou intolérant, d'avoir de l'empathie et de demeurer indifférent. Ces diverses attitudes affectives l'amènent à vouloir transformer ses rapports avec autrui, en particulier dans sa vie de couple et dans sa vie de famille (voir plus bas, chapitre 4), ainsi que dans son milieu de travail (voir plus bas, chapitre 5). Le microsocial est un terrain d'action privilégié[15].

Le sociologue Michel Maffesoli a très bien décrit dans *Le temps des tribus*[16] ce besoin que ressentent de plus en plus d'individus dans une société dominée par la rationalité d'appartenir à des petites unités humaines auxquelles ils

15. Sur cette question, voir Léon Bernier, Vincent de Gaulejac et Claude Martin, « L'individu, l'affectif et la société », *RIAC*, n° 27, printemps 1992.

16. Michel Maffesoli, *Le temps des tribus – Le déclin de l'individualisme dans les sociétés de masse,* Paris, Méridiens Klincksieck, 1988.

peuvent s'identifier. Contre la standardisation et l'uniformisation des grands ensembles, il lui apparaît important de créer des espaces où la solidarité et l'autonomie des êtres deviennent la norme. Les organisations technocratiques recherchent avant tout l'efficacité. Elles ne sont pas très propices à la construction de l'identité de l'individu. Il doit donc se tourner vers d'autres milieux, des contextes où il peut nouer des amitiés et des relations amoureuses, et ainsi trouver une place significative parmi les autres. De plus, les jeux, les fêtes et les rituels du quotidien lui permettent de mettre à profit son imagination et sa créativité. C'est cette SOCIABILITÉ qui peut être source de construction ou de reconstruction des identités individuelles et collectives. Elle rend en effet possible cette relation d'appartenance dont les toutes premières recherches sociologiques, notamment celles de Durkheim, avaient démontré l'importance. Par un curieux effet de balancier, constate Maffesoli, plus la technocratie s'implante, plus la société devient programmée, et plus les individus ont tendance à se créer de nouveaux lieux d'expression de l'affectivité, du don, de la fête.

Ces lieux sont, dans nos sociétés, l'espace du partage, du don, de la réciprocité dont parlait Marcel Mauss[17] au début du siècle à propos des sociétés primitives. Par conséquent, c'est aussi le lieu de production et de transmission de ce que sociologues et philosophes appellent le *sens*. Bref, la vie quotidienne est un terrain d'action, mais aussi un lieu propice pour l'épanouissement de l'affectivité et de la créativité par des échanges, par le don et par la fête. C'est ainsi que se crée le sens.

Par ailleurs, c'est à partir du quotidien que nous entretenons des rapports avec ces grands ensembles économiques, politiques et culturels où nous vivons.

RÉVISION

Donnez des exemples de l'univers du quotidien à partir de votre propre vie. Nommez des phénomènes dont on ne parle pas ici et décrivez-les en termes de relations et d'échanges.

La consommation se vit en grande partie à l'intérieur de la sphère domestique, à la maison, dans les loisirs, avec les amis. Ainsi, il est clair que l'utilisation des appareils électroménagers comme le réfrigérateur et le lave-vaisselle ont transformé la vie de la maison. En contrepartie, la demande de ces biens a engendré un nouveau secteur de production industrielle. Dans un autre domaine, c'est l'organisation scolaire dans son ensemble qui amène les élèves à passer cinq années de leur vie dans une polyvalente, puis deux à trois années dans un cégep. C'est là aussi qu'ils développent des réseaux d'activités et des réseaux d'amitié. Finalement, c'est dans la vie privée que se vivent les valeurs que l'on retrouve dans l'ensemble de la société : partage, générosité, sens de la responsabilité vis-à-vis des autres et de l'environnement. On peut dire de la vie privée qu'elle est le lieu de l'altérité par excellence.

17. Mauss Marcel, « Essai sur le don – Forme et raison dans les sociétés archaïques », *Sociologie et anthropologie*, Paris, Presses Universitaires de France, 1950.

ENCADRÉ 7

Le don

« L'erreur de la modernité n'est certainement pas de viser à l'autonomie des individus et à l'universalisme. Elle pourrait être de croire que le système du don est intrinsèquement lié aux sociétés traditionnelles et archaïques, et que l'on pourrait donc en faire l'économie, alors que le don n'est rien d'autre que le système des relations sociales de personne à personne. Si bien qu'à vouloir l'éradiquer, on risque de produire une société radicalement désocialisée et des démocraties au mieux vides de sens. [...]

L'idée centrale qui inspire ce livre doit paraître maintenant assez simple. Elle n'est autre que l'hypothèse selon laquelle le désir (*drive*) de donner est aussi important pour comprendre l'espèce humaine que celui de recevoir. Que donner, transmettre, rendre, que la compassion et la générosité sont aussi essentiels que prendre, s'approprier ou conserver, que l'envie ou l'égoïsme. Ou encore que « l'appât du don » est aussi puissant ou plus que l'appât du gain, et qu'il est donc tout aussi essentiel d'en élucider les règles que de connaître les lois du marché ou de la bureaucratie pour comprendre la société moderne. On envisagera ici la société comme composée d'ensembles d'individus qui tentent perpétuellement de se séduire et de s'apprivoiser les uns les autres en rompant et en renouant des liens. S'apprivoiser, « c'est créer des liens », dit le renard au Petit Prince. C'est rendre quelqu'un unique. Rien n'est plus banal assurément. Mais en passe de raréfaction. Car le temps manque, et apprivoiser prend du temps. C'est pourquoi les hommes achètent des choses toutes faites chez le marchand, des signes d'apprivoisement qui sont eux-mêmes apprivoisés, et confient leur quête d'une « solution unique » à la solidarité du grand nombre, à l'État-providence... ou aux psychanalystes[18].

Égoïsme et altruisme

Le monde social est lié également par une seconde classe de forces, beaucoup plus modestes, beaucoup plus méprisées. Les forces de la solidarité, de la compassion, de l'amour, de la générosité. Nous les voyons à l'œuvre dans des situations insignifiantes. La psychanalyse a montré que l'équilibre psychique et l'existence même des individus seraient impossibles sans le dévouement chargé d'amour des parents envers leurs enfants ; sans la présence, à l'origine de la vie psychique, d'un amour sincère et désintéressé. Par ailleurs, la relation de couple ne pourrait pas durer plus de quelques jours sans les éclairs de l'amour. Ensuite, je suis, quant à moi convaincu – et c'est ce que j'ai tenté de montrer dans tous mes livres – que les grands mouvements politiques, éthiques et religieux s'élaborent à partir d'un petit groupe de personnes en état de grâce, animées par un sentiment extraordinaire de créativité et de solidarité. Dans un groupe « à l'état naissant », les gens ne font aucun calcul économique, ils ne tissent pas d'intrigues ou de complots. Le chef et ses partisans s'aiment et se font confiance.[...]

Si la société existe grâce à l'équilibre entre intérêt et don, chaque fois que l'un des deux prend le dessus, l'autre doit exercer une contre-poussée pour rétablir la balance[19]. 

18. Jacques T. Godbout, *L'esprit du don,* Montréal, Boréal, 1992, p. 29 et p. 31.

19. Francesco Alberoni, *Vie publique et vie privée,* trad. de l'italien par Raymonde Coudert, Paris, Éditions Ramsay, 1988, p. 172-173.

RÉSUMÉ

1. Les sociologues emploient le concept de société postindustrielle, forgé par l'Américain Daniel Bell, pour décrire la société actuelle. On parle de mouvements sociaux pour rendre compte des transformations survenant dans la société. Les notions de société postmoderne (Lyotard) et de société programmée (Touraine) servent également à décrire divers aspects structurels de la société actuelle.

2. L'ère de la société postindustrielle débute à la fin de la Deuxième Guerre mondiale et se poursuit toujours. Elle est caractérisée notamment par l'utilisation courante du crédit, le développement des banlieues, la création de l'État-providence, la mise au point et la commercialisation à grande échelle de l'ordinateur, l'automatisation du travail, l'augmentation de la part du secteur des services dans l'économie, l'apparition de la technocratie et l'aliénation des individus causée par la stratification culturelle. Elle apparaît déboucher actuellement sur une remise en question des conceptions modernes du progrès et de l'État-providence.

3. Un mouvement social est un ensemble organisé de groupes, de personnes et d'institutions qui militent en faveur d'une cause en dénonçant des injustices et en proposant des stratégies de changement à court et à plus long terme.

4. Selon Macionis, on peut distinguer quatre phases dans le développement des mouvements sociaux : l'émergence, l'organisation, la bureaucratisation et l'institutionnalisation. D'après Touraine, les mouvements sociaux sont, en tant qu'agents d'action historique, le principal moteur de transformation de nos sociétés ; ils sont constitués en grande partie de la société civile.

5. La sphère de la vie quotidienne, qui comprend l'ensemble des lieux où se déroulent les relations interpersonnelles spontanées (famille, cercle d'amis, communautés de base, etc.), est un autre objet d'étude de la sociologie qui permet de mettre en évidence les processus de transformation sociale.

POUR CONTINUER LA RÉFLEXION

GODBOUT, Jacques T., *L'esprit du don,* Montréal, Boréal,1992.

RIOUX, Marcel, *Le besoin et le désir,* Montréal, Hexagone, 1985.

TOURAINE, Alain, *Critique de la modernité,* Paris, Seuil, 1992.

DEUXIÈME PARTIE

Deux défis de notre époque

Dans la première partie, nous avons présenté globalement l'histoire et les principales théories des transformations sociales ainsi que les notions élaborées pour rendre compte des changements survenus depuis la fin de la Seconde Guerre mondiale. Dans cette deuxième partie, nous allons nous consacrer plus spécifiquement à l'examen de l'évolution dans deux secteurs clés de la vie sociale, les relations interpersonnelles et le monde du travail.

Nous sommes quotidiennement en relation avec les autres et il peut sembler que ces relations se conforment à des règles immuables. En réalité, celles-ci sont largement déterminées par des rôles et des contextes sociaux qui évoluent au fil du temps. Dans le chapitre 4, nous étudierons comment ces changements ont influencé les relations interpersonnelles au cours des dernières décennies et quel défi ils représentent pour nos sociétés. Nous nous intéresserons plus particulièrement à deux types de relations, celles entre les hommes et les femmes et celles entre les adultes et les enfants.

Dans le chapitre 5, nous aborderons l'étude des transformations survenues dans le monde du travail par suite du progrès technologique. Nous verrons que certains problèmes sociaux, notamment le chômage, le recyclage, les nouveaux rapports de classes et l'exclusion sociale, sont directement rattachés à ce développement. Nous présenterons divers projets mis de l'avant par l'État, l'entreprise et les syndicats pour résoudre ces problèmes. La plupart de ces projets visent à amoindrir les coûts individuels et sociaux de cette restructuration du monde du travail, mais aucun ne s'est avéré entièrement satisfaisant. Il apparaîtra que ces problèmes traduisent en fait une remise en question de toute notre conception du travail.

CHAPITRE 4

Les relations interpersonnelles

CHAPITRE 4

1 L'ÉVOLUTION DES RÔLES DANS LA SOCIÉTÉ QUÉBÉCOISE DE 1950 À 1995

- Les anciens rôles masculins et féminins
- Les nouveaux rôles masculins et féminins
- Les rapports de générations
- Les modes de vie
- L'imaginaire

2 LES FACTEURS EXPLICATIFS DE CES CHANGEMENTS

- Les facteurs démographiques
- Les facteurs juridiques
- Les facteurs économiques
- Les facteurs politiques

3 LES VALEURS VÉHICULÉES PAR CES CHANGEMENTS

- Le changement et la résistance au changement
- Les valeurs d'affirmation
- Les valeurs de résistance

4 LES DÉFIS DES RELATIONS INTERPERSONNELLES

- La communication
- L'identité et les identités
- Le renforcement du tissu social

RÉSUMÉ

POUR CONTINUER LA RÉFLEXION

« L'UN PAR L'AUTRE LES AMIS CHERCHENT CE QUI LES UNIT ET QUI N'EST JAMAIS DONNÉ UNE FOIS POUR TOUTES, QUI EST TOUJOURS DEVANT, TOUJOURS À REJOINDRE, TOUJOURS À ACCOMPLIR. »

(Annie Leclerc)

Dans ce chapitre, nous traiterons des relations interpersonnelles, plus spécifiquement des changements survenus depuis quelques générations dans la façon dont les individus interagissent. Nous examinerons ensuite quels sont les facteurs explicatifs de ces changements et les valeurs qui les sous-tendent. Il s'agira notamment de clarifier dans quelle mesure ces transformations affectent les rôles et les conditions de vie des individus. Finalement, nous exposerons les défis qu'elles présentent aux individus et aux sociétés en général.

La sociologie, tout particulièrement ce que l'on appelle la microsociologie, s'est toujours intéressée au fonctionnement des relations interpersonnelles et à leur importance sociale. Ce sont les relations que nous entretenons avec nos semblables tout au cours de l'existence qui tissent la trame de la vie sociale. Qu'il s'agisse de relations amoureuses, amicales et familiales ou de relations de travail, d'études ou de voisinage, toutes, elles contribuent à la qualité de la vie. Comme le dit Annie Leclerc à propos de la relation entre amis dans le passage cité en exergue, rien n'est jamais acquis dans l'univers des relations que les personnes entretiennent entre elles. Tout est toujours à recommencer. C'est d'autant plus vrai que les conditions favorisant l'éclosion de ces relations se transforment constamment. Fragiles dans leur nature même, elles le sont d'autant plus qu'elles sont soumises aux conditions d'un contexte culturel et social.

Il peut sembler que cette question relève davantage de la psychologie que de la sociologie. Tout un courant de la sociologie contemporaine a pourtant pris pour objet l'univers des interactions humaines. C'est l'INTERACTIONNISME, dont le principal représentant est le sociologue américain Erving Goffman (1922-1982). Fin observateur de la vie quotidienne américaine, il a compilé des données sur les rituels, les gestes et les codes de sa société, s'inscrivant dans la continuité des études sur la symbolique amorcées au siècle dernier par le sociologue français Marcel Mauss et le sociologue allemand Georges Simmel. Or, l'observation systématique et rigoureuse de la vie sociale est le premier pas vers la connaissance des principales caractéristiques d'une culture.

Les interactionnistes comme Goffman considèrent que les comportements dits individuels ne sont en fait rien d'autre que des comportements collectifs qui se produisent avec une certaine régularité au sein d'une culture. Ces comportements se conforment à des modes, à des symboles qui sont partagés par un milieu à un moment donné.

Le terrain des relations interpersonnelles est un terrain privilégié pour l'étude des transformations de société. Comme nous l'avons déjà mentionné, les changements globaux entraînent des changements dans la vie quotidienne des individus et, à l'inverse, les transformations des comportements quotidiens ou des stratégies de fonctionnement quotidien des individus contribuent à entraîner des changements plus globaux.

L'étude des relations interpersonnelles nous oblige à traiter d'un aspect névralgique de la vie sociale, celui des valeurs. On verra plus loin que les changements de mentalités qui sont des changements de valeurs mettent souvent plus de temps à se réaliser que les changements de rôles et de structures. De même, ils ne se réalisent pas dans tous les milieux au même rythme.

Bien sûr, il n'est pas question d'étudier tous les types de relations interpersonnelles dans un seul chapitre. Notre étude portera principalement sur les relations hommes-femmes, sur les relations parents-enfants et sur les rapports de générations.

1 L'ÉVOLUTION DES RÔLES DANS LA SOCIÉTÉ QUÉBÉCOISE DE 1950 À 1995

Un observateur chevronné, revenu au Québec en 1995 après une absence de 45 ans, y aurait sans doute trouvé un terrain riche et fertile pour déployer ses qualités d'enquêteur minutieux et d'interprète impartial. L'observation des changements de société fait intervenir une comparaison entre deux états d'une même société considérée à deux moments différents. Il aurait donc été amené à se remémorer la société traditionnelle qu'il avait connue dans les années 50 et à la comparer avec celle de 1995.

Il aurait constaté que la société québécoise avait connu les mêmes transformations que toutes les sociétés occidentales, mais plus rapidement qu'ailleurs, où le processus de modernisation avait déjà été amorcé dès la fin de la Deuxième Guerre mondiale. À cette époque, la famille et l'Église étaient les deux paliers institutionnels de la société. Certains individus aspiraient à moderniser les cadres de vie, mais les institutions politiques, religieuses et familiales semblaient figées. Ses contacts quotidiens avec la population lui auraient révélé que cela avait bien changé entre-temps.

La famille de 1995 ressemblait peu à la famille d'autrefois. Les conditions de vie des femmes s'étaient considérablement transformées, ce qui avait entraîné une modification de celles des hommes et des enfants. Les comportements, les attitudes et les valeurs des hommes et des femmes étaient passablement différents. Leurs rapports et les réseaux dans lesquels ils s'inséraient semblaient tout à fait nouveaux. Attardons-nous d'abord à préciser leurs rôles sociaux dans la période d'après-guerre.

LES ANCIENS RÔLES MASCULINS ET FÉMININS

Dans les années 50, l'univers des hommes et celui des femmes étaient apparus cloisonnés à l'observateur. Les deux occupaient des fonctions bien différentes dans des lieux distincts et ne se rencontraient qu'en fin de journée, généralement après dix-huit heures, les samedis et dimanches, et une semaine ou deux l'été, au moment des vacances. Le reste du temps, ils vivaient dans deux univers séparés. Pourtant, à une époque plus lointaine encore, avant l'industrialisation et l'urbanisation, ils vivaient et travaillaient au même endroit, sur la ferme, bien qu'ils se soumettaient à une division sexuelle du travail[1]. Entre-temps, l'industrialisation avait entraîné une scission entre la **sphère publique** et la **sphère privée**, et séparé l'univers des hommes de celui des femmes et des enfants.

SPHÈRE PUBLIQUE
Sphère englobant toutes les activités politiques, économiques, religieuses se tenant en dehors de la vie domestique.

SPHÈRE PRIVÉE
Sphère comprenant toutes les activités se déroulant à l'intérieur de l'univers domestique.

À cette époque, seuls les hommes avaient accès à un travail salarié à l'extérieur du domicile familial. Ce travail leur procurait un revenu permettant de faire vivre les membres de la maisonnée, essentiellement le travailleur lui-même, l'épouse et les enfants du couple. Les femmes s'occupaient du travail domestique ainsi que des soins et de l'éducation des enfants.

Les hommes exerçaient des emplois variés. Au sommet de la pyramide sociale, il y avait les professions libérales comprenant les avocats, les juges, les notaires, les médecins, les ingénieurs et les dentistes. On les retrouvait aussi dans les fonctions officielles de l'Église, comme prêtres, curés ou évêques, et dans le monde de la politique, comme ministres, députés et maires des villes et des villages. Ils étaient présents dans le milieu des affaires, par exemple

1. Voir Gérald Fortin, *La fin d'un règne*, Montréal, HMH, 1971.

dans les banques ou les caisses populaires, dans les commerces, dans les médias, comme journalistes et éditorialistes, et dans les syndicats et les coopératives, comme syndicalistes ou administrateurs. Dans le milieu de l'éducation, ils dirigeaient les écoles, les collèges et les universités. Dans les entreprises, ils occupaient l'ensemble des fonctions de travailleurs et d'ouvriers : ils étaient soudeurs, électriciens, plombiers, menuisiers, mineurs, bûcherons, pêcheurs, cheminots, cultivateurs, etc.

Deux mineurs masculins exécutant des tâches complémentaires bien définies.

Leur lieu de travail était donc le bureau, l'usine, l'atelier, le cabinet de travail, l'hôpital, le presbytère, le chantier de construction ou la voirie. Ils travaillaient aussi en forêt, sur la mer ou dans la mine. Il y en avait un certain nombre, mais beaucoup moins qu'autrefois, qui travaillaient encore sur une ferme familiale.

Le travail était un travail spécialisé pour certains, mais, dans bien des cas, c'était un travail de manœuvre sous la direction d'un contremaître, d'un entrepreneur ou d'un patron. Il se faisait la plupart du temps en équipe, entre hommes, dans une complémentarité de tâches dont la division et la description correspondaient à des normes précises. Les petits garçons se préparaient à ces tâches futures en fréquentant les écoles de métier et les écoles techniques ou en apprenant leur métier sur le tas. Une faible proportion d'entre eux fréquentaient les universités. Ces lieux du travail salarié étaient principalement le terrain d'activité des hommes, qui y œuvraient soit comme dirigeants (une minorité), soit comme exécutants (une majorité).

RÉVISION

Quelles étaient les principales caractéristiques des rôles masculins dans l'après-guerre ?

Les pères n'étaient donc pas égaux entre eux. Certains appartenaient à la bourgeoisie, d'autres étaient des cols blancs, des ouvriers spécialisés ou des manœuvres, et d'autres encore étaient des cultivateurs et des travailleurs de la forêt ou des mines.

De leur côté, les femmes étaient principalement épouses et mères. Compléments des pères pourvoyeurs, la grande majorité d'entre elles demeuraient au foyer, où elles étaient en charge de la domesticité.

Le travail domestique comprenait d'abord les soins et l'éducation des enfants, mais parfois aussi ceux des aînés ou des proches qui souffraient d'une maladie ou d'une infirmité. Il n'existait en effet aucun régime universel de soins et d'assistance sociale permettant de les placer en institution. Elles préparaient les repas, s'occupaient des vêtements et entretenaient la maison.

Lorsque le mari disposait d'un salaire, la gestion du budget familial faisait aussi souvent partie des tâches domestiques de l'épouse. Celle-ci faisait la répartition du salaire apporté par le mari entre les différents postes de dépenses du ménage, comme l'a bien montré l'étude de Gérald Fortin et de Marc-Adélard Tremblay sur les habitudes de consommation de la famille salariée au Québec à la fin des années 50[2].

Le travail domestique était donc un travail polyvalent exigeant des compétences multiples, une grande disponibilité ainsi que de l'imagination et de la débrouillardise. Il fallait trouver des solutions à des problèmes très variés : soigner un enfant malade, réparer un vêtement abîmé, décorer l'intérieur, animer la « maisonnée », préparer les repas de fête, s'organiser pour « joindre les deux bouts », faire les leçons et les devoirs avec les enfants, être attentive aux besoins du mari, etc.

Toutes les femmes étaient sensées posséder ces compétences transmises de mère en fille. Il leur fallait notamment pouvoir exécuter plusieurs tâches domestiques simultanément. Par exemple, la FEMME AU FOYER devait pouvoir faire un lavage et préparer un repas tout en aidant un écolier dans ses travaux, ou essayer de régler une dispute en faisant sa liste d'épicerie, ou conduire quelqu'un chez le médecin en prévoyant le repas du soir. Le travail de l'homme au bureau ou à l'usine était plus spécifique.

Cependant, les femmes organisaient leur travail à leur guise, selon des rythmes hebdomadaires et saisonniers. Elles disposaient d'une certaine latitude. Même si elles étaient souvent seules à planifier leur travail et à l'exécuter à la maison, elles entretenaient des relations avec le voisinage, la parenté ou les amies, soit par le truchement du téléphone et de la correspondance, ou par des rencontres spontanées. En apparence isolées, elles étaient en fait au cœur d'un réseau au sein duquel elles accomplissaient des activités d'échange

2. Voir Gérald Fortin et Marc-Adélard Tremblay, *Les comportements économiques de la famille salariée du Québec*, Québec, Presses de l'Université Laval,1964.

et d'entraide, soit pour des œuvres de charité et de bénévolat ou tout simplement pour leur divertissement.

Ce travail si important n'était pas reconnu socialement en ce sens qu'il ne donnait droit à aucune sécurité matérielle, n'était pas rémunéré et ne comportait pas de droit aux vacances ou à la retraite. Pourtant, l'Église, l'école et les médias parlaient du rôle indispensable de la mère au foyer, que l'on appelait la « Reine du foyer ». On parlait d'un travail d'amour, de dévouement, mais cette reconnaissance ne se traduisait pas par des droits égaux à ceux que conférait aux hommes leur statut de travailleur. On peut voir là un exemple de ce que l'on appelle une *valorisation symbolique* du travail des femmes. En réalité, les relations entre les hommes et les femmes mariés étaient socialement inégalitaires, même si certains couples en arrivaient à vivre selon un mode égalitaire dit « de compagnonnage ». La dépendance et l'impossibilité de faire des choix étaient la réalité de la grande majorité des femmes et cela entraînait des frustrations considérables.

Certaines femmes qui avaient pu faire des études parvenaient à sortir de la sphère domestique. Elles devenaient infirmières, institutrices ou secrétaires. D'autres, qui avaient peu étudié ou n'avaient pas obtenu de diplôme, devenaient serveuses, aides domestiques, caissières, vendeuses, ouvrières dans la couture. En général, elles pratiquaient ces occupations jusqu'à leur mariage ou jusqu'à la naissance d'un premier enfant.

Durant la guerre, on avait pourtant fait appel à la main-d'œuvre féminine. Les femmes se voyaient offrir de bons salaires et même des services de garderie pour les jeunes enfants. Mais une fois la guerre terminée, les élites reprirent le discours célébrant la « mystique féminine » et les pouvoirs magiques de la mère, qui contribua à ramener la majorité de ces travailleuses au foyer.

Dans les milieux populaires, quelques-unes de celles ayant travaillé durant la guerre voulurent rester sur le marché du travail même après leur mariage et après la naissance de leurs enfants. Résidant surtout dans les villes, elles désiraient conserver une certaine autonomie financière et pouvoir contribuer à l'économie du ménage. Celles qui demeuraient au foyer contribuaient aux finances de la maison soit en louant une chambre, soit en gardant un ou des pensionnaires, ou en faisant de la couture, des lavages et même des ménages dans les maisons bourgeoises.

En général, les femmes qui travaillaient à l'extérieur assumaient seules ou avec le concours des enfants aînés, les filles surtout, la totalité du travail domestique. Elles avaient la double tâche du travail salarié et de l'entretien domestique. D'autres femmes devenaient religieuses, ce qui représentait souvent pour elles, surtout si elles venaient d'un milieu ouvrier ou rural, une voie d'accès privilégiée à des études supérieures ainsi qu'une façon d'échapper aux contraintes de la maternité. La vie religieuse était d'ailleurs, autant pour les hommes que pour les femmes, un important canal de mobilité sociale au Québec.

RÉVISION

Quelles étaient les principales caractéristiques des rôles féminins dans l'après-guerre ?

Quelques rares femmes travaillaient dans les médias, où elles avaient la responsabilité des chroniques de mode, d'art culinaire et d'éducation des enfants. D'autres s'adonnaient à l'écriture de poésie ou de romans. Ces quelques percées dans le monde des lettres et des arts étaient le fait de femmes de la bourgeoisie[3].

Dans l'ensemble, la main-d'œuvre était largement masculine, comme l'indique le tableau 1 (p. 101).

Durant l'après-guerre, une relative prospérité régnait au Québec : les usines bourdonnaient d'activité, l'industrie de la construction était en expansion, les terres étaient cultivées, l'industrie forestière fonctionnait à plein rendement. Pourtant, malgré cette prospérité, il subsistait d'importantes poches de pauvreté dans les quartiers ouvriers des villes comme Montréal ou Québec ainsi que dans les régions rurales éloignées des grands centres (Abitibi, Gaspésie). Des hommes, des femmes et des enfants vivaient encore dans des conditions de maladie et de pauvreté étonnantes pour l'époque.

Représentation d'une famille américaine idéale : un acteur connu, élu « père américain typique » à la suite d'un concours national, fait la lecture à sa fillette de cinq ans en compagnie de sa femme.

Cette famille constituée d'un PÈRE POURVOYEUR, d'une mère au foyer et de quelques enfants constituait un petit noyau que les sociologues ont appelé la FAMILLE NUCLÉAIRE.

Vers l'âge de 7 ans, l'éducation de l'enfant se poursuivait à l'école et était assumée encore là surtout par des femmes, des institutrices ou des religieuses. Vers la quatrième année, garçons et filles étaient envoyés dans des réseaux scolaires différents, et ce pour toute la période de leurs études jusqu'à l'université. Les filles y étaient du reste peu nombreuses. On les y cantonnait

3. Collectif Clio, *L'histoire des femmes au Québec depuis quatre siècles,* Montréal, Édition du Club, 1992.

dans des ghettos féminins : les sciences domestiques, la puériculture, la pédagogie et les techniques de laboratoire. Dans ce milieu, les rencontres entre garçons et filles étaient occasionnelles. Il s'agissait d'univers cloisonnés. Les garçons et les filles ne pouvaient se fréquenter qu'en ayant des relations de couple en vue de fiançailles et d'un mariage. Autrement, ils partageaient peu d'expériences de vie.

Les familles nucléaires de l'après-guerre qui vivaient dans leur bungalow de banlieue ou dans leur petit appartement de ville entretenaient peu de relations avec les autres générations, qu'il s'agisse des grands-parents ou des oncles, des tantes et des cousins. Elles ne se rencontraient qu'à l'occasion de fêtes ou d'anniversaires. On ne retrouvait donc que deux générations sous un même toit, contrairement à l'époque précédente où trois générations cohabitaient régulièrement. Les déplacements de la campagne vers la ville avaient contribué à cette rupture des liens entre les générations.

Quant aux personnes âgées qui n'avaient plus les capacités physiques et matérielles de rester seules à domicile, elles vivaient souvent avec un des enfants resté célibataire, la plupart du temps une fille. On commençait à voir apparaître dans les villages et les villes des « hospices » pour personnes âgées, où elles pouvaient demeurer quatre ou cinq ans avant leur mort, l'espérance de vie n'atteignant pas alors soixante-dix ans.

En bref, durant l'après-guerre,

- l'univers des hommes et celui des femmes étaient deux univers cloisonnés ;
- les rôles des hommes et des femmes étaient différenciés et complémentaires ;
- les hommes travaillaient au bureau ou à l'usine et assuraient les revenus financiers de la famille ;
- les femmes demeuraient au foyer et avaient la charge du travail domestique ;
- les femmes avaient aussi la charge des jeunes enfants ;
- les garçons et les filles fréquentaient des réseaux scolaires différents.

Les conditions d'échanges ne favorisaient pas des rapports égalitaires. Non seulement les univers étaient-ils cloisonnés de façon étanche, mais ils étaient aussi hiérarchisés. Les rôles masculins étaient reconnus socialement, ce qui se traduisait souvent par une sécurité du revenu, des congés et une retraite, alors que les rôles féminins n'apportaient qu'une reconnaissance symbolique, ce qui signifiait que les femmes n'avaient pas de sécurité sociale.

Les hommes étaient absents de l'univers domestique et les femmes étaient absentes de l'univers du travail.

La complémentarité des rôles peut donner l'impression qu'il existait une grande harmonie entre hommes, femmes et enfants. Le fait que les institutions et les valeurs étaient bien établies et stables peut aussi laisser croire que les individus vivaient dans un monde sans problème. Mais il s'agissait en fait d'une harmonie plutôt mécanique, puisqu'elle reposait sur des conditions inégalitaires. L'asymétrie des rôles et la hiérarchie sociale étaient susceptibles d'entraîner des frustrations que les individus devaient souvent refouler.

Les nouveaux rôles masculins et féminins

L'observateur revenu au Québec en 1995 aurait d'emblée noté que les femmes étaient largement présentes dans le monde du travail, de la politique et des médias, et que, dans les maisons, les garderies et les parcs, des hommes s'affairaient aux travaux domestiques et aux soins aux enfants.

Dans l'ensemble, le monde de l'économie et de la politique ainsi que l'univers domestique ne sont plus aujourd'hui des univers exclusivement masculin ou féminin. Les hommes et les femmes se rencontrent tous les jours. Ils travaillent ensemble et sont amenés à discuter, à négocier et à prendre des décisions relativement à toutes sortes de questions.

Les hommes constituent encore la majorité de la main-d'œuvre, mais les femmes en représentent une part de plus en plus importante, comme l'indique le tableau 1. Par ailleurs, ce sont encore elles qui assument la majorité des tâches domestiques, mais les hommes s'y impliquent de plus en plus.

Tableau 1 Proportion des femmes dans la main-d'œuvre (Québec, 1951-1995)

Année	Proportion des femmes (%)
1951	23
1961	26
1995	45

Sur le marché du travail, on retrouve les femmes surtout dans les fonctions de services dans les bureaux, les restaurants, les hôtels et les hôpitaux. On rencontre cependant aussi un grand nombre de femmes travaillant comme avocates, notaires, médecins et dentistes. Leur présence dans les rangs

Malgré une présence accrue sur le marché du travail, les femmes sont encore sous-représentées dans certains types d'emploi, comme celui d'ingénieur.

des ingénieurs, des physiciens, des chimistes, des agents d'immeuble, des agents d'assurance et des astronautes est encore modeste. Par contre, elles occupent une place prépondérante dans le monde des communications, du journalisme et de la télévision. La progression des femmes sur le marché du travail est certainement reliée en partie à l'évolution de la société elle-même, qui est devenue une société de services, plus accessible à une main-d'œuvre féminine. Mais elle est aussi le résultat des revendications du mouvement féministe des années 70, dont nous reparlerons en détail plus loin dans ce chapitre.

On peut se servir de statistiques pour comparer l'évolution sociale du Québec avec celle d'autres pays industrialisés. Une telle comparaison est présentée dans le tableau 2. On voit que, en Suède, 81,7 % des femmes de 15 à 64 ans sont actives sur le marché du travail. Au Québec, cette proportion s'élève à 63,5 %, soit un peu plus qu'en Australie, en France ou au Mexique. Mais ces données n'indiquent pas si cette main-d'œuvre travaille à temps partiel ou à temps plein. On sait cependant que le travail à temps partiel est très pratiqué en Suède autant par les hommes que par les femmes, surtout par ceux et celles qui ont des enfants en bas âge.

TAUX D'ACTIVITÉ DES FEMMES

Rapport entre le nombre de femmes sur le marché du travail et le nombre total de femmes âgées de 15 à 65 ans.

Tableau 2 **Taux d'activité des femmes** de 15 à 64 ans dans quelques États (1991)[4]

États	Taux d'activité (%)	États	Taux d'activité (%)
Suède	81,7	**Québec**	**63,5**
Canada	68,3	Australie	61,7
États-Unis	66,5	France	56,6
Royaume-Uni	66,0	Mexique	22,8

4. Bureau international du travail, *Le travail dans le monde*, Genève, 1993, p. 1020-1103. Source citée dans Gouvernement du Québec, *Les Québécoises déchiffrées*, Québec, Les publications du Québec, 1995, p. 87.

Si les femmes ont réussi à prendre la place qui leur revient dans les nouveaux secteurs, notamment ceux des communications et des services publics, il n'en va pas de même pour les postes de direction, où elles sont encore sous-représentées. Il faut dire que ces sphères de pouvoir ont toujours été la chasse gardée des hommes. L'accès aux positions de pouvoir fut pourtant un important objet de revendication du mouvement féministe dans les années 70. Le tableau 3 donne l'évolution de la proportion de femmes élues à l'Assemblée nationale depuis 1960, début de la Révolution tranquille.

Tableau 3 Participation des femmes à l'Assemblée nationale (Québec, 1960-1994)

Année d'élection	Nombre de femmes élues	Proportion des femmes à l'Assemblée nationale (%)
1960	1 femme sur 95 élus	1,1
1976	5 femmes sur 110 élus	4,5
1981	8 femmes sur 122 élus	6,5
1985	18 femmes sur 124 élus	14,5
1994	23 femmes sur 125 élus	18,5

On peut dégager une série de conclusions de ces données :

- il y a eu une augmentation importante du nombre de femmes à l'Assemblée nationale depuis le début de la Révolution tranquille ;
- les femmes sont nettement sous-représentées à l'Assemblée nationale, puisqu'elles n'y constituent que 18,5 % des députés, alors qu'elles forment 51 % de la population totale ;
- l'objectif de la **parité** (50-50) visé par le mouvement féministe est loin d'être atteint ;
- il existe une tendance vers la parité, mais on ne peut affirmer que l'objectif de la parité sera atteint, rien n'étant jamais acquis définitivement dans l'ordre de l'égalité entre les sexes.

PARITÉ
Répartition égalitaire d'une représentation.

Quant aux structures de pouvoir au sein de l'Église catholique, il apparaît que l'évolution s'y fait encore plus lentement que dans l'ensemble de la société. Les femmes sont toujours très présentes dans les fonctions de service, d'aide et dans les postes subalternes, mais elles n'ont toujours pas accès aux postes de pouvoir (prêtre, évêque, cardinal, pape). Cela confirme la règle voulant que, pour obtenir des changements de mentalité dans des milieux qui fonctionnent selon des traditions profondément enracinées, il faut faire des revendications constantes et de longue haleine.

Un autre aspect des transformations survenues dans la société québécoise concerne l'attitude des hommes et des femmes envers le travail. Les recherches montrent que, même si les hommes et les femmes sont davantage en contact dans le monde du travail, leur rapport au travail est différent. Ainsi, les hommes demeurent habituellement actifs de façon continue sur le marché du travail, bien qu'ils soient évidemment aussi victimes du chômage. En revanche, le parcours des femmes comporte davantage d'interruptions. Si elles ne cessent plus de travailler comme autrefois au moment du mariage ou à la naissance du premier enfant, elles doivent souvent le faire lorsqu'elles ont trois enfants et plus. Elles vont avoir alors tendance à abandonner le travail salarié durant la période où les enfants sont en bas âge. Cela rend la venue du troisième enfant particulièrement difficile et pose un problème démographique dans la perspective du renouvellement de la population.

De plùs, elles occupent des postes à temps partiel plus souvent que leurs compagnons, comme le montre le tableau 4. De 1976 à 1993, le travail à temps partiel a augmenté chez les femmes et chez les hommes. Mais il est toujours plus important chez celles-ci. Par ailleurs, le tableau 5 indique que la proportion des femmes qui occupaient un poste à temps partiel par choix personnel et pour répondre à des obligations personnelles ou familial étaient plus élevée en 1976, alors qu'en 1993 elles le faisaient plutôt par manque de travail à temps plein. Pour les hommes, ce sont les études et le manque d'emplois à temps plein qui expliquent le travail à temps partiel. Très peu d'hommes font du travail à temps partiel par choix personnel.

Tableau 4 Répartition de la main-d'œuvre en emploi selon le type d'emploi et le sexe (Québec, 1976-1993)[5]

Année	Femmes		Hommes	
	Temps partiel (%)	Temps plein (%)	Temps partiel (%)	Temps plein (%)
1976	14,4	85,6	3,5	96,5
1981	20,0	80,0	5,5	94,5
1986	23,3	76,7	7,4	92,6
1991	22,9	77,1	8,5	91,5
1993	23,8	76,2	9,1	90,9

5. Statistique Canada, *Moyennes annuelles de la population active,* catalogue 71-529, tableau 18 et catalogue 71-220, tableau 18. Source citée dans Gouvernement du Québec, *op. cit.*, p. 100.

Tableau 5 Répartition des personnes en emploi à temps partiel selon la raison donnée pour occuper ce genre d'emploi et le sexe (Québec, 1976-1993)[6]

Raison du travail à temps partiel	Femmes 1976 (%)	Femmes 1993 (%)	Hommes 1976 (%)	Hommes 1993 (%)
Obligations personnelles ou familiales	21,3	7,3	0,0	0,1
Études	20,5	21,7	55,3	41,2
Manque de travail à temps plein	16,5	41,9	17,9	43,2
Refus de travailler à temps plein	37,8	29,1	17,9	12,8
Autres raisons	3,9	0,0	8,9	2,7
Total	**100,0**	**100,0**	**100,0**	**100,0**

En ce qui concerne la répartition des tâches domestiques entre les hommes et les femmes, on constate que le nombre d'hommes qui prennent soin des enfants et de leur éducation et font leur part des tâches domestiques a augmenté. Selon les études statistiques, dans les couples qui ont des enfants en bas âge, le travail domestique est assumé à 35 % par les hommes et à 65 % par les femmes, ce qui n'est pas encore un partage égal. Cependant, l'enquête sociale générale de Statistique Canada menée en 1992 montre que, dans le cas où les deux membres du couple travaillent et n'ont pas d'enfants, la répartition des tâches se rapproche d'un partage égalitaire[7].

Les recherches effectuées sur le travail domestique, le partage des tâches entre les conjoints et sur l'emploi des équipements électroménagers modernes montrent que le travail domestique occupe toujours une part importante des activités domestiques, surtout dans les couples ayant de jeunes enfants[8]. Par ailleurs, on constate que le foyer n'est plus uniquement un univers féminin, mais un univers où hommes et femmes se côtoient et entretiennent des rapports quotidiens entre eux et avec les enfants.

---

6. Statistique Canada, *Moyennes annuelles de la population active,* catalogue 71-529, tableau 18 et catalogue 71-220. Source citée dans Gouvernement du Québec, *op. cit.,* p. 100.

7. Statistique Canada, *Enquête sociale générale – Données sur l'emploi du temps des Canadiens,* 1992. Source citée dans Denis Lalonde, « Le partage des travaux ménagers », dans BSQ, *Les hommes et les femmes,* Québec, BSQ, p. 262.

8. Gisèle Bourret et Raymonde G. Savard, *Impact des technologies sur le travail domestique des femmes – Rapport de recherche,* Québec, ACSAIR, 1989 ; Raymonde G. Savard, « L'enfant dans la vie quotidienne », *Possibles,* vol. 13, n° 4, 1989, p. 33-42.

Les filles fréquentent dorénavant les mêmes écoles et ont accès aux mêmes programmes d'études que les garçons. L'égalité d'accès aux études à tous les niveaux était un objectif des revendications sociales des années 60 ainsi que du mouvement féministe des années 70. Très jeunes, les garçons et les filles apprennent maintenant à vivre ensemble, à se connaître et à découvrir leur sexualité.

Dans l'ensemble, l'expression de la sexualité chez les adultes et chez les jeunes semble plus libre, plus ouverte et plus naturelle qu'autrefois parce qu'elle est moins soumise à des normes rigides de comportement. Les attitudes et les comportements semblent plus francs, plus ouverts et plus tolérants. On peut voir là les effets de la grande révolution des mœurs qu'a connue l'Occident vers la fin des années 60. Les interdits et les tabous de la morale traditionnelle ont alors été largement remis en question, de sorte qu'on a aujourd'hui moins de préjugés envers les divers types d'union et les ruptures.

On constate toutefois que, vers la fin des années 80, les maladies transmises sexuellement (MTS) et surtout le syndrome d'immunodéficience acquise (SIDA) ont fait des ravages et ont obligé les gens à repenser leurs comportements sexuels. Depuis une trentaine d'années, on pouvait mener une vie sexuelle ouverte avec moins de contraintes. On doit désormais tenir compte des risques d'infection. On ne saurait bien sûr frapper la sexualité des interdits d'antan, mais elle doit être désormais pratiquée avec plus de prudence. Du reste, on donne maintenant des cours de sexualité aux jeunes dans les écoles et dans les foyers et l'on y fait état des risques de contagion que présente l'activité sexuelle et des moyens de se protéger.

Bref, les hommes et les femmes sont en voie de redéfinir leur identité. Ils ne jouent plus les mêmes rôles sociaux et n'entretiennent plus les mêmes stéréotypes les uns sur les autres. Tout comme les femmes doivent désormais intégrer les expériences et les compétences relatives à leur affirmation professionnelle et aux études, les hommes sont amenés à accorder une plus grande place à l'expression de leurs sentiments et de l'affectivité en général.

Les remises en question des femmes ont entraîné beaucoup d'hommes à se questionner sur leur propre identité. Durant les années 70, on parlait de condition féminine ; on parle maintenant aussi de condition masculine[9].

On peut résumer les principales conclusions de l'observateur sur les rôles féminins et masculins en 1995 ainsi :

- les hommes et les femmes ne vivent plus dans des univers cloisonnés ;
- leurs rôles sont plus symétriques ;
- il y a un nombre croissant de femmes sur le marché du travail ;
- les femmes n'ont pas encore réussi à accéder massivement aux postes de pouvoir dans les institutions politiques et dans l'Église ;
- les hommes s'impliquent de plus en plus dans le travail domestique ;
- les tâches domestiques sont encore davantage la responsabilité des femmes que des hommes, surtout lorsque le couple a des enfants ;
- les hommes et les femmes doivent se contenter de postes à temps partiel plus souvent qu'auparavant, mais ce phénomène affecte surtout les femmes ;
- les filles ont tout autant accès aux études que les garçons et fréquentent les mêmes institutions qu'eux ;
- les adultes et les jeunes peuvent mener une vie sexuelle plus diversifiée et plus libre qu'auparavant ;
- l'identité des femmes et des hommes connaît de profondes transformations.

Tournons-nous maintenant vers le monde du travail. On remarque d'abord qu'on trouve désormais, au sein des divers secteurs d'activité économique, de nombreux travailleurs provenant de pays étrangers et appartenant aux groupes ethniques et culturels les plus divers. L'immigration était déjà un phénomène important dans les années 50, mais sa composition s'est modifiée dans les années 90. Elle est désormais formée de ressortissants provenant de nouveaux horizons culturels : des Asiatiques, des Latino-Américains, des Antillais, des Maghrébins.

9. Germain Dulac, « La condition masculine : l'univers complexe de la parentalité », dans Fernand Dumont, Simon Langlois et Yves Martin (dir.), *Traité des problèmes sociaux*, Québec, Institut québécois de recherche sur la culture, 1994, p. 499-518.

Auparavant, elle était constituée en grande majorité d'Européens et d'Américains[10]. Au début des années 90, on évaluait à plus de 80 % la proportion des immigrants provenant d'Amérique latine, du Moyen-Orient ou d'Asie. Cette immigration se concentrait surtout dans la grande région de Montréal. Le marché du travail s'est du coup considérablement transformé. On y retrouve beaucoup plus de femmes et de néo-Québécois, qui ont des compétences plus diversifiées.

Cela représente un enrichissement évident pour la société. Mais évidemment, cela entraîne aussi des difficultés d'échange et de communication d'un nouveau genre. Les individus, les entreprises et l'ensemble de la société sont aux prises avec les problèmes d'identité que pose un contexte inédit de relations multiculturelles complexes.

ENCADRÉ 1

Mariane, au cœur du changement et de l'enracinement

Lorsque Mariane naît, en 1983, elle est à l'origine d'une quatrième génération dans les deux familles de ses parents, celle de Josée, sa mère, et celle de Yves, son père.

Ces derniers, qui sont au début de la vingtaine, vivent depuis quelque temps à la campagne, ayant rompu avec la vie urbaine, trop trépidante à leur gré. Ils souhaitent offrir à leur enfant une meilleure qualité de vie que celle de la ville, où les individus leur apparaissent entretenir des rapports trop anonymes, compétitifs et utilitaires.

Ils apprécient la présence des animaux qui font partie de leur environnement. Tout près de chez eux, pour ainsi dire dans leur cour, on peut voir un magnifique torrent. Leurs voisins de rang sont des amis. Voilà le milieu de vie qu'ils souhaitent à leur petite Mariane.

Leurs parents sont dans la quarantaine, jeunes et en bonne santé. Ils vivent en ville, sont encore actifs sur le marché du travail. À la naissance de Mariane, ses quatre arrière-grands-mères et deux de ses arrière-grands-pères vivent toujours et sont âgés de plus de 75 ans.

Dix-huit mois après la naissance de Mariane, ses parents se séparent. Elle ne gardera aucun souvenir de leur cohabitation. Sa mère décide de retourner aux études à Montréal, alors que son père choisit de demeurer à la campagne. Ainsi, Mariane sera amenée à faire la navette entre la ville à la campagne, puisqu'elle ira vivre en ville avec sa mère et passera le week-end chez son père[11].

Cette séparation ne l'empêchera pas de s'intégrer à quatre systèmes de parenté qui ne cesseront de se transformer selon les rencontres, les séparations, les mariages, les remariages

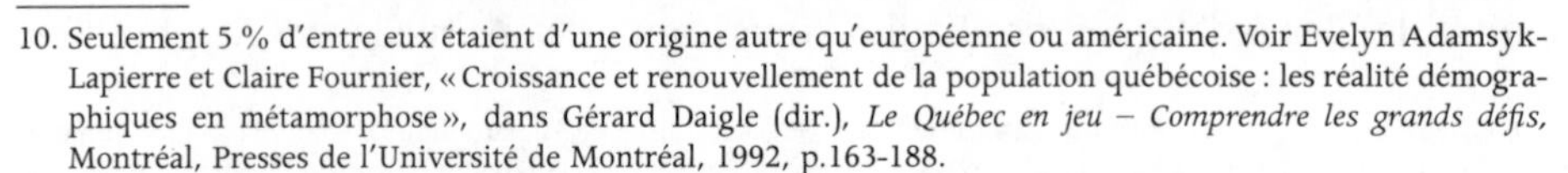

10. Seulement 5 % d'entre eux étaient d'une origine autre qu'européenne ou américaine. Voir Evelyn Adamsyk-Lapierre et Claire Fournier, « Croissance et renouvellement de la population québécoise : les réalité démographiques en métamorphose », dans Gérard Daigle (dir.), *Le Québec en jeu – Comprendre les grands défis*, Montréal, Presses de l'Université de Montréal, 1992, p.163-188.

11. Voir à ce sujet le court métrage de l'ONF, *Les enfants de la valise*.

et les cohabitations. S'ajouteront à cela les réseaux d'amis et de travail. Dans chacun de ces milieux, elle se sentira à l'aise et saura trouver sa place.

Les grands-parents et les arrière-grands-parents de Mariane, relativement aisés, vont contribuer à son bien-être et à celui de ses parents en leur faisant des dons matériels et en leur rendant des services à l'occasion. Quant à ses parents, ils feront l'expérience, comme bien des jeunes de cette génération, de l'alternance chômage-travail-études.

Un jour, alors qu'elle se trouve au restaurant avec sa mère, Mariane remarque que toutes les tables sont occupées par des familles constituées du père, de la mère et d'un ou de deux enfants. « Nous, on est une petite famille, dit-elle. Mais on est aussi une grande famille. » « Que veux-tu dire ? », lui demande sa mère. « Eh bien, toi et moi, une table à deux personnes, ça nous suffit. Mais… On pourrait aussi avoir besoin d'une table à dix personnes pour notre famille. »

Pour cette petite fille, la famille, restreinte ou étendue, constitue le point d'ancrage principal de sa vie. L'enracinement lui vient de son intégration à plusieurs générations et le changement, des modes de vie dont elle fait l'expérience dans ces divers milieux.

Les rapports de générations

Un autre aspect important des transformations de société survenues durant la période 1950-1995 concerne les relations entre les générations. L'encadré 1 présente l'histoire de Mariane qui illustre des rapports de générations et des modes de vie nouveaux. Cette expérience n'a rien de commun avec celle d'une enfant née durant les années 30 ou les années 50. Elle n'est pas non plus celle de tous les enfants de sa génération. Mais elle est typique de ceux que l'on a appelés « les enfants de la valise ». Ce sont des enfants qui ont dû s'adapter, dès leur plus jeune âge, à des déplacements et à des changements de milieu fréquents. Rien dans cette histoire ne nous permet de savoir si ces enfants se montreront mieux outillés que les autres pour faire face aux changements et au stress qu'ils occasionnent. C'est là une question ouverte.

L'expérience de Mariane met aussi en évidence un autre phénomène de génération typique de notre époque, soit l'importance grandissante des gens du quatrième âge (75 ans et plus) de même que le rôle de soutien que joue souvent la génération intermédiaire (environ 55-65 ans). Les démographes et les statisticiens prévoient du reste que l'importance du groupe des gens du quatrième âge ira en s'accroissant[12]. En 1951, les 65 ans et plus formaient à peine 6 % de la population, alors qu'en 1995 ils représentaient 15 % de la population et devraient en représenter 25 % en 2025.

12. Voir Evelyn Adamsyk-Lapierre et Claire Fournier, « Croissance et renouvellement de la population québécoise – Les réalités démographiques en métamorphose », dans Gérard Daigle (dir.), *op. cit.*, p.163-188.

Par ailleurs, comme les membres de la génération intermédiaire sont en meilleure santé et dotés de meilleurs moyens financiers (régimes de retraite, épargnes) que ceux de la génération précédente, ils sont souvent amenés à leur donner un appui financier important. Ils sont par exemple susceptibles d'aider leurs enfants et leurs petits-enfants à poursuivre leurs études, à s'acheter une maison et des meubles, et ils peuvent les aider à l'occasion dans leurs travaux domestiques.

À cause de son rôle d'intermédiaire, on a appelé cette génération la GÉNÉRATION SANDWICH. Ces nouveaux rapports de solidarité entre générations sont fréquents et ne s'observent pas qu'au Québec, comme en témoigne le tableau 6.

Tableau 6 Propositions à propos des enfants de plus de 16 ans et de leurs relations avec les parents (France, 1995)[13]

Propositions à propos des enfants de plus de 16 ans et de leurs relations avec leurs parents	Plutôt d'accord (%)	Plutôt pas d'accord (%)
Au-delà d'un certain âge, il ne faut plus aider son enfant, sous peine de le déresponsabiliser.	32	68
Un jeune qui quitte le foyer de ses parents doit se débrouiller sans eux.	40	60
Un parent doit faire « jouer ses relations » pour aider son enfant à trouver du travail ou un stage.	86	15
Les parents doivent accepter chez eux le conjoint de leur enfant si le jeune couple n'a pas les moyens de s'installer.	56	44

Dans certaines banlieues et dans certains quartiers populaires, on observe des formes nouvelles de solidarité et d'entraide entre les gens. Ces nouveaux liens de sociabilité se construisent souvent en fonction des besoins familiaux, que ce soit le soin des enfants, le gardiennage, les jeux ou les loisirs. Il arrive fréquemment qu'on trouve une mère ou une grand-mère au cœur de ces nouveaux réseaux sociaux.

13. *Le Monde,* 11 mai 1995.

Les sociologues Andrée Fortin[14] et Denys Delâge[15] ont étudié ce phénomène dans une banlieue de la ville de Québec. Leur étude a mis en évidence la présence de réseaux d'entraide au moyen desquels les individus se rendent des services, se font des cadeaux et s'offrent un soutien mutuel à la fois utilitaire et humain.

Selon la sociologue française Claudine Attias Donfut[16], il faut aborder les rapports de générations non plus comme des rapports conflictuels entre les parents et les enfants, mais comme des relations de solidarité et de complicité. Dans le cadre d'une recherche qu'elle a effectuée en France auprès de 4668 personnes en 1992, elle a rencontré les membres de trois et parfois même de quatre générations. Au terme de cette recherche, elle distingue trois types de services rendus d'une génération à une autre, qui ne se font pas toujours dans le même sens. Ce sont :

1. les services domestiques, tels que prêter la voiture, cuisiner des repas, faire du ménage, garder les enfants. Ce sont des services qui se rendent davantage dans les milieux populaires. Ils ne sont pas à sens unique, des enfants ou petits-enfants pouvant eux aussi rendre ces services aux grands-parents ;
2. le soutien financier sporadique ou régulier. Il se donne des générations plus âgées vers les générations plus jeunes, rarement dans le sens inverse, et se rencontre essentiellement dans les milieux aisés ;
3. l'aide au logement pour l'achat d'une maison ou d'un appartement. Elle est offerte par les parents âgés de 50 à 65 ans (dite *génération-pivot,* dans cet ouvrage) à leurs enfants alors qu'ils sont jeunes adultes. Cette forme d'aide se rencontre principalement chez les parents de milieux aisés, qui ont pu faire des économies grâce à une certaine sécurité du travail.

14. Andrée Fortin, *Histoires de familles et de réseaux,* Montréal, Éd. A. Saint-Martin, 1987.

15. Denis Delâge, « La sociabilité familiale en basse-ville de Québec », *Recherches sociographiques,* vol. XXVIII, n° 2-3, 1987, p. 295-316.

16. Claudine Attias-Donfut, *Les solidarités entre générations,* Paris, Fernand Nathan, 1995.

Pour cette sociologue, les parents et les grands-parents sont des régulateurs économiques ou des amortisseurs de crise. On observe l'émergence d'une solidarité intergénérationnelle naturelle qui prend la forme de dons matériels et monétaires dans les milieux aisés et de services rendus dans les milieux plus modestes.

Cette solidarité naturelle observée en France existe-t-elle ici ? Sans doute, mais on ne dispose d'aucune étude sur la question. Cependant, il suffit de lire les quotidiens et d'écouter les lignes ouvertes pour constater qu'il existe encore un conflit de générations au sein de la société, malgré la présence de relations souvent harmonieuses. Les jeunes de 20 à 35 ans accusent en effet souvent leurs aînés, qui forment la GÉNÉRATION DES *BABY-BOOMERS* (environ 35-50 ans), d'avoir endetté le pays, de bloquer le marché de l'emploi et, de façon plus générale, d'être responsables de la crise actuelle des finances publiques.

Les rapports de générations englobent aussi les relations qui existent entre les adultes et les enfants. L'univers des enfants est essentiellement celui de la vie privée, du moins durant la petite enfance. Leur place dans la société dépend de celle des hommes et surtout des femmes qui les élèvent.

L'univers relationnel familial se construit à partir de l'enfant. Durant l'après-guerre, on observait la présence de 4 à 6 enfants par foyer. La **fratrie** n'était pas aussi importante qu'elle l'avait été à l'époque précédente, mais n'en formait pas moins un petit groupe social où chacun avait des tâches et des responsabilités spécifiques selon son sexe et son rang dans la famille.

FRATRIE
Ensemble des frères et sœurs d'une famille.

La filiation de l'enfant était définie par le mariage entre un homme et une femme. Comme ce dernier était indissoluble, l'enfant qui naissait était automatiquement reconnu juridiquement comme étant celui du couple marié. C'était donc le mariage qui consacrait le lien juridique entre enfants et parents. Le père de l'enfant était le mari de la femme. Ce n'est plus le cas aujourd'hui. En effet, les hommes et les femmes peuvent maintenant vivre en couple sans être nécessairement mariés. De plus, les lois exigent des parents qu'ils fassent une déclaration de paternité ou de maternité pour que l'enfant soit reconnu comme le leur.

C'était avant tout la mère qui aidait l'enfant à faire ses premiers apprentissages. Elle lui montrait à marcher, à s'habiller, à parler, à chanter, à jouer. Éventuellement, les autres membres de la fratrie prenaient la relève dans le cadre de la vie domestique. Il en était ainsi également de l'enseignement des éléments de la morale et de la religion. Les pères ne participaient pas directement à l'éducation et à la socialisation des enfants, puisqu'ils étaient quasi absents de l'univers domestique. Les repas du midi et du soir étaient les seuls moments où la famille se retrouvait au grand complet. Mais c'étaient souvent de brefs moments, chacun retournant bientôt à ses occupations : le père allait lire le journal, la mère faisait la vaisselle et les enfants faisaient leurs devoirs et leurs leçons.

Les relations avec les enfants permettent et demandent l'expression des sentiments. Il en a toujours été ainsi, mais c'étaient surtout les mères qui établissaient ce type de relation. Les pères qui acceptent de leur consacrer du temps peuvent maintenant développer des liens affectifs étroits avec les enfants. Les images stéréotypées du père ne le représentaient jamais en rapport quotidien avec les enfants. Culturellement, l'expression de la tendresse, de l'amour et du dévouement revenait exclusivement aux mères, sans égard à leur penchant naturel pour ces tâches. C'était leur mission principale.

On voit aujourd'hui un peu partout des jeunes pères donnant le biberon, préparant la nourriture des petits, poussant des carrosses, transportant des enfants sur leur dos ou sur leur ventre. En fait, c'est une réalité relativement nouvelle. Il se construit maintenant un nouveau lien parental entre le père et les enfants dans les soins quotidiens, le partage des jeux, des loisirs et des vacances, et, de façon générale, grâce à une plus grande présence et à une meilleure écoute.

Cependant, selon de nombreux articles, cette nouvelle réalité n'est pas encore aussi répandue qu'on pourrait le croire. Mais le phénomène des nouveaux pères ou des hommes roses est bien réel. Il se manifeste chez les hommes d'un certain âge, dans plusieurs pays, notamment aux États-Unis, en France, en Norvège et en Suède. Il ne fait aucun doute qu'il s'agit d'un véritable phénomène de civilisation qui va entraîner une transformation de l'image du père et de celle de la mère.

L'adoption internationale ayant permis à des couples d'avoir des enfants d'origine étrangère, on rencontre aujourd'hui fréquemment des couples avec des enfants d'une autre origine ethnique ou culturelle que la leur mais qui parlent la même langue qu'eux et ont adopté leurs normes culturelles.

Sur les tables des salons ou les rayons des bibliothèques s'accumulent les albums de photos et les cassettes vidéo reproduisant les scènes de la vie familiale au moment des fêtes et des vacances. L'accessibilité des caméras et des appareils vidéo a entraîné cette nouvelle forme de collections de souvenirs centrées sur l'enfant. Les enfants étant de moins en moins nombreux, les adultes peuvent leur consacrer plus de temps et d'attention, qu'il s'agisse de leurs propres enfants, des enfants des voisins ou de ceux de la garderie.

INDICE SYNTHÉTIQUE DE FÉCONDITÉ
Nombre moyen d'enfants par femme.

Durant cette période, on a observé une baisse importante de la natalité. L'**indice synthétique de fécondité**, qui était de 3,9 à la fin des années 50, est passé à 1,6 au début des années 90. Parallèlement à cette baisse de la fécondité, on a assisté à une diminution de la taille de la famille. La mise au point de techniques de contraception plus efficaces et la simplification des procédures de divorce ont contribué à cette évolution.

Non seulement la taille, mais aussi la nature de la famille a changé, puisqu'elle s'est ajustée aux transformations sociales et culturelles de la dernière génération. La famille n'est plus nécessairement basée sur le triangle père-mère-enfant. Bien qu'elle soit nucléaire dans la majorité des cas, c'est-à-dire composée des parents et de leurs enfants, elle peut être formée autrement, notamment :

- d'un parent unique, dans la majorité des cas la mère ; on parle alors d'une FAMILLE MONOPARENTALE ;
- d'un couple dont les deux membres ont chacun un ou des enfants d'une union précédente et qui ont ensemble un ou plusieurs enfants ; on parle alors d'une FAMILLE recomposée ou RECONSTITUÉE ;
- d'un couple d'homosexuels ayant déjà un ou des enfants d'une union précédente ou qui adaptent un enfant.

Comme la société a moins d'enfants qu'auparavant, l'enfant est rare. Il est donc désiré. On veut répondre parfaitement à ses besoins. Les enfants représentent un marché de consommateurs extraordinaire pour les entreprises. Les boutiques et les magasins offrant des meubles, des vêtements, des jouets et des jeux pour enfants se multiplient, alors même que le nombre d'enfants diminue. Il se crée un nouveau secteur d'activités économiques centré sur l'enfant. On fait de la recherche et on conçoit un design particulier pour les enfants. Les produits destinés à des enfants doivent répondre à toute une série de normes concernant notamment la confection, les coloris, la solidité et la sûreté des objets. À la lumière de cette évolution du marché de consommation, on peut dire que l'enfant n'est plus uniquement un futur consommateur, mais qu'il est devenu lui-même un consommateur.

LES MODES DE VIE

Deux phénomènes nouveaux caractérisent le mode de vie des individus vivant en 1995 : l'augmentation du nombre de personnes qui vivent hors d'un cadre familial et de celles qui vivent seules.

La vie hors d'un cadre familial était autrefois l'exception. À part les membres des communautés religieuses, tout le monde vivait en famille.

Aujourd'hui, on trouve deux catégories de personnes qui vivent hors d'un cadre familial : les jeunes et les personnes âgées.

Le désir d'autonomie et d'indépendance fait en sorte que les jeunes (18-24 ans) ont tendance à quitter la maison avant de se marier pour aller vivre seuls ou cohabiter avec d'autres jeunes. Les filles adoptent cette pratique plus tôt que les garçons. Cependant, la crise économique du début des années 90 a obligé plusieurs jeunes à reporter à plus tard la réalisation de leur rêve de vie autonome. Comme les jeunes sont souvent amenés à poursuivre des études en raison de la pénurie d'emplois, ils ont tendance à demeurer plus longtemps à la maison, quitte à y héberger leur ami. Le travail étudiant, très répandu par ailleurs, et nécessairement à temps partiel, leur permet de pourvoir en partie à leurs besoins matériels : les frais de scolarité, l'achat de matériel scolaire, de vêtements, de disques, mais aussi les dépenses pour les voyages, pour l'achat et l'entretien d'une auto, etc.

Quant aux personnes âgées, des femmes surtout, c'est aussi le besoin d'autonomie et d'indépendance qui va les amener à vivre soit dans des centres d'accueil et des foyers ou des immeubles modernes et des condominiums où elles trouvent des services de santé, bancaires, commerciaux et de loisirs appropriés.

D'autre part, alors que les personnes vivant seules étaient autrefois l'exception, puisque les **ménages** comprenaient dans la très grande majorité des cas plusieurs personnes, il n'en va plus ainsi maintenant, comme le montre le tableau 7.

MÉNAGE
Unité domestique de consommation.

Tableau 7 Ménages comprenant une seule personne (Québec, 1951 et 1991)[17]

Année	Proportion (%)
1951	4
1991	25

Les personnes vivant seules sont surtout des hommes de 25 à 44 ans et des femmes de 55 et plus, comme l'indique le tableau 8.

17. BSQ, *Les hommes et les femmes*, Québec, BSQ, p. 57.

Tableau 8 Répartition des personnes vivant seules selon le groupe d'âge, par sexe, et taux de féminité (Québec, 1991)[18]

Groupe d'âge	Femmes N	Femmes %	Hommes N	Hommes %	Taux de féminité
15-24	18 345	5,0	20 725	7,4	47,0
25-34	51 270	13,9	78 825	28,0	39,4
35-44	44 840	12,1	62 745	22,3	41,7
45-54	45 005	12,2	41 140	14,6	52,2
55-64	60 636	16,4	34 985	12,4	63,4
65-74	81 750	22,1	26 360	9,4	75,6
75 ou +	67 290	18,2	16 440	5,8	80,4
Total	**369 135**	**100,0**	**281 220**	**100,0**	**56,8**

Par ailleurs, on voit de nombreuses femmes seules élever des enfants, et parfois aussi des hommes, ce qui était autrefois très rare. Le tableau 9 illustre ce phénomène pour l'ensemble de la population. Au total, en 1991, il y avait 268 000 parents seuls. Dans plus de 80 % des cas, c'étaient des femmes.

Tableau 9 Répartition des parents seuls et des mères avec conjoint selon le nombre d'enfants (Québec, 1991)[19]

Nombre d'enfants	Mères seules (%)	Pères seuls (%)	Mères avec conjoint légal (%)	Mères avec conjoint de fait (%)
1	61,7	64,0	36,7	57,0
2	29,3	27,8	44,3	33,3
3	7,2	6,6	15,1	7,8
4 ou plus	1,8	1,6	3,9	1,9
Total (%)	100,0	100,0	100,0	100,0
Total (N)	**220 120**	**48 760**	**838 375**	**139 915**

18. Gouvernement du Québec, *Les québécoises déchiffrées,* Québec, Les publications du Québec, 1995, p. 28.
19. Statistique Canada, *Familles : Nombre, genre et structure,* catalogue 93-312, tableau 3.

L'anthropologue Renée B. Dandurand a consacré plusieurs travaux à la famille dite monoparentale. Celle-ci existait autrefois, mais elle résultait de circonstances sociales toutes différentes[20]. La plupart du temps, elle faisait suite à un veuvage, exceptionnellement à une séparation, et plus exceptionnellement encore à un divorce. Le divorce était en effet pratiquement inexistant avant 1968. Dans les années 70, un mariage sur trois finissait par un divorce, alors que dans les années 90 cette proportion était de un mariage sur deux.

RÉVISION

Qu'est-ce qu'un ménage ? Quels groupes surtout vivent seuls dans la société actuelle ? Qui sont les nouveaux célibataires ?

Comme le souligne Dandurand, la monoparentalité et la biparentalité ne sont pas des états permanents, mais plutôt des états passagers qui correspondent à des séquences de vie et dont la durée dépend des ruptures, des remariages ou des cohabitations. On prévoit qu'une majorité de femmes, d'hommes et d'enfants auront à vivre une ou plusieurs séquences de monoparentalité durant leur vie, si les tendances actuelles se maintiennent.

Quant à la notion de célibat, elle ne revêt plus non plus la même signification. Auparavant, une personne célibataire était une personne non mariée qui vivait la plupart du temps seule ou avec ses parents. Aujourd'hui, il s'agit d'une personne non mariée qui peut avoir vécu toute sa vie avec un ou des conjoints en union de fait et avoir eu un ou des enfants.

L'IMAGINAIRE

« LA VIE FICTIVE REJOINT ET NOURRIT TOUJOURS LA VIE COLLECTIVE[21]. »
(Monique LaRue)

La fiction décrit-elle la réalité ou est-elle plutôt une forme de rêve ? Chose certaine, le rêve est toujours inspiré de la réalité. Ainsi, la représentation véhiculée par le cinéma hollywoodien des années 50, qui montrait les romances d'hommes et de femmes jeunes, beaux et sportifs, reflétait certainement la réalité d'un petit nombre de couples californiens, mais servait surtout à construire le rêve des autres. Cette représentation constituait en fait une forme moderne du mythe de l'amour romantique.

On y présentait des parcours sentimentaux parfois difficiles qui débouchaient sur le désir et l'amour. Suivaient le mariage, l'emménagement et les enfants. Bientôt, l'épouse se retrouvait, apparemment heureuse, dans une maison pourvue des installations les plus modernes et située sur un terrain

20. Renée B. Dandurand, « Divorce et nouvelle monoparentalité », dans Fernand Dumont, Simon Langlois et Yves Martin (dir.), *op. cit.*, p. 519-544.

21. Monique LaRue, « L'amour des enfants », *Possibles*, vol.13, nº 4, p.11-17.

Publicité des années 50 illustrant le caractère fonctionnel et efficace d'un nouvel électroménager : le réfrigérateur est utilisé comme base de table et comporte une pédale actionnant l'ouverture de la porte.

magnifiquement aménagé, alors que l'homme travaillait au bureau ou à l'usine pour gagner l'argent nécessaire au bien-être de sa famille. Cette mythologie du bonheur familial, typique de cette période du cinéma américain, a été surnommée l'*happy end*.

Dans l'art en général, on faisait peu de place à l'enfant. Pourtant, à d'autres époques, les relations entre l'enfant et son entourage, notamment sa mère, son père et ses grands-parents, étaient un thème récurrent de la peinture, de la sculpture, de l'iconographie et de la poésie[22].

Au cinéma, on traitait parfois du monde des adolescents, mais souvent pour faire état des relations conflictuelles entre les parents et les adolescents ou des problèmes de délinquance juvénile. James Dean, dans *Rebel without a cause* et *East of Eden*, est demeuré le stéréotype du jeune adolescent aux prises avec des parents qui ne le comprennent pas. Il a symbolisé pour beaucoup la révolte contre cette société américaine de l'après-guerre. Dans la littérature des années 50 et 60, au Québec, on a souvent représenté les enfants prisonniers d'un univers fermé et noir d'où ils ont du mal à sortir[23].

La situation est toute différente de nos jours. On trouve quantité de films, de séries télévisées et de romans où l'on fait état des rapports intimes qui s'établissent entre les hommes et les femmes sur la base des nouveaux rôles qu'ils doivent jouer dans la société. On examine comment ils cherchent à concilier leur besoin d'autonomie et d'indépendance avec les contraintes de la vie à deux ou de la vie familiale. Une des stratégies observées consiste à s'investir dans l'univers domestique en le meublant d'objets beaux et pratiques. On appelle COCOONING ce repli sur la vie privée, qui fait intervenir à la fois un certain état affectif de bien-être et le plaisir esthétique et hédoniste qu'on tire à aménager et à habiter des intérieurs douillets et confortables[24].

L'enfant fait partie intégrante de cet univers hédoniste qu'il doit venir enrichir et non perturber. Le roman québécois accorde une place centrale aux

22. Voir par exemple les ouvrages de Pierre Riché Pierre et Danièle Alexandre-Bidon, *L'enfance au Moyen-Âge*, Paris, Seuil, 1994, et de Jeanne Moulin, *Huit siècles de poésie féminine*, Paris, Seghers, 1963.

23. Voir par exemple *L'Avalée des avalés* de Réjean Ducharme ou *Une saison dans la vie d'Emmanuel* de Marie-Claire Blais.

24. Witold Rybczynski, *A Short History of an Idea, Home*, New York, Viking, 1986.

enfants et à l'univers enfantin. Les chroniques de vie de quartier[25] et les sagas familiales[26] font une large part aux enfants et aux rapports qu'ils entretiennent avec le monde des adultes. Certains films racontent des histoires du point de vue des enfants ou leur donnent un rôle important[27].

2 Les facteurs explicatifs de ces changements

Nous avons donné une brève description des nouveaux rapports qui se sont créés durant les cinquante dernières années entre les hommes et les femmes et entre les générations. Nous avons fait état de nouveaux modes de vie et des changements survenus dans le statut et l'identité sociale de l'enfant. Il était important de donner une description suffisamment précise de ces phénomènes, car une description correcte est une démarche préalable incontournable à la recherche d'une bonne explication. On ne peut expliquer ce qu'on est incapable de raconter[28].

Il nous faut maintenant tenter d'expliquer ces changements. Nous pourrons ensuite tenter de tirer de ces explications les défis qui se présentent à la société. Nous savons que les éléments d'explication se trouvent en partie dans la façon même de regarder et de décrire ce que l'on voit. Dès que l'on place un objet sous un éclairage particulier, on en isole un aspect, ce qui définit déjà un élément d'analyse et d'explication de la réalité. Dans le cas des changements sociaux, ces éléments d'explication font intervenir des facteurs sociaux et culturels. Les relations interpersonnelles s'expliquent en effet par les modes de vie et des valeurs qui marquent une époque. C'est une des conclusions auxquelles Durkheim était parvenu. Il faut donc tenter de voir, comme d'autres l'ont fait après lui, comment les phénomènes de société sont reliés à des structures sociales et à des valeurs. Il ne faut pas craindre de chercher dans l'interaction de plusieurs facteurs sociaux les causes d'une réalité.

Renée B. Dandurand a proposé une analyse des changements des trois dernières décennies au sein de la famille dans un article intitulé « La famille n'est pas une île »[29]. Comme ce titre l'indique, la famille est influencée par les

25. Voir notamment Michel Tremblay, *Chroniques du Plateau Mont-Royal,* Yves Beauchemin, *Le Matou* et *Juliette Pomerleau* et Francine Noël, *Maryse* et *Myriam première*.

26. Arlette Cousture, *Les filles de Caleb*.

27. Voir par exemple *Un zoo la nuit* et *Léolo* de Jean-Claude Lauzon ; *Les bons débarras* de Francis Mankiewicz ; *Mon oncle Antoine* de Claude Jutra ; *J. A. Martin photographe* de Beaudin.

28. Nous paraphrasons Annie Leclerc, qui demande : « Comment prévoir, alors même qu'on est incapable de raconter ce qui s'est passé. » *Horizons philosophiques,* vol. 6, n° 1, p. 34.

29. Renée B. Dandurand, « La famille n'est pas une île », dans Fernand Dumont, Simon Langlois et Yves Martin (dir.), *op. cit.*, p. 519-544.

changements survenant autour d'elle. Nous pouvons affirmer la même chose pour l'ensemble des relations interpersonnelles, qui sont soumises aux mêmes facteurs qui entraînent les transformations de la société tout entière. Nous allons maintenant examiner un à un quelques-uns de ces facteurs.

Les facteurs démographiques

La démocratie d'une société s'articule selon trois composantes : la natalité, la mortalité et les phénomènes de migration. Ainsi, on peut étudier l'évolution du Québec depuis les années 50 en fonction de ces trois composantes.

Le tableau 10 met en évidence la diminution du nombre des naissances de même qu'une diminution de la proportion du nombre de personnes décédées par rapport à l'ensemble de la population.

Tableau 10 Changements survenus par rapport à la natalité et à la mortalité (Québec, 1951-1991)[30]

	Nombre de naissances	Proportion de décès
1951-1956	132 079	7,9 %
1986-1991	88 860	7,2 %

Le tableau 11 présente des statistiques sur l'augmentation de l'espérance de vie au Québec depuis le début des années 60.

Tableau 11 Augmentation de l'espérance de vie (Québec, 1961-1989)[31]

	Hommes	Femmes
1961	67,3 ans	72,8 ans
1989	72,8 ans	80,3 ans

Finalement, le tableau 12 trace un portrait fragmentaire de l'évolution de l'émigration sur une période de 40 ans.

À ces données s'ajoute l'indication déjà mentionnée sur le vieillissement de la population : en 1951, 6 % de la population avait 65 ans et plus, alors qu'en 1995 cette proportion s'élevait à 15 %.

30. BSQ, *Démographie québécoise – Passé, présent, perspectives,* Québec, BSQ, p. 34 et Louise Duchesne, *La démographie québécoise,* Québec, Les publications du Québec, p. 18. Sources citées dans Evelyn Adamsyk-Lapierre et Claire Fournier, *op. cit.*, p. 165.

31. *Ibid.*, p. 165.

Tableau 12 Évolution de l'immigration (Québec, 1951-1991)[32]

1951-1956	16 741
1981-1986	– 6 164 *
1986-1991	17 948

* Durant la période 1981-1986, il y a plus de gens qui ont émigré du Québec que de gens qui y ont immigré.

Ainsi, de 1950 à 1990, des transformations démographiques importantes ont modifié le portrait même de la population. Il y a plus de personnes âgées, moins d'enfants et plus d'immigrants. Nous savons par ailleurs que ces nouveaux immigrants ont tendance à s'installer dans la région montréalaise et qu'ils sont principalement d'origine asiatique ou latino-américaine. Nous reviendrons sur cette question un peu plus loin. Mentionnons pour l'instant que les facteurs démographiques changent l'image d'une population et les relations que ses membres ont entre eux. Ces bouleversements démographiques ne sont pas propres au Québec. Ce sont des phénomènes mondiaux, comme en témoigne la figure 1.

Figure 1 Espérance de vie en 1970 et en 1995 chez les femmes et les hommes[33]

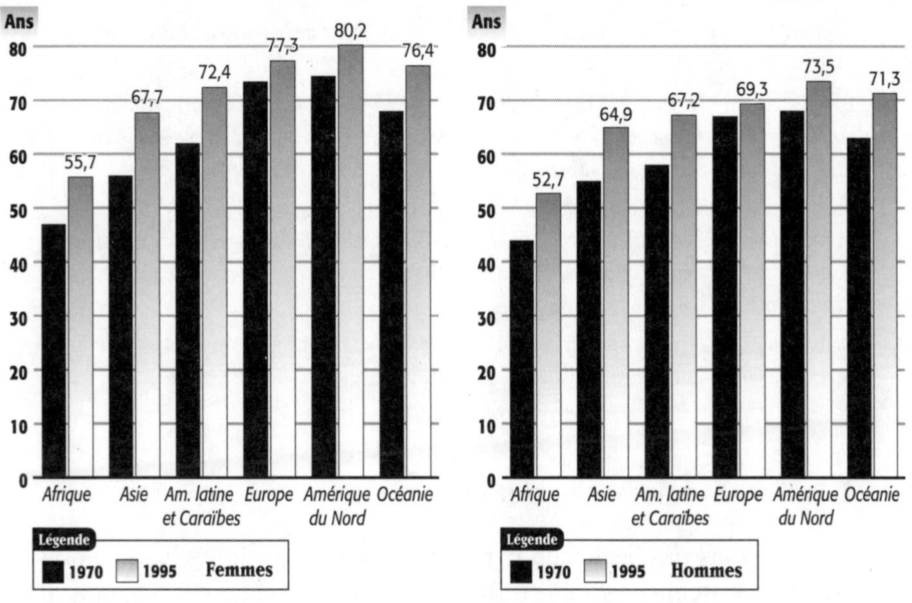

32. *Ibid.*, p. 165.

33. *La Presse*, 2 juillet 1994.

ENCADRÉ 2

Statistique Canada trace le portrait de la famille de l'an 2020

La famille telle qu'on la connaît ne sera plus la même d'ici les 25 prochaines années : elle comptera moins d'enfants et ses membres seront plus âgés.

Dans un rapport dévoilé hier, Statistique Canada prévoit que le nombre de ménages passera de 10,3 millions en 1991 à 15,1 millions d'ici 2016. Le nombre de ménages dont le « soutien » est âgé de plus de 55 ans aura doublé pendant la même période.

Selon l'agence fédérale, la taille moyenne des ménages devrait diminuer au cours des 25 prochaines années, « surtout en raison du maintien d'une fécondité faible et de la tendance accrue à vivre seul ». Le nombre de ménages comptant cinq personnes ou plus devrait diminuer, passant de 11 % en 1991 à 4 %. En 2016, les ménages comprendront 2,5 personnes en moyenne, contre 2,9 en 1981.

L'objectif d'une telle étude est de fournir aux gouvernements des données sur l'évolution démographique à venir afin qu'ils puissent élaborer différentes politiques touchant entre autres les régimes de pension, les services de garde, l'éducation et les soins de santé.

C'est le quatrième rapport sur les projections des ménages que publie Statistique Canada depuis 1975.

Le vieillissement des *baby-boomers* aura donc de profondes répercussions sur la structure des ménages. L'agence fédérale estime que cette évolution est l'un des grands phénomènes démographiques de la société canadienne.

L'immigration jouera pour beaucoup dans l'accroissement des ménages et des familles, note également Statistique Canada.

Parmi les provinces, la Colombie-Britannique, l'Alberta et l'Ontario devraient connaître une croissance du nombre de leurs ménages supérieure à la moyenne canadienne, à cause de l'apport substantiel d'immigrants dans ces régions.

Bien que le nombre d'immigrants arrivant au Québec soit également élevé, on n'y prévoit pas une augmentation aussi rapide du nombre de ménages parce que de nombreuses personnes quittent la province chaque année pour aller vivre ailleurs au Canada, précise l'agence fédérale.

Dans toutes les autres provinces, la courbe de croissance des ménages devrait progresser plus lentement que la moyenne nationale[34].

LES FACTEURS JURIDIQUES

Nous n'avons pas beaucoup parlé des facteurs juridiques jusqu'à présent parce que leur influence est plus difficile à mettre en évidence. Pourtant, il est facile de comprendre que les lois permettent de concrétiser les idées et les principes poursuivis par des mouvements ou des partis politiques. Par exemple, les

34. *Le Devoir*, 10 novembre 1995.

lois ont rendu possible certaines transformations du marché du travail et des conditions sociales survenues durant les 40 dernières années, et celles-ci ont à leur tour entraîné l'évolution des relations entre les hommes et les femmes et entre les parents et les enfants. C'est pourquoi les changements juridiques ont fait l'objet de nombreuses revendications des femmes à travers le monde.

On peut illustrer ces changements en examinant les principaux jalons juridiques ayant contribué à des changements dans les relations hommes-femmes et parents-enfants au Québec. Le premier jalon fut l'adoption par l'Assemblée législative (l'ancienne Assemblée nationale) en 1964, en pleine Révolution tranquille, de la loi 16 reconnaissant l'égalité juridique de la femme mariée. Auparavant, celle-ci était considérée juridiquement comme une mineure, puisqu'elle n'avait pas de droits civiques, par exemple le droit de faire un emprunt et d'avoir un compte de banque. C'était là la première modification apportée au code civil, d'origine française, qui datait du XIXe siècle.

Selon la juriste Renée Joyal[35], la pièce maîtresse de toutes ces transformations au Québec fut la loi 89. Cette loi, adoptée en 1980, instituait le nouveau code civil dont les principaux éléments sont les suivants :

- les époux assument conjointement la direction morale et matérielle de la famille ;
- les époux choisissent et gèrent la résidence familiale conjointement ;
- les époux contribuent mutuellement aux charges du ménage ;
- des prestations compensatoires sont prévues en cas de séparation ou de divorce ;
- le patrimoine familial doit être partagé en cas de divorce.

Les principes d'égalité et de réciprocité entre l'homme et la femme sont au fondement des changements apportés à la loi, dont nous n'avons donné ici qu'un bref aperçu.

Entre-temps, à Ottawa, la loi 69, dite *omnibus,* adoptée en 1968, décriminalisait l'avortement et l'homosexualité, et facilitait le divorce.

Au Québec, les principales modifications apportées au Code civil durant les années 70 et 80 ont été intégrées dans la loi 89, qui établit le nouveau Code civil et la réforme du droit de la famille.

De nombreux problèmes touchant la vie familiale et conjugale qui étaient auparavant privés pouvaient désormais être portés devant les tribunaux. Il en

35. Renée Joyal, « La famille entre l'éclatement et le renouveau, la réponse du législateur », dans Renée B. Dandurand, *Couples et parents des années quatre-vingt,* Québec, Institut québécois de recherche sur la culture, 1987, p. 147-163.

allait ainsi du divorce, du partage du patrimoine familial, des pensions alimentaires, de la violence conjugale et du harcèlement sexuel. Parallèlement à cela, on instaura dans les années 70 un régime d'aide juridique qui donnait un meilleur accès aux tribunaux et à la justice.

Selon l'avocate Jennifer Stoddart, cette évolution contribua à judiciariser les rapports entre les femmes et les hommes[36]. Les changements juridiques touchèrent aussi les enfants et les rapports parents-enfants[37]. Voici les principaux aspects de ce changement :

- le lien de filiation est dorénavant établi par l'acte de naissance, qui définit le père et la mère de l'enfant ;
- tous les enfants ont les mêmes droits, qu'ils soient nés de parents mariés, nés hors mariage ou adoptés ;
- l'autorité parentale est substituée à l'antique autorité paternelle ;
- les parents ont non seulement des droits, mais aussi des devoirs, notamment les devoirs de surveillance, de soins, d'éducation ;
- les enfants ont droit au développement et à l'éducation ;
- en vertu de la Loi de la protection de la jeunesse (1977), l'État prend à sa charge administrative ou juridique les enfants dont la santé, la sécurité ou le bien-être sont en danger.

Les facteurs économiques

Pendant la période 1960-1990, la structure économique du Québec s'est transformée à l'instar de celle de l'ensemble des pays occidentaux. Le secteur des services s'est développé et la crise économique du début des années 80 a contraint les entreprises à remplacer une partie des postes à temps plein par des postes à temps partiel (voir les tableaux 4 et 5). Elles profitaient ainsi d'une main-d'œuvre féminine disponible à qui le travail à temps partiel permettait de concilier les tâches ménagères, les soins aux enfants et l'activité professionnelle. De plus, le type d'activités propres au secteur tertiaire convenait davantage aux femmes que les activités du secteur secondaire (construction et transformation), qui dominaient auparavant.

Deux facteurs reliés à la transformation des économies occidentales ont facilité l'entrée des femmes célibataires et mariées sur le marché du travail : le développement du secteur des services et le développement du travail à temps partiel. Cependant, tous les analystes ne s'entendent pas sur la nature exacte

36. Jennifer Stoddart, « Femmes et hommes – Le droit en question », *Possibles*, vol. 17, n° 1, 1993, p. 69-85.

37. Voir Renée Joyal, *op. cit.*

des causes de ce phénomène. Ainsi, certains observateurs considèrent que c'est la présence d'un bassin de main-d'œuvre composé de femmes voulant travailler qui a favorisé la multiplication des emplois à temps partiel, alors que d'autres font l'analyse inverse.

Les facteurs politiques

Sur le plan politique, le plus important facteur de transformation a été le développement de l'État-providence. Rappelons que les principales réformes de l'État-providence furent celle du système d'éducation et celle des services sociaux et de santé. L'influence de l'État sur la vie des individus et des familles s'est également manifestée par l'adoption de mesures sociales et fiscales de soutien à la famille et aux femmes séparées ou divorcées. En 1974, le gouvernement fédéral promulgua une loi prévoyant des congés de maternité pour les femmes. Au Québec, les travailleuses de la fonction publique et parapublique obtinrent, dans la convention collective de 1979-1982, le plein traitement pour une période de 20 semaines. Durant les années 70, on commença à développer un réseau public de garderies.

En créant ces secteurs d'activité, l'État créait en même temps des milliers d'emplois qui allaient être en bonne partie occupés par des femmes. Celles-ci ayant traditionnellement assumé la responsabilité des soins aux malades et aux personnes âgées, il était normal qu'elles soient amenées à occuper les mêmes fonctions dans les institutions publiques. Ces nouvelles structures leur garantissaient toutefois des conditions de travail plus avantageuses. À titre d'employées de l'État, elles avaient par exemple droit à un salaire, à des congés et à une retraite.

Dans l'analyse des changements politiques survenus durant cette période, il faut mentionner le rôle important joué par le mouvement des femmes. Comme nous le montre l'encadré 3, les changements n'arrivent pas à l'improviste : ils sont souvent le résultat de revendications sociales de longue haleine. Les mouvements sociaux organisés, qui dénoncent des situations d'inégalité ou d'exploitation, sont amenés à proposer des changements importants, comme nous l'avons vu au chapitre 3. Dans le cas des rapports hommes-femmes et parents-enfants, c'est le mouvement des femmes qui dénonça, surtout à partir des années 70, les lois désuètes, les inégalités économiques et politiques, les stéréotypes et les valeurs qui servaient à maintenir les inégalités. La définition de nouveaux rôles dans la famille et dans la société et la transformation des représentations du père, de l'homme, de la mère et de la femme n'auraient pas eu lieu sans l'action du mouvement féministe. Mais, avant d'être le vaste mouvement de masse qu'il est devenu au cours des années 70, le féminisme avait dû procéder à une critique en profondeur de la condition féminine et de la famille patriarcale.

ENCADRÉ 3

Les principaux jalons du mouvement féministe actuel

La première critique fondamentale de la famille patriarcale a été faite par Marx et Engels en 1845 dans l'ouvrage *La Sainte Famille*. Ils y dénoncent l'organisation patriarcale de la famille et le rôle qui y est attribué à la femme. La famille leur apparaît en fait comme une institution de reproduction des inégalités sociales entre hommes et femmes, pères et enfants, et hommes et société.

Au XIXe siècle, dans l'esprit de cette critique, la Révolution russe accorda des droits égaux aux hommes et aux femmes (droit au travail, à l'éducation, aux congés de maternité, d'allaitement). Au Québec, dès le début de la révolution industrielle, on employa des femmes dans l'industrie du textile et dans celle de l'alimentation. Encore une fois, ces nouvelles fonctions se rattachaient à celles qu'elles avaient exercées dans la sphère domestique. Ces emplois étaient rémunérés, mais le salaire des femmes était inférieur à celui des hommes pour les mêmes tâches.

C'est surtout durant les deux guerres mondiales que les femmes firent des gains sur le plan du travail. Elles acquirent notamment le droit au travail et purent ainsi pratiquer des métiers comme celui d'infirmière. Dans l'exercice de leurs fonctions, les femmes eurent alors l'occasion de voyager comme jamais auparavant.

Pendant la Première Guerre mondiale, les femmes célibataires travaillaient dans les usines de guerre et certaines furent même envoyées au front à titre d'infirmières. Elles avaient revendiqué le droit de vote dès la fin du XIXe siècle. Elles ne l'obtiendront que beaucoup plus tard, au XXe siècle. Au Québec, ce fut en 1940. Parmi les principales militantes pour le droit de vote des femmes, il faut mentionner les noms de Marie Gérin-Lajoie, Idola Saint-Jean et Thérèse Casgrain. Elles luttèrent aussi en faveur du droit à l'éducation supérieure pour les femmes et pour l'égalité juridique des hommes et des femmes.

Durant la Seconde Guerre mondiale, les femmes furent employées dans les usines de guerre, où l'on n'hésitait pas à créer des garderies pour pouvoir embaucher celles qui avaient des enfants.

Durant les années 40-50, les travailleuses du textile se syndicalisèrent sous la direction de Léa Roback et de Madeleine Parent. Elles firent la grève pour réclamer le salaire égal pour un travail égal. Dans l'enseignement, Laure Gaudreault milita pour la syndicalisation des institutrices rurales, un mouvement à l'origine de la Centrale de l'enseignement du Québec (CEQ).

À la même époque paraissait en France un des classiques du féminisme moderne, *Le deuxième sexe*, de Simone de Beauvoir. Celle-ci y proclame : « On ne naît pas femme, on le devient ! ». Elle voulait exprimer par là que la condition féminine n'était pas fondée sur une infériorité biologique ou génétique, mais sur un conditionnement social qui empêchait les femmes de se réaliser pleinement.

Durant les années 50, le discours prédominant sur la « mystique féminine » favorisa un retour des femmes à la maison.

La force et l'efficacité du mouvement féministe tiennent au fait que son action a débordé les frontières nationales, tout en s'appuyant sur des stratégies spécifiques. Le mouvement féministe a aussi bien su utiliser les médias pour faire connaître ses revendications. Enfin, et c'est peut-être là son principal atout, il a toujours mené son action sur deux plans, cherchant non seulement à changer les structures sociales globales, mais aussi les mentalités.

RÉVISION

Nommez les principaux changements démographiques et juridiques affectant les hommes, les femmes et les enfants qui sont survenus dans les cinquante dernières années. Nommez les principaux changements économiques et politiques survenus durant la même période.

3 LES VALEURS VÉHICULÉES PAR CES CHANGEMENTS

Selon l'approche de Max Weber, les changements sociaux d'envergure, qui touchent à la fois les comportements intimes des individus et les grands cadres sociaux, reposent sur des valeurs. Nous allons maintenant essayer de voir quelles sont les valeurs au fondement des changements survenus au Québec durant la période 1945-1995 et de clarifier comment ces valeurs orientent le comportement des individus.

LE CHANGEMENT ET LA RÉSISTANCE AU CHANGEMENT

Les transformations de mentalités ne se font pas partout au même rythme. Des groupes et des individus s'opposent aux nouvelles valeurs, résistent ou sont incapables de s'ajuster à de nouvelles réalités. Nous avons vu que les changements survenant dans les relations hommes-femmes et parents-enfants, que ce soit dans les rôles, les rapports de générations ou les modes de vie, tendent à établir des relations plus égalitaires, réciproques et responsables. Bien qu'elles soient véhiculées par les médias, les valeurs d'égalité, de réciprocité, de démocratie et de solidarité ne sont pas acceptées, ou à tout le moins respectées.

Arrêtons-nous pour l'instant à identifier les valeurs d'affirmation et les valeurs de résistance des transformations sociales. Nous entendons par *valeur d'affirmation* une valeur qui est au cœur des revendications d'un mouvement social. À l'inverse, une *valeur de résistance* est une valeur en vertu de laquelle on résiste à un changement social. Les deux types de valeurs font intervenir des croyances inscrites très profondément dans la personnalité des individus. Elles sont une composante majeure de l'identité des personnes et des groupes. Les transformations sociales entraînent donc des contradictions, des paradoxes et des oppositions dont la clarification représente un défi pour toute société.

Les valeurs d'affirmation

Les valeurs suivantes sont sous-jacentes aux transformations des rôles sexuels, des rapports de générations, des modes de vie et des structures sociales, démographiques, économiques et politiques :

- la liberté de choix relativement au mariage, au fait d'avoir des enfants, au travail et à la vie seule ou avec d'autres ;
- la tolérance face à la diversité des rôles masculins et féminins dans le travail et la vie domestique ;
- l'acceptation des différences et de l'hétérogénéité sociale, de la mobilité sociale ou géographique (immigration) ;
- la reconnaissance des nouveaux rapports de générations et de voisinage ;
- la reconnaissance juridique de la responsabilité, de l'égalité et de la réciprocité ;
- l'autonomie des femmes.

Dans une perspective de transformation des sociétés, ces valeurs peuvent être considérées comme des acquis sur lesquels la société peut s'appuyer pour réaliser de nouveaux changements.

ENCADRÉ 4

L'exemple de l'homosexualité : la liberté de choix et la tolérance

L'homosexualité féminine et masculine s'exprime beaucoup plus ouvertement maintenant qu'il y a cinquante ans. À cette époque, l'homosexualité était vécue dans la clandestinité. Elle était même sanctionnée par le Code criminel du Canada et sévèrement réprimée par les Églises, surtout l'Église catholique. Le bill omnibus, adopté à Ottawa en 1968, a décriminalisé l'homosexualité. Il restait bien des préjugés à dénoncer et l'apparition du sida n'a pas aidé les choses, puisque cette maladie a été associée, en dépit des faits, à l'homosexualité. Mais, à tout le moins sur le plan juridique, il était acquis qu'une personne ne devait plus subir de discrimination du fait de son orientation sexuelle.

L'hétérosexualité, l'homosexualité et même la bisexualité semblent désormais faire partie des mœurs acceptées. Cette reconnaissance de la diversité des orientations sexuelles s'appuie à son tour sur les valeurs que sont la liberté de choix et la tolérance.

Toutes ces transformations semblent créer de meilleures conditions d'échange et de communication. Le décloisonnement de la vie privée et de la vie publique, la possibilité de choisir la maternité ou la paternité, la recherche de rapports égalitaires entre les sexes et les générations semblent offrir de meilleures conditions pour la création de relations humaines de qualité.

En 1972, Michel Girouard et Réjean Tremblay durent se rendre à Los Angeles pour pouvoir se marier religieusement. Les droits légaux des couples homosexuels font encore l'objet de discussions de nos jours.

Les valeurs de résistance

Nous savons, et les médias nous en fournissent la preuve régulièrement, que les nouvelles valeurs ne sont pas partagées par tout le monde. Elles sont en concurrence avec les convictions profondes au cœur des formes de discrimination et de violence qu'elles remettent en cause. Ces formes de discrimination sont notamment le **sexisme**, l'**âgisme**, le **racisme** et la **xénophobie**.

SEXISME, ÂGISME ET RACISME

Discrimination exercée respective ment en fonction du sexe, de l'âge et de la race.

XÉNOPHOBIE

Hostilité à ce qui est étranger.

Les cas de violence conjugale et familiale en fournissent une illustration claire. Les femmes sont les premières victimes de cette violence, qui est un phénomène de domination masculine. La haine qui se manifeste dans la violence conjugale peut prendre des dimensions extrêmes, l'exemple récent le plus dramatique étant la tuerie de l'École polytechnique. En décembre 1989, un jeune homme déçu de ne pas avoir été accepté à l'École polytechnique s'y présenta avec une arme puissante et tua quatorze étudiantes. Ses victimes n'étaient pas choisies au hasard : c'étaient des femmes, et ce choix était fondé sur son refus d'accepter la présence de femmes dans une institution qui représentait pour lui un bastion de la suprématie masculine. Dans d'autres contextes et selon d'autres modalités, des enfants et des personnes âgées (des femmes, la plupart du temps) ont également été victimes de violence.

Cette violence peut s'exprimer de différentes façons. Elle peut être :

- physique : coups, séquestrations, empoisonnement, blessures, assassinat ;
- psychologique : dénigrement, atteinte à l'image de soi, culpabilisation ;

- verbale : cris, menaces, injures, chantage, intimidation ;
- économique : privations, négligence, vol ;
- sexuelle : agressions, viols, inceste.

Habituellement, la violence conjugale se développe graduellement : elle est d'abord verbale, puis psychologique, économique ou sexuelle, pour enfin déboucher sur la violence physique. Dans la plupart des cas, la violence physique débute par des coups et blessures pour parfois se terminer, à la suite d'une mésentente ou d'une demande de séparation ou de divorce, par un assassinat. Elle apparaît d'abord comme un refus de discuter sur des transformations possibles de la relation de couple. Elle témoigne souvent de l'incapacité de discuter d'égal à égal. L'emploi de la force devient alors le seul moyen de communication disponible. Il vise à obtenir par la force ce que l'on ne peut obtenir autrement : des services, de l'argent, des faveurs sexuelles.

La violence familiale est la violence exercée par les parents sur les enfants. Il peut s'agir de punitions violentes, de cris, d'injures ou encore de négligence, d'absence de protection et de soins. Elle peut prendre la forme d'abus sexuels, l'inceste du père sur la fille étant sans doute le type d'abus sexuel le plus connu.

Les personnes âgées peuvent également être victimes de violence. Dans la plupart des cas, ce sont des membres de la famille qui exercent la violence sur elles dans le cadre de la vie domestique. Les attaques dans la rue sont des cas rares. Ce type de violence prend souvent l'aspect du chantage : les agresseurs extorquent des sommes d'argent des victimes ou les obligent à signer des papiers en les menaçant ou en les violentant carrément. La violence peut prendre aussi la forme de négligence et de refus de soins.

Il peut parfois sembler qu'il y a plus de violence familiale et conjugale maintenant qu'autrefois. C'est peut-être le cas, mais il est aussi possible que cette impression provienne tout simplement du fait qu'on en parle davantage dans les médias. Il ne fait aucun doute qu'elle est devenue plus visible sur la place publique. Mais cette plus grande visibilité tient en partie au fait que la société accorde une plus grande importance à l'égalité et à la communication. Ainsi, dans un contexte où la société prône l'égalité dans les rapports humains, les comportements violents apparaissent encore plus inacceptables et deviennent en même temps plus visibles.

Autrefois, on tolérait et même on recommandait certaines formes de violence parce qu'elles s'inscrivaient dans des rapports autoritaires et dominateurs. Même les instances juridiques ou religieuses les approuvaient. La violence envers les femmes et les châtiments corporels aux enfants étaient monnaie courante et personne ne s'en scandalisait. Ce n'est plus le cas aujourd'hui.

Par contre, il est d'autres types de violence, souvent plus insidieux, qu'on tolère. C'est le cas par exemple de la violence à la télévision, omniprésente dans les foyers. Les enfants, les yeux rivés sur le petit écran dès le plus jeune âge, assistent à un nombre faramineux de scènes de violence comportant du racisme, du sexisme et de l'âgisme. L'injure, l'agression et l'assassinat n'ont plus la même connotation dramatique qu'autrefois. L'univers domestique, que l'on veut pourtant confortable et douillet, est donc empreint de manifestations de violence, qu'elles soient réelles ou symboliques (dans les films, les vidéos, les émissions de télé).

La présentation de scènes de violence à la télévision et au cinéma donne lieu à deux positions opposées. Les uns considèrent qu'elle permet aux spectateurs d'adopter symboliquement des comportements violents sans avoir à recourir à ces comportements. Dans cette perspective, elle aurait donc une fonction positive de décharge du potentiel de violence. D'autres soutiennent au contraire que la diffusion d'images de violence incite les téléspectateurs à adopter des comportements violents par un effet de mimétisme. Dans cette perspective, le téléspectateur s'identifie réellement au héros et la présentation d'actes de violence a pour effet de banaliser ce type de comportements et donc de les légitimer. Le débat sur cette question est encore loin d'être clos.

Par ailleurs, les individus sont appelés à faire l'expérience de la violence physique ou psychologique dans leur milieu de vie quotidien, à l'école, dans la rue et au travail. Le climat de compétition qui règne sur le marché du travail et les incitations à la consommation peuvent dans certains cas favoriser un recours à la violence. Ainsi, en période de ralentissement économique ou de récession, l'individualisme tend à avoir le dessus sur la solidarité. Beaucoup considèrent alors que c'est « chacun pour soi ». Les plus démunis deviennent de la sorte encore plus exposés à la violence et à la souffrance morale. Il est difficile d'établir avec précision si la société est aujourd'hui plus violente qu'autrefois. Une chose est certaine : la violence survient dans toutes les sphères de la vie. Certains phénomènes violents sont visibles et réprouvés. D'autres sont courants et banalisés. Et finalement, certains sont tellement intégrés à nos vies qu'ils sont à peine perceptibles.

4 Les défis des relations interpersonnelles

Les bouleversements dont nous venons de parler, qu'il s'agisse des changements dans les rôles sexuels, les rapports de générations, les modes de vie ou les valeurs, représentent des défis à relever. Ils peuvent facilement affaiblir le consensus d'une société aux prises avec une multiplicité d'identités mouvantes, mais ils peuvent aussi se traduire par un enrichissement de l'ensemble de la société. Dans cette perspective, il apparaît très important de bien comprendre le rôle que jouent les phénomènes de communication dans la formation du consensus social. Comme les relations interpersonnelles forment la trame du tissu social, elles peuvent facilement contribuer à le défaire. Ainsi, alors que les rapports d'égalité et d'entraide rapprochent les gens, les actes de violence engendrent la haine, la souffrance et la solitude.

La communication

La communication est le système d'interaction par lequel un locuteur transmet un message à un interlocuteur qui l'écoute et lui répond. Il arrive que le message ne soit pas entendu. De multiples facteurs sont susceptibles de bloquer la transmission du message ou de nuire à l'écoute, et par le fait même d'empêcher l'interlocuteur de donner une réponse satisfaisante.

Les individus comme les sociétés doivent constamment choisir s'ils veulent régler leurs problèmes par le dialogue et par la négociation ou par la force. Le recours à la force peut apporter une solution à court terme, mais il provoque une réponse violente à plus long terme.

L'historien et homme politique français Alexis de Tocqueville soutenait, à la fin du siècle dernier, que l'état de civilisation d'une société se mesure au degré d'intolérance qu'elle manifeste par rapport aux phénomènes de violence. De Tocqueville était venu étudier le système politique des États-Unis entre 1830 et 1840. Il était aussi venu au Québec à cette époque et il avait observé et décrit nos institutions politiques, judiciaires et pénitentiaires pour ensuite les comparer aux institutions françaises.

Le résultat de ses enquêtes fut publié en 1845 sous le titre *De la démocratie en Amérique*. Cet ouvrage est devenu un classique de la sociologie, des sciences politiques et de l'histoire. Une société libre et démocratique, disait-il, est une société qui vise à établir des rapports égalitaires entre ses membres et qui met en place des conditions de vie sociale d'où est exclue toute forme de violence. C'est ce qui assure la cohésion sociale entre toutes les parties de la société. La violence comme phénomène de domination est, sous toutes ses formes, une menace à la cohésion et à la démocratie.

Encore aujourd'hui, la lutte contre la violence est un défi majeur pour toute société. Les ressources de communication sont plus grandes que jamais, mais les difficultés de communication interpersonnelles sont apparemment elles aussi plus importantes. On peut ne jamais parler à son voisin immédiat et pourtant passer des heures en relation avec des internautes d'un autre pays. On peut téléphoner à Tokyo, à Paris ou à Milan en quelques minutes et être des jours sans véritablement parler à son conjoint, à ses enfants ou à ses collègues.

La technologie actuelle permet des contacts rapides et constants entre les individus et les cultures. Mais qu'en est-il des échanges interpersonnels ? Les lignes ouvertes sur ces sujets et les émissions de télévision sur les divers problèmes de vie familiale ou de société montrent comment de nombreux malentendus et conflits naissent de problèmes de communication Dans la famille à l'école et dans les rapports interculturels, on cherche à expliquer les conflits et les gestes de violence par des lacunes de communication. Comme nos sociétés sont aux prises avec les problèmes que suscite le métissage culturel, il est primordial que les personnes appartenant à des cultures différentes puissent avoir des échanges de qualité. C'est là un défi qui concerne la communication. À ce propos, l'écrivain et penseur Marco Micone faisait remarquer :

> On ne fonde pas l'identité des individus que sur les différences. Ça crée des clivages énormes, des incompréhensions, qui débouchent sur des attitudes racistes. Or les êtres humains sont à la fois différents et semblables entre eux. Les œuvres littéraires servent à mettre à nu ce noyau qui est commun à tous et qui est fait d'angoisses, de désirs, de craintes, etc. La solution, c'est de tenir compte de ce noyau commun, et, ensuite, d'éduquer les gens à l'acceptation des différences[38].

ENCADRÉ 5

Le premier problème qui s'impose est celui de l'écoute

[...] L'apprentissage de l'écoute ainsi que l'analyse qui enrichit l'écoute et la rend efficace et fascinante, est peut-être ce qui manque le plus. Nous réagissons au problème de la communication en croyant qu'il importe d'abord d'apprendre à parler alors qu'il faut commencer par écouter. Seul celui qui sait écouter pourra faire de sa parole un acte de communication. L'écoute est le premier acte du respect et de la tolérance qui rend possible le débat démocratique[39].

L'identité et les identités

L'identité est au cœur des rapports que nous entretenons avec autrui. Pour pouvoir établir une véritable communication avec autrui, il est important

38. Marco Micone, *Voir,* 11 janvier-17 janvier 1996, p. 33.

39. Michel Crozier et Bruno Tilliette, *La crise de l'intelligence,* Paris, InterEditions, 1995, p. 42.

d'avoir une idée claire de notre propre identité et de celle d'autrui. C'est en tout temps un défi social et personnel délicat, et ce l'est encore plus lorsqu'on se trouve dans une période où les groupes et les individus sont amenés à revendiquer leur identité, comme c'est le cas actuellement.

Plusieurs mouvements, notamment ceux des femmes, des Noirs, des Amérindiens et des gais, luttent actuellement pour la reconnaissance de ce qui les rend différents et contre les discriminations dues à ces différences. Des changements de toute nature ont en effet entraîné l'affirmation d'une multiplicité d'identités et par conséquent une crise d'identité pour les individus et pour les sociétés qui cherchent à concilier le respect des droits individuels et des droits collectifs. Le problème qui se pose à nos sociétés est donc, selon Michel Wievorka, de respecter les différences et même de les protéger par des lois tout en défendant des valeurs universelles[40].

Ainsi, les politiques d'accès à l'égalité favorisant un groupe ayant subi la discrimination peuvent aller à l'encontre de valeurs comme celle de l'égalité. Nos sociétés doivent préserver un équilibre entre le respect des particularismes et la promotion de valeurs universelles. L'identité collective, tout comme l'identité individuelle, n'est jamais acquise. Elle est toujours en mutation et se transforme sans cesse au fil des expériences et des contacts avec autrui. Des phénomènes sociaux particuliers, comme la mobilité géographique et sociale, entraînent des contacts de plus en plus nombreux et différents des êtres et des groupes entre eux et des cultures entre elles.

Il s'agit certainement là d'un défi majeur pour nos sociétés dans le contexte démographique, économique et politique actuel de la planète. Dix milliards d'habitants habiteront la Terre au début du prochain millénaire. Et, comme la surpopulation affecte surtout les pays du Tiers-monde et qu'elle accentue la pauvreté de ses habitants, il est à prévoir que nos sociétés industrialisées devront accueillir de plus en plus de réfugiés et d'immigrants.

Le renforcement du tissu social

Durkheim avait montré que, lorsque les cadres traditionnels (la famille, l'Église, le milieu de travail) ne remplissent plus le rôle de lieux d'appartenance qu'ils remplissaient jadis, il s'en développe d'autres où s'établissent des rapports d'entraide et de réciprocité. Quand on pense que, seulement à Montréal, il existerait en 1996 environ 3000 groupes communautaires, on voit l'importance de ces lieux de regroupement. Les individus y trouvent le

40. Michel Wieviorka, « Les paradoxes de l'antiracisme », *Esprit*, oct. 1994, p. 16-28.

soutien des autres ; ils peuvent s'y engager, s'y exprimer et y créer des rapports naturels de solidarité avec des gens appartenant à d'autres générations et à d'autres cultures.

À partir de là, les individus peuvent se dépasser et relever de nouveaux défis. Les lieux d'appartenance sont multiples et variés comme sans doute jamais auparavant. Un étudiant a accès à de nombreux milieux où il peut établir des relations avec les autres, par exemple l'école, une équipe sportive et sa famille. Un sondage mené auprès des jeunes de 18 à 35 ans durant l'été 1995 par la maison de sondages québécoise Léger et Léger montrait que ce qu'ils valorisaient avant tout, c'était, bien avant le succès et l'argent, l'amour, l'amitié, la famille et la réalisation personnelle. Les analystes du sondage ont caractérisé ces jeunes de « génération énergie » en raison de leur enthousiasme et de leur foi en l'avenir et en eux-mêmes.

Cependant, on exige d'eux qu'ils soient aptes à travailler avec d'autres, à échanger, à communiquer. Le « savoir-être » est désormais aussi important que le « savoir-faire ». Ils doivent savoir rechercher des consensus, trouver des solutions à des problèmes spécifiques, concevoir des stratégies générales de solution, travailler en équipe et faire preuve d'ouverture.

La « génération énergie ». Selon un sondage réalisé en 1995, les jeunes de 18 à 35 ans valorisent l'amour et l'amitié bien avant le succès et l'argent.

Chacune de ces aptitudes renvoie à des capacités communicationnelles, soit celles de transmettre des messages clairs, d'écouter, de respecter les différences et de reconnaître les intérêts communs. De façon générale, nos relations avec nos semblables exigent beaucoup de nous. Il nous faut être bien dans notre peau et pouvoir comprendre nos différences, les accepter et les voir autant comme des atouts que comme des obstacles. Ces défis sont non seulement ceux des individus, mais également ceux des sociétés.

RÉSUMÉ

1. Dans toute société, les individus sont appelés à entretenir des relations interpersonnelles sur la base de rôles sociaux qui sont fonction notamment de leur sexe, de leur âge, de leur classe et de leurs valeurs. L'évolution des rôles sociaux au Québec entre 1950 et 1995 offre une bonne illustration de cette organisation sociale des relations interpersonnelles.

2. Dans les années 50, l'univers des hommes et celui des femmes étaient cloisonnés et leurs rôles étaient distincts et complémentaires. Les hommes étaient des pourvoyeurs la plupart du temps absents de la maison. Ils assuraient les revenus financiers de la famille en occupant une fonction déterminée sur le marché du travail et jouissaient des avantages sociaux rattachés à cette charge.

3. Les femmes étaient responsables de la sphère domestique et la grande majorité d'entre elles étaient absentes du marché du travail. Elles entretenaient la maison, s'occupaient des enfants et de membres âgés ou malades de la famille et assuraient parfois aussi des revenus complémentaires en louant des pièces ou en faisant des ménages.

4. En 1995, la situation était tout autre. Les femmes étaient beaucoup plus présentes sur le marché du travail, mais leur participation à l'activité économique était encore tributaire de leurs anciens rôles. Fortement actives dans le secteur tertiaire et dans les soins aux personnes, elles étaient moins actives dans les secteurs primaire et secondaire, sous-représentées dans les institutions politiques et absentes des sphères de pouvoir de l'Église catholique. Les hommes assumaient de plus en plus leur part dans les tâches domestiques et dans la famille en général, mais la répartition des tâches n'était toujours pas égalitaire.

5. Cette évolution des rôles est rattachée à différents facteurs. Sur le plan démographique, elle a été influencée par la baisse de la natalité, l'augmentation de l'espérance de vie et la transformation de la composition de la société sous l'effet de l'immigration. Sur le plan juridique, l'adoption d'un certain nombre de lois a favorisé l'établissement de rapports plus égalitaires entre les sexes et a entraîné une judiciarisation des comportements privés. Sur le plan économique, l'augmentation de la part du secteur des services a aussi joué un rôle dans cette évolution de même que, sur le plan politique, les réformes de l'État-providence et les revendications des mouvements sociaux.

6. L'importance accordée à certaines valeurs, notamment la liberté de choix, la tolérance, l'égalité des rapports entre hommes et femmes, a favorisé cette évolution, alors que la persistance d'anciennes valeurs, notamment le sexisme, l'âgisme, le racisme et la xénophobie, l'a freiné.

7. Pour s'adapter à l'évolution des rôles sociaux, les individus et les sociétés doivent parvenir à établir une communication sur la base d'identités différentes et moins clairement définies. Il s'agit d'un défi parfois difficile à relever mais capital pour l'avenir de la société : tous les éléments favorisant une communication réussie (information, tolérance, ouverture) sont en effet susceptibles de renforcer le tissu social, alors que les conditions favorisant la perturbation de ces rapports peut mener à un affaiblissement du tissu social.

POUR CONTINUER LA RÉFLEXION

BERNIER, Léon, Vincent GAULEJAC et Claude MARTIN, « L'individu, l'affectif et la société », *La Revue internationale d'action communautaire,* n° 27, 1992.

DANDURAND, Renée B., « La famille n'est pas une île », dans Gérard DAIGLE (dir), *Le Québec en jeu – Comprendre les grands défis,* Montréal, Presses de l'Université de Montréal, 1992, p. 357-380.

LEMIEUX, Denise (dir.), *Familles d'aujoud'hui,* Montréal, Institut québécois de recherche sur la culture, 1990.

SOCIÉTÉ RADIO-CANADA, *Que reste-t-il de nos amours ?,* série de 3 émissions de 50 minutes sur les années 1950-1990, décembre 1994-janvier 1995.

CHAPITRE 5

Le monde du travail

CHAPITRE 5

« MA MÈRE NE TRAVAILLE PAS.
ELLE A TROP D'OUVRAGE. »
(Yvon Deschamps)

En abordant l'étude du monde du travail et des défis que sa transformation présente à nos sociétés, nous nous demanderons en particulier comment il a évolué depuis le début de l'industrialisation et ce qu'il est devenu. Nous tenterons d'expliquer cette évolution, d'en identifier les conséquences pour les individus et pour la société, et finalement de dégager les perspectives d'avenir, les défis et les enjeux qui s'y rattachent.

Une question retiendra tout particulièrement notre attention : quelles sont les responsabilités respectives des principaux agents du monde du travail dans une société ? L'évolution du monde du travail fait partie des transformations majeures que connaît une société. Des structures tenues pour immuables, au fondement de l'ordre établi depuis plusieurs générations, subissent tout à coup de profondes mutations. L'innovation technologique, la restructuration des économies à l'échelle mondiale et l'émergence de nouvelles valeurs ont contribué à changer la réalité du travail humain depuis une vingtaine d'années. Ce changement touche toutes les composantes de la société et c'est un processus qui se déroule dans le temps. Selon de nombreux sociologues et économistes, nous sommes au cœur de ce processus. C'est pourquoi il est important d'essayer de comprendre la nature exacte de ces changements pour faire des choix individuels et collectifs éclairés.

La transformation de l'économie survenue dans les pays industrialisés au début des années 80 a créé une véritable situation de crise sur le plan de l'emploi. La récession a entraîné des fermetures d'usines, des mises à pied massives et du chômage de longue durée. Une fois la récession passée, on a dû constater que le problème de l'emploi se posait toujours avec autant d'acuité. La croissance n'avait pas provoqué de baisse significative du chômage, les emplois créés étant des emplois à temps partiel ou contractuels. Le recyclage et la formation de la main-d'œuvre devenaient donc nécessaires. Alors que la croissance occasionne normalement une hausse de l'emploi, la reprise dépendait cette fois-ci essentiellement de l'automation des processus de production et n'avait pas engendré d'emplois durables.

Cette transformation a donc donné lieu non seulement à une crise, mais à une véritable restructuration de l'emploi ainsi qu'à une nouvelle définition du travail. En effet, alors qu'une crise est par définition temporaire, les éléments de la transformation sociale survenue durant cette période se sont avérés permanents. La spécificité de cette transformation apparaîtra mieux à la lumière d'un bref survol historique de l'évolution du monde du travail.

7 SURVOL DE L'ÉVOLUTION DU MONDE DU TRAVAIL

Le scénario normal d'une journée de travail se déroule à peu près comme suit. Vers 7 heures, le cadran sonne et c'est le début de la journée. On fait sa toilette, on s'habille, on se rase ou on se maquille, on se coiffe et on avale un petit déjeuner.

On saute ensuite dans la voiture, on installe les enfants et on va les reconduire à la garderie ou à l'école, puis on prend la route du bureau ou de l'usine. Si on habite la grande ville, on peut prendre le métro et l'autobus. Arrivé au travail, on attrape un café au passage et on commence la journée vers 8 heures 30 ou 9 heures. Elle se poursuivra jusqu'aux alentours de 17 heures, alors qu'on retournera à la maison.

Un tel scénario aurait été de la pure science-fiction au début du XIXe siècle. En effet, il était alors inimaginable de travailler à heure fixe tous les jours de la semaine, hors du cadre domestique, après avoir confié les enfants à des personnes extérieures à la famille. Pourtant, cet horaire est devenu la réalité d'un grand nombre d'hommes, de femmes et d'enfants. C'est notre quotidien, le fondement sur lequel s'est édifiée la société dans laquelle nous vivons. Mais il n'en a pas toujours été ainsi. Et cela est en train de se transformer actuellement. Tout le monde n'entre plus au travail à 9 heures. On peut être à peu près certain qu'en 2050 ce genre de vie semblera aussi désuet que le sont à nos yeux les conditions de vie des années 50.

LA VALEUR « TRAVAIL »

Le travail n'est une valeur inscrite dans notre imaginaire que depuis environ deux siècles. Longtemps avant l'industrialisation, dans l'Antiquité, le travail était réservé aux esclaves ou aux serviteurs, alors que les nobles et les mandarins se consacraient à des activités littéraires, politiques, militaires ou sportives. L'idéal, c'était de ne pas travailler. L'homme libre était celui qui pouvait s'offrir suffisamment d'esclaves et de serviteurs pour satisfaire ses besoins et ceux de ses proches. Notre conception du travail lui apparaîtrait comme un réel asservissement. Ainsi, chez les Grecs anciens, le travail était dépourvu de toute dignité ; il était réservé aux femmes et aux esclaves. L'homme s'occupait des affaires de la cité.

À notre époque, le travail permet aux individus de subvenir à leurs besoins, de détenir une place au sein de la société et de participer à la vie sociale. La portée sociale du travail devient manifeste lorsqu'on est exclu du monde du travail : on découvre alors à quel point le travail joue une fonction de socialisation qui déborde la simple fonction de subsistance.

C'est avec l'industrialisation et le développement du capitalisme qu'apparaît la valeur « travail ». Le sociologue Max Weber a mis en lumière les liens unissant le capitalisme, l'industrialisation et une éthique d'austérité. Cette valeur était au cœur de trois domaines de réalité : l'économie, la technique et la culture. Elle contribua à l'industrialisation et à l'expansion rapide du capitalisme et fit du travail comme mode de subsistance un comportement social standard. En deux siècles, elle s'est imposée dans notre vision du monde au point qu'elle prédomine maintenant depuis de nombreuses générations.

À la fin du XVIIIe siècle, les ouvriers se rapprochèrent des fabriques et des usines destinées à la production de biens de consommation. Ils travaillaient en équipe, hors de la maison, et ne possédaient ni les outils de production, ni les matières premières nécessaires à la fabrication d'un produit dont ils ignoraient souvent la fonction. Ils étaient rémunérés pour leur travail. Cela marqua le début du salariat.

Le capital et le travail ont donc été intimement liés dès le début du capitalisme. Le capital permettait d'acquérir les infrastructures, les outils et les matières premières nécessaires à la fabrication d'un produit. Pour accroître son capital, il fallait avoir recours à une main-d'œuvre la plus économique possible. L'ouvrier avait par ailleurs besoin de son salaire, car il lui permettait de subvenir à ses besoins et à ceux de sa famille. Pour augmenter sa marge de bénéfice, le propriétaire devait chercher à accroître constamment la productivité de ses employés, c'est-à-dire le nombre de produits qu'ils pouvaient fabriquer dans une période de temps donnée. Les intérêts divergents des propriétaires et des ouvriers, qui recouvraient les réalités du capital et du travail, furent ainsi à l'origine de deux classes sociales complémentaires et antagonistes, la bourgeoisie et le prolétariat. C'est ce qu'on appelle la **division sociale du travail**.

DIVISION SOCIALE DU TRAVAIL
Division du travail selon les inégalités sociales.

LES PHASES DE LA SOCIÉTÉ INDUSTRIELLE

La première phase de la société industrielle débuta vers la fin du XVIIIe siècle en Europe et vers 1850 au Québec. La production industrielle se faisait dans les secteurs du bois, du fer, de l'alimentation et du textile. On assista à un déplacement de population du milieu de la maison vers l'usine. Les artisans, les femmes et les enfants s'y rendaient pour y exécuter manuellement des tâches de production. L'organisation du travail était conçue par d'autres. La première classe ouvrière était donc composée d'hommes surtout, mais aussi de femmes qui utilisaient à l'usine le savoir acquis dans un cadre domestique. En 1891, au Québec, un ouvrier de manufacture sur cinq était une femme. À Montréal, la proportion était d'un sur trois[1].

La seconde phase débuta avec la Deuxième Guerre mondiale. On développa alors l'industrie lourde, c'est-à-dire les industries de l'acier, de l'automobile et de l'électroménager, et la pétrochimie. Les femmes étaient peu présentes dans l'industrie lourde, exception faite de l'industrie de l'armement durant la guerre.

Le développement de la société postindustrielle débuta dans les années 50 pour la plupart des pays industrialisés et dans les années 60 au Québec. Dans une première phrase, on assista à l'expansion des services financiers, bancaires et d'assurances nécessaires au développement de l'industrialisation. Par ailleurs, les réformes de l'État-providence créèrent une activité économique importante dans les secteurs des services publics : la santé, l'éducation, le travail social, le développement économique et la planification.

Dans les années 90, la très grande accessibilité de l'ordinateur donne lieu à une seconde phase qui se caractérise par le développement des communications. Cette « ère de l'information » est propice au travail des femmes. Le tableau 1 illustre ces différentes phases.

Le développement de l'informatique a permis d'accélérer considérablement le traitement et la transmission des informations financières.

1. Collectif Clio, *L'Histoire des femmes au Québec depuis 4 siècles,* Montréal, Éditions du Club Loisirs, 1983, p. 204.

Le tertiaire

La sociologue Céline Saint-Pierre.

Dans la société postindustrielle, près de 70 % de la main-d'œuvre fait partie du tertiaire. Comme le montre le tableau 1, ce secteur d'activités est diversifié et les lieux d'intégration des individus sont dispersés et multiples. C'est pourquoi le tertiaire n'offre pas les mêmes possibilités d'intégration sociale que la famille rurale ou le village pour le secteur primaire et l'industrie pour le secteur secondaire. C'est ce qu'exprime la formule, forgée par Céline Saint-Pierre, de tertiaire éclaté[2].

Tableau 1 Évolution du travail humain

Phases	Objet du travail	Principaux lieux d'intégration des individus
Société préindustrielle	La terre	La famille, la communauté, le village
Société industrielle, phase 1	Le textile, l'alimentation	La fabrique, l'usine, le syndicat
Société industrielle, phase 2	L'acier, la pétrochimie	L'usine, le syndicat
Société postindustrielle, phase 1	Les personnes	L'école, l'hôpital, la banque, le bureau, les magasins, les restaurants
Société postindustrielle, phase 2	L'information	Les journaux, les revues, les centres de recherche, le domicile

Le développement de l'activité du secteur primaire était limité par la disponibilité de la terre, et celui du secteur secondaire, par les possibilités d'expansion de l'industrie. En revanche, l'activité économique propre au secteur tertiaire apparaît sans limite dans la mesure où une société n'a jamais assez d'informations et de connaissances et où elle peut toujours en améliorer la diffusion et l'analyse.

2. Céline Saint-Pierre, « Le tertiaire en mouvement : bureautique et organisation du travail », dans Diane-Gabrielle Tremblay, *La diffusion des nouvelles technologies,* Montréal, Éditions Saint-Martin, 1987, p. 165-198. C'est à la suite de recherches empiriques, menées notamment au CREST (Centre de recherche en évaluation sociale des technologies), à l'UQAM, et portant sur les changements sociaux reliés à l'introduction des nouvelles technologies dans le monde du travail, que Céline Saint-Pierre a pu développer une approche théorique de l'évolution actuelle du secteur tertiaire.

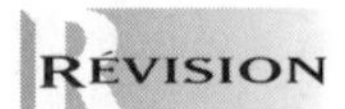

Quelles sont les caractéristiques du tertiaire dans la société postindustrielle ? Donnez des exemples concrets pour illustrer ces caractéristiques.

Le développement de l'information ou des communications fait en effet intervenir un travail sur des idées, des images et des systèmes qui circulent par le truchement de l'ordinateur. Cela demande de communiquer avec des gens que l'on ne voit pas ou que l'on n'entend pas. On appelle ce type de production économique, qui requiert de l'innovation et de la recherche dans le domaine de la haute technologie, le TERTIAIRE MOTEUR parce qu'il est générateur de développement économique et, par conséquent, doté d'un potentiel de création d'emplois nouveaux. Mais le tertiaire nouveau englobe aussi d'autres emplois de service dans la restauration, l'hôtellerie, le tourisme, et des emplois à la pige dans le domaine des arts et des communications. C'est là que se rencontre le travail précaire et flexible. Les employés étant dispersés au sein de multiples lieux de travail, il est très difficile pour eux de s'organiser pour protéger ou améliorer leurs conditions de travail. Ils sont donc rarement syndiqués.

L'ORGANISATION DU TRAVAIL

Il n'y a pas que l'objet du travail et les lieux d'intégration des individus qui changent ; l'organisation du travail se transforme également.

Par ORGANISATION DU TRAVAIL, on entend l'horaire de travail, la définition des tâches à exécuter, le fonctionnement des équipes et des lieux de travail, et finalement l'élaboration des modes de production, de la conception à l'exécution des tâches.

Dans la plupart des pays occidentaux, avant 1900, la semaine de travail était d'au moins 60 heures par semaine. Elle était de 12 heures par jour pour les hommes et de 11 heures par jour pour les femmes et les enfants. La semaine de travail était souvent de 6 jours.

Le cas de la France est typique. Dans ce pays, l'État légiféra dès 1896 pour diminuer progressivement la semaine de travail. Le tableau 2 présente l'évolution de la durée de la semaine de travail en France durant le XXe siècle.

Tableau 2 La durée de la semaine de travail en France

Année	1896	1936	1976	1986	1996
Durée de la semaine de travail (heures)	56	40	42	39	37*

* C'était la proposition du candidat socialiste Lionel Jospin aux élections de 1995, mais il n'a pas été élu. Cependant, la réduction de la semaine de travail fait encore l'objet de débats.

Au Québec, la semaine normale de travail était en 1995 de 44 heures. Conformément à la loi, l'employeur doit rémunérer l'employé selon le tarif du temps supplémentaire à partir de la quarante-cinquième heure. Au début du siècle, elle était de plus de 60 heures par semaine. L'évolution des modes de production a été influencée par deux modèles importants : le taylorisme et le fordisme.

Le taylorisme désigne un type particulier d'organisation *technique* du travail. Il implique la parcellisation du travail, c'est-à-dire l'exécution d'un travail manuel non spécialisé par un grand nombre d'ouvriers. Dans ce système, la conception du travail relève des ingénieurs de production. Cette nouvelle organisation du travail obligeait la main-d'œuvre à s'ajuster à la machine, alors qu'auparavant, dans la société traditionnelle ou préindustrielle, les artisans gardaient la main haute sur leurs outils.

Le fordisme s'appuie sur le taylorisme, mais il pousse plus loin la logique de la rentabilité en ce qui concerne la main-d'œuvre : augmentation des cadences, introduction du convoyeur, de la chaîne de montage et de la rémunération à la pièce. De plus, quoiqu'il maintienne la centralisation des décisions, il reconnaît le syndicat comme acteur dans la définition des conditions de travail. Ainsi, les ouvriers des usines Ford furent les premiers, à la fin du siècle dernier, à obtenir

une réduction de la semaine et de la journée de travail. Une des visées de cette réforme était de donner aux ouvriers le temps de consommer les biens qu'ils produisaient. Le weekend et les vacances datent de cette époque.

C'est ainsi que naquit la société de consommation. Le fordisme incitait les employés à épargner et leur donnait accès au crédit qui leur permettait de consommer les biens qu'ils produisaient, notamment l'automobile. Les travailleurs et leurs syndicats revendiquèrent alors constamment des augmentations de salaires pour pouvoir consommer davantage. Plus ils consommaient, mieux l'économie roulait et meilleures étaient leurs conditions de travail, du moins à court terme. Le chômage existait, mais il était en principe temporaire, ne durant que jusqu'à la prochaine reprise. Comme les périodes de chômage n'étaient jamais longues, les individus pouvaient en faire des étapes vers d'autres emplois.

Ce furent là les caractéristiques principales du monde du travail industriel durant les Trente Glorieuses notamment, soit de l'après-guerre jusqu'au début des années 80. Cette période se distingua par des cycles de production et de consommation massives soutenus par une forte demande de biens de consommation et un accès accru au crédit.

L'action syndicale

Les syndicats, qui virent le jour à la fin du siècle dernier, jouèrent le rôle d'organisation du mouvement ouvrier et de défense des intérêts des travailleurs et des travailleuses. Au Québec, les Chevaliers du travail (1882-1902) furent la première organisation syndicale importante à s'implanter durant la première phase de l'industrialisation. Elle représentait les tisserands, les charpentiers, les cordonniers, les tailleurs et les imprimeurs[3].

L'action syndicale favorisa l'amélioration des conditions matérielles et physiques de travail. Elle permit aux ouvriers d'obtenir des augmentations de salaire, la réduction de la journée et de la semaine de travail ainsi que des congés payés et des vacances. Ils obtinrent aussi d'être rémunérés à la semaine et non à la pièce. Les syndicats réussirent peu à peu à négocier des cadences moins élevées et un milieu de travail moins bruyant et moins chaud. Les syndicats furent aussi à l'origine de la législation du travail, les premières lois remontant à la fin du XIXe siècle.

3. Fernand Harvey, « Les chevaliers du travail, les États-Unis et la société québécoise », dans Fernand Harvey (dir.) *Aspects historiques du mouvement ouvrier au Québec*, Montréal, Boréal, 1973, p. 33-118.

LES TRANSFORMATIONS ACTUELLES DU MONDE DU TRAVAIL

En ce qui concerne l'organisation du travail, l'action syndicale et les cycles de chômage, la situation des travailleurs est aujourd'hui bien différente. Le monde du travail a été complètement transformé par les innovations technologiques, la restructuration de l'économie mondiale et les changements culturels. Nous allons examiner l'effet de chacun de ces facteurs après avoir distingué deux notions dont nous aurons besoin dans le reste du chapitre, celles de TRAVAIL et d'EMPLOI.

LE TRAVAIL ET L'EMPLOI

Lorsqu'il est question du monde du travail, il est question de structures organisées en vue de la production des biens et des services. C'est en ce sens que nous parlons de marché du travail, de l'organisation du travail et de la division du travail. D'autre part, le travail désigne aussi l'activité humaine menant à la production de biens et services. Cette activité peut être réalisée en dehors de la sphère économique. Lorsqu'on prépare un repas, qu'on construit un établi et qu'on coud une robe, on fait un travail. Ce sont là des tâches qui demandent un savoir-faire et un investissement personnel à la suite duquel l'individu s'identifie à son produit. Le travail peut être bénévole ou autonome et constituer une activité non rémunérée. Il peut aussi procurer un revenu, sans toutefois s'inscrire dans un cadre normatif.

L'emploi présuppose justement ce cadre normatif. Un emploi est au sens strict un gagne-pain. Là où il y a un employé, on trouve un employeur. Les tâches effectuées correspondent à des descriptions précises et se complètent les unes les autres. L'emploi est évalué selon une échelle salariale.

On peut donc ne pas avoir d'emploi et beaucoup de travail. La mère de quatre enfants qui reste à la maison n'a pas d'emploi, mais travaille néanmoins du matin jusqu'au soir, et aussi durant la nuit. Elle peut parfois faire plus de 60 heures de travail par semaine. C'est d'ailleurs l'idée sous-jacente à la blague d'Yvon Deschamps placée en exergue de ce chapitre. L'ouvrage étant l'équivalent au travail, elle se lit ainsi : « Ma mère n'a pas d'emploi. Elle a trop de travail. » Il en est de même pour celui ou celle qui étudie à temps plein sans occuper de poste à temps partiel. Il peut travailler aussi plus de 60 heures par semaine, sans être rémunéré.

Cette distinction étant faite, examinons maintenant les facteurs qui ont transformé le monde du travail durant les vingt dernières années.

LES INNOVATIONS TECHNOLOGIQUES

La plupart des analystes considèrent que les innovations technologiques constituent le facteur le plus important dans les transformations du monde du travail. L'automatisation et l'informatisation du processus de production ont engendré de nouvelles technologies, telles la robotique et la bureautique. L'informatisation de certaines tâches de la production industrielle (la robotique) et du travail de bureau (la bureautique) ont eu pour conséquence de remplacer des personnes par des machines sur les chaînes de montage ou dans les bureaux.

ENCADRÉ 1

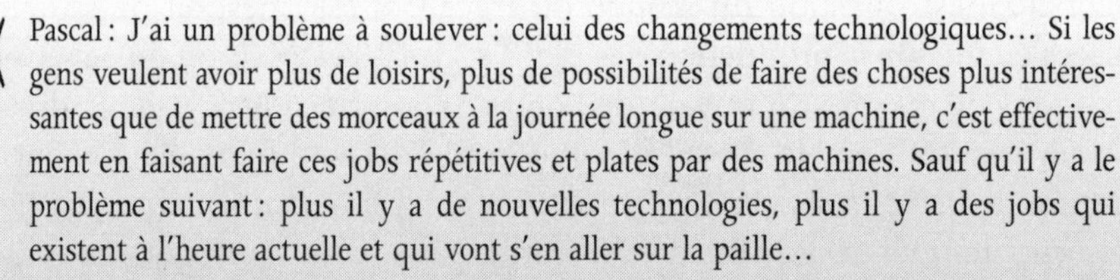

Les changements technologiques

« Pascal : J'ai un problème à soulever : celui des changements technologiques... Si les gens veulent avoir plus de loisirs, plus de possibilités de faire des choses plus intéressantes que de mettre des morceaux à la journée longue sur une machine, c'est effectivement en faisant faire ces jobs répétitives et plates par des machines. Sauf qu'il y a le problème suivant : plus il y a de nouvelles technologies, plus il y a des jobs qui existent à l'heure actuelle et qui vont s'en aller sur la paille...

Serge : Moi, je peux dire que le temps de travail que je ferais, ce serait peut-être trois jours quelque part dans une usine, puis deux jours à travailler à faire en sorte que la société change[4]. »

RÉVISION

Pascal et Serge sont-ils différents des travailleurs que vous connaissez ? Que feriez-vous si vous aviez seulement trois jours de travail par semaine ?

Le travail manuel et répétitif a été le premier type de travail à être automatisé. Les principaux pays industrialisés, le Japon et les États-Unis en tête, ont automatisé les lignes de production de leurs usines de biens de consommation qui requéraient une importante main-d'œuvre. De nombreux ouvriers perdirent ainsi leur emploi et durent se recycler dans d'autres domaines ou demeurer au chômage.

Au Canada et au Québec, on mit un certain temps à implanter la robotique. En revanche, il en alla tout autrement de la bureautique, qui transforma en quelques années toutes les étapes du processus du travail de bureau. La rapidité de cette transformation tient en partie à la nature du travail tertiaire. Il était en effet plus facile d'installer des ordinateurs dans des bureaux où travaillaient deux ou trois secrétaires que sur un plancher d'usine où circulaient des centaines d'ouvriers. De plus, ces milieux de travail étaient moins syndiqués. Or, on sait que les syndicats cherchent à protéger les emplois.

4. Marc Lesage, *Les vagabonds du rêve,* Montréal, Boréal, 1986, p. 85.

Les terminaux, les ordinateurs et les logiciels permettaient d'automatiser le courrier, la rédaction de texte, le classement de dossier et l'archivage. Cette technologie remplaçait les machines à écrire, les filières, les classeurs et les chemises de rangement. Elle permettait aussi de réduire le personnel affecté à ces tâches, puisqu'elle augmentait la productivité des employés de bureau. Les employés bénéficiaient d'un enrichissement de tâche, d'un travail plus diversifié et de plus de flexibilité. Ils se devaient par ailleurs d'être plus polyvalents. Évidemment, les gains qu'ils faisaient sur le plan de la qualité du travail et de l'autonomie étaient compensés par des pertes d'emplois.

Les logiciels de comptabilité et de gestion permettent d'accomplir plus efficacement les tâches de planification et d'administration dans les entreprises.

Après avoir automatisé le travail de bureau, les entreprises eurent graduellement recours à l'informatique pour les fonctions de gestion, de planification et d'administration. Là aussi, l'informatisation permit de mieux intégrer des tâches auparavant dispersées. Elle facilita ainsi une planification plus efficace des opérations et une diminution du temps de réponse à la demande. On dut supprimer des emplois de cadres, mais il fallut aussi en créer d'autres.

La bureautique entraîna donc à la fois des pertes d'emplois, des déplacements d'emplois et un enrichissement des tâches, comme cela avait été le cas avec la robotique. Cette nouvelle technologie donnait aussi la possibilité à une partie des employés de travailler à domicile plutôt qu'au bureau, comme c'était auparavant la norme. Ainsi, aux États-Unis, on évaluait en 1996 à 12 millions le nombre de personnes ayant opté pour le travail à domicile. Cela permet d'éviter les frais de déplacements, la perte de temps dans la circulation, les frais de location de locaux et même de réduire les tâches de surveillance du contremaître ou du patron. Le téléphone, l'ordinateur, le télécopieur et la photocopieuse ont créé le télétravail.

ENCADRÉ 2

Il y a 50 ans, l'ordinateur

« [...] il y a 50 ans, la première démonstration publique d'un ordinateur, un appareil gigantesque de 30 tonnes d'acier, de tubes et de fils électriques reconnu comme étant le premier ordinateur « électronique » au monde.

« Cet événement a lancé l'ère de l'informatique », affirme Herman Goldstine, un des derniers survivants de l'équipe qui a mis au point l'Electronic Numerical Integrator and Computer (ENIAC).

« Cette démonstration a permis de convaincre le public que cet appareil était fonctionnel et faisait comprendre à la communauté scientifique qu'il pourrait lui être utile », de dire M. Goldstine.

À souligner toutefois que le moindre petit ordinateur moderne, qui coûte moins de 3000 $, a une mémoire de huit fois 16 millions de caractères et peut procéder à une vitesse 1600 fois supérieure à celle de l'ENIAC, soit à 160 mégahertz à la seconde.

L'ENIAC avait été mis au point après trois ans de travaux intensifs à la demande des forces armées américaines, qui étaient à la recherche d'une machine capable de calculer des trajectoires d'artillerie complexes. Ces données balistiques devaient permettre à l'artillerie de s'ajuster aux vitesses de plus en plus rapides des avions de combat. Malheureusement, la guerre avait pris fin au moment où l'engin fut prêt. Il devait toutefois servir, lors de tests, en 1945, à réaliser des millions de calculs mathématiques sur les réactions thermonucléaires en chaîne et prédire ainsi les destructions que pouvait causer une bombe à hydrogène. En plus de Goldstine, un mathématicien des forces armées qui avait vendu le projet aux militaires et qui servit d'officier de liaison auprès du Pentagone, l'équipe qui a créé l'ENIAC comprenait le physicien John Mauchly et l'ingénieur Prosper Eckert.

Quelle différence !

L'ENIAC comptait pas moins de 17 468 tubes à vide et avait coûté 450 000 $, une somme énorme pour l'époque. Il pouvait faire simultanément des calculs avec 20 nombres de dix chiffres dans sa mémoire électronique et les restituer à la vitesse de 100 kilohertz à la seconde. L'ENIAC pouvait compter de 1 à 5000 en un cinquième de seconde, ce qui stupéfia le monde scientifique où, à l'aide des calculatrices mécaniques, il fallait 12 heures pour réaliser ce que l'ENIAC réalisait en une demi-minute.

Longue évolution

L'ENIAC ne fut que le résultat d'une longue évolution. Depuis Charles Babbage et sa « calculatrice des différences », au début des années 1800, les hommes et chercheurs n'avaient cessé de perfectionner des engins leur permettant de résoudre plus rapidement les problèmes mathématiques.

Aucun droit d'auteur ne fut jamais versé aux concepteurs de l'ENIAC. Au début des années 70, un tribunal décréta en effet que le Atanasoff-Berry Computer (ABC), construit par l'Université de l'Iowa, fut le premier, annulant de ce fait la centaine de brevets concédés à Mauchly et Eckert.

Les responsables de l'Université de Pennsylvanie soulignèrent toutefois que l'ordinateur ABC avait été conçu pour une seule chose, solutionner des équations linéaires, alors que l'ENIAC avait une vocation mathématique générale.

Un autre ordinateur électronique avait également été conçu en Angleterre, mais il n'avait pour unique objectif que de déchiffrer un code secret des armées nazis.

Quoi qu'il en soit, les ordinateurs qui devaient suivre abritaient des mémoires internes programmées offrant plus de versatilité et de convivialité.

« L'ENIAC a ouvert la porte à l'informatique », affirme Paul Shaffer, curateur du Musée de l'électronique de Pennsylvanie. « Il lança l'ère de l'électronique et le monde ne fut jamais plus le même[5].

RÉVISION

Montrez à l'aide d'exemples comment l'ordinateur a changé nos vies au travail, à l'école et dans la vie privée.

5. *La Presse,* 15 février, 1996.

La mondialisation de l'économie

Pour produire des biens, il faut des capitaux, de la matière première, du travail et un savoir technologique. Ces éléments, autrefois réunis en un même endroit ou contrôlés par la même personne, sont maintenant dispersés sur l'ensemble de la planète. Au début du siècle, les premières voitures Ford étaient entièrement fabriquées dans les usines Ford du Michigan. La situation est toute différente aujourd'hui. Ainsi, la fabrication de la Ford Escort, l'un des modèles de voiture les plus vendus en Amérique du Nord, fait intervenir des collaborateurs de trois continents. On dit même que quinze pays participent à sa fabrication[6]. Le financement, la conception et la recherche sont réalisés en Amérique du Nord. La matière première (produits du pétrole, acier, fer) provient d'Amérique latine ou d'Afrique et la main-d'œuvre est d'Asie. On pourrait bien sûr dire la même chose d'une Jetta ou d'une Chevrolet.

La fabrication d'une robe fait aussi appel à des travailleurs d'Europe, d'Amérique et d'Asie. On trouve les capitaux et on fait le design pour les tissus et les vêtements à Paris, à Milan ou à Montréal. Les tissus bruts proviennent de Chine et d'Inde. La confection, la coupe et la couture se font à Taïwan ou aux Philippines. Le produit final est distribué dans tous les centres commerciaux de la planète.

C'est ce qu'on appelle la mondialisation de l'économie. Elle fait intervenir une division internationale du travail. Les nations ne vivent plus en vase clos, mais sont intégrées à un vaste ensemble de redistribution des entreprises, des produits et des emplois à l'échelle de la planète.

L'origine de ce mouvement remonte à une trentaine d'années alors que divers pays d'Asie ont commencé à fabriquer des produits de consommation courante à moindre coût que dans les pays industrialisés. Quatre raisons expliquent cette diminution des coûts de fabrication :

- la modernité des usines ;
- la présence d'un vaste bassin de main-d'œuvre ;
- des salaires très bas ;
- l'absence de syndicat apte à revendiquer de meilleures conditions de travail.

Les entreprises occidentales commencèrent à cette époque à utiliser cette main-d'œuvre asiatique pour la production industrielle. Peu après, plusieurs pays d'Amérique latine offrirent des conditions de travail similaires. Les chaussures, les produits textiles et les vêtements furent confectionnés ailleurs

6. Voir Jean Thérèse, « Just in time ou la qualité totale », *Nouvelles CSN*, n° 337, 31 janvier 1992.

que dans les pays occidentaux. Cela provoqua un déclin industriel dans les pays occidentaux qui se traduisit par des mises à pied massives dans les années 70. Par la suite, les pays du Sud-Est asiatique commencèrent à fabriquer aussi des produits haut de gamme qui demandaient l'utilisation d'une technologie de pointe : des téléviseurs, des magnétoscopes, des micro-ordinateurs, des lecteurs CD. Bientôt, les pays occidentaux devinrent un important marché d'exportation pour ces produits.

Dans le domaine de la nouvelle technologie, il y a donc des pays concepteurs et producteurs et des pays utilisateurs et consommateurs. Évidemment, les effets de l'évolution technologique sur l'emploi et sur la recherche et développement ne sont pas les mêmes selon que l'on appartient à un groupe ou à l'autre.

Les facteurs culturels

Les facteurs culturels constituent un troisième ordre de facteurs qui concourent à transformer le monde du travail et la situation de l'emploi.

Les mouvements sociaux, dont nous avons déjà parlé, tels le mouvement écologiste, le mouvement des consommateurs, le mouvement féministe et le mouvement syndical, ont contribué, surtout à partir des années 70, à transformer le monde du travail en proposant de nouvelles valeurs. Ils ont remis en question le travail orienté uniquement vers la consommation et la recherche du profit à court terme. Ils ont suggéré d'établir un nouveau rapport au travail et à la production qui tienne davantage compte des besoins des individus. Il importe selon eux de proposer aux travailleurs des **tâches signifiantes**, moins répétitives et moins monotones.

TÂCHES SIGNIFIANTES
Tâches dotées d'une signification autre que purement économique.

Ainsi, le mouvement écologiste a été le premier à critiquer les industries polluantes. Il soutenait que l'époque de l'utilisation abusive de la nature était révolue. Dans le cadre de sa lutte contre le gaspillage et l'utilisation excessive des matières premières, ce mouvement a aussi revendiqué une meilleure qualité de vie au travail. Il défendait les besoins socioaffectifs des hommes et des femmes dans l'exercice de leurs activités professionnelles. La santé au travail devint un objectif et le slogan « produire moins mais mieux » s'imposa.

Le mouvement féministe a prôné les mêmes valeurs dans le monde du travail. De plus, en revendiquant l'ouverture du monde du travail aux femmes, le féminisme a été amené à réclamer un meilleur équilibre entre la vie professionnelle et la vie familiale. L'apparition graduelle des garderies en milieu de travail a transformé peu à peu l'image du monde du travail. Les féministes voulaient plus d'autonomie, la possibilité de s'engager davantage dans son travail et que l'individu ait un meilleur contrôle sur son travail. Ces valeurs, qui visaient toutes plus ou moins directement l'**actualisation de soi**, étaient véhiculées un peu partout dans la société, donc dans le monde du travail.

ACTUALISATION DE SOI
Capacité de se réaliser soi-même et d'agir sur sa vie.

Quant au mouvement des consommateurs, il a dénoncé le processus par lequel les producteurs de biens créent sans cesse de nouveaux besoins au moyen du marketing et de la publicité. Les groupes de protection des consommateurs dénonçaient aussi l'accès trop facile au crédit qu'ils jugeaient responsable de l'endettement des individus et des familles. Ils encouragèrent les consommateurs à exiger des produits de meilleure qualité. Les lois de protection des consommateurs ont été créées à la suite des pressions de ce mouvement.

Le mouvement syndical, pour sa part, fort d'une longue tradition d'engagement et de solidarité, s'opposa d'abord à l'automatisation des entreprises pour protéger les emplois. La santé et la sécurité du travail était toujours l'une de ses priorités. Par la suite, il a revendiqué l'implication des travailleurs dans la mise en place des nouvelles technologies. Il voulait ainsi minimiser les pertes d'emploi et faciliter le recyclage des employés. Il a permis de développer de nouvelles formes de relations patrons-employés et contribué à transformer les modes de **gestion pyramidale** héritées du fordisme. Dans les entreprises où l'on expérimenta des modes de gestion plus égalitaires, les employés assumaient une partie des responsabilités relatives à la production, ce qui était tout à fait nouveau.

GESTION PYRAMIDALE
Mode de gestion sous lequel les cadres au sommet de la pyramide prennent les décisions concernant les tâches exécutées par la majorité.

Nous sommes donc devant une triple mutation, à la fois technologique, économique et culturelle. Elle transforme quotidiennement le monde du travail et l'image que l'on s'en fait. C'est la technologie actuelle qui rend possible la mondialisation des marchés et celle-ci rend immédiatement accessible à l'ensemble de la planète les découvertes et les innovations qui en découlent. D'autre part, ce sont les mouvements sociaux qui obligent les entreprises et les gouvernements à tenir compte des aspects humains et sociaux du développement économique.

RÉVISION

Pouvez-vous énumérer de nouvelles valeurs apparues récemment dans le monde du travail ? Nommez des éléments de la triple mutation du monde du travail.

3 LES CONSÉQUENCES DE CES TRANSFORMATIONS

Les transformations du monde du travail ont eu des conséquences sur les qualifications et l'organisation du travail dans les entreprises. Elles ont créé de nouveaux emplois, mais elles ont aussi engendré la pauvreté, l'exclusion sociale et une transformation des classes moyennes. Nous allons maintenant examiner ces conséquences de plus près.

Les changements touchant l'emploi

Comme nous l'avons dit précédemment, l'automatisation permet d'utiliser les machines pour faire le travail que des personnes exécutaient autrefois. Elle favorise aussi la création de nouveaux emplois et de nouveaux secteurs d'activités. Les analystes n'arrivent pas encore à dresser un bilan précis des gains et des pertes d'emploi occasionnés par l'automatisation. Ils s'entendent cependant pour affirmer que, dans une perspective de division internationale du travail, les pays producteurs de nouvelle technologie sont moins affectés par le chômage que les pays utilisateurs et consommateurs de cette technologie. En principe, le bilan devrait donc être plutôt négatif pour le Canada et le Québec, davantage orientés vers la consommation de produits de masse, et plutôt positif pour des pays producteurs de technologie comme le Japon et l'Allemagne.

De façon générale, les pays tendent à développer les niches où ils bénéficient d'une meilleure situation concurrentielle sur le plan international. Le Québec innove dans le domaine de l'image (procédé Imax, logiciel 3-D de Softimage, logiciels de design de mode et de design industriel) et des communications axées sur la haute technologie et le divertissement. Mais ce sont des développements plus récents n'ayant pas encore donné lieu à la mise au point d'une technologie de masse. C'est cependant un créneau d'innovation et de recherche très prometteur.

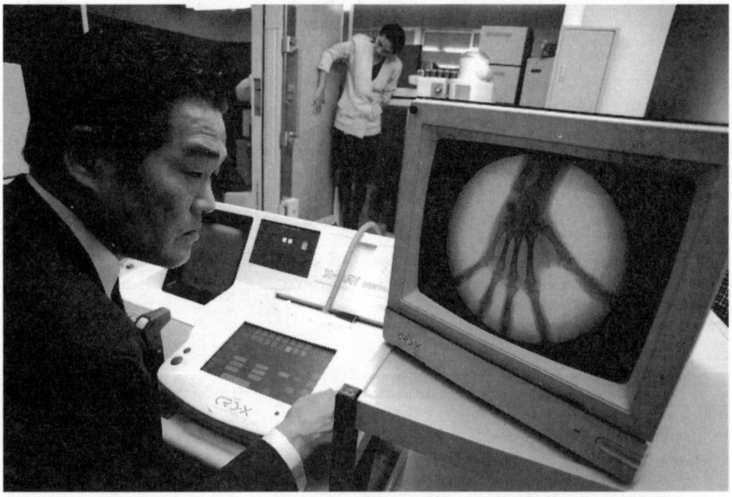

Démonstration d'un appareil de radiologie japonais fonctionnant sans film et utilisant un écran de télévision à haute résolution.

Nous savons que l'entreprise est l'un des principaux agents économiques. Il faut maintenant déterminer comment elle a vécu cette période d'évolution technologique rapide et comment elle a réagi aux problèmes de société engendrés par cette évolution.

Précisons au départ que « entreprise » désigne dans ce contexte tout aussi bien l'entreprise publique vouée aux services de l'État que l'entreprise privée, financée par des capitaux privés, des individus et des corporations. Dans l'ensemble, les entreprises ont tendance, en période de crise, à recourir à des mises à pied ou à des mises à la retraite massives pour demeurer concurrentielles. Lorsqu'il est nécessaire d'embaucher du personnel, elles embauchent plutôt du personnel temporaire, surnuméraire ou à la pige, pouvant plus facilement être déplacé en fonction de la conjoncture économique[7]. L'emploi qui se développe est en grande partie un l'emploi dit atypique, par opposition à l'emploi standard, le travail régulier à temps plein de la phase 1. Au Canada, la semaine de travail de ce type de travailleurs est d'environ 15 heures.

ENCADRÉ 3

L'emploi en devenir

« En l'absence d'emploi régulier à plein temps, Danièle accepte de travailler à contrat sur des projets de développement informatique. Voilà bientôt dix ans qu'elle court ainsi de contrat en contrat et que ses vacances d'été sont en fait des périodes de chômage à domicile. Cinq ans de travail comme journaliste pigiste, mal payé et sans statut, amenaient François à créer sa propre petite boîte de relations publiques et à contribuer à « l'entrepreneurship québécois » ! Il prend des contrats pour la rédaction de communiqués de presse, l'organisation de conférences de presse, la rédaction publicitaire, ... ou la vente par téléphone d'abonnements à des revues. Après avoir travaillé cinq ans « sur appel » dans un foyer d'accueil pour personnes agées, Denise a accepté un poste de réceptionniste à temps partiel. Pour Annie, il y eut sept années de travail à horaires irréguliers, de soirée et de nuit, pour avoir accès à un poste d'infirmière régulier, de jour, mais à temps partiel ; puis ce fut le passage, après la naissance de son enfant, à un poste de secrétaire, moins bien payé, mais plus stable. Après une succession de contrats de recherche d'un à six mois, Vincent a enfin trouvé la stabilité... pour deux ans : un poste de contractuel au gouvernement. La liste pourrait s'étendre sur plusieurs pages.

La multiplication des statuts d'emploi, travail temporaire, à temps partiel, à contrat, témoigne bien de la flexibilité du marché du travail au Québec, comme dans l'ensemble de l'Amérique du Nord. C'est vers la fin des annés 1970 qu'a commencé à se manifester cette recherche de flexibilité de la part des entreprises. Mais que sous-tend ce concept de flexibilité ? En fait, il s'agissait essentiellement pour certains employeurs de retrouver la rentabilité perdue au cours des années de récession, à la suite de la crise du pétrole de 1974-1975, puis encore davantage à la suite de l'importante récession du début des années 1980. Pour d'autres, il s'agissait tout simplement de profiter d'une conjoncture économique défavorable pour obtenir des concessions de la part des salariés : « On ne sait jamais [...] les difficultés viendront peut-être nous toucher plus tard ; autant prévenir ! » On en profitait pendant que les salariés étaient bien disposés, la récession du début des années 1980 faisant craindre à tous les pertes d'emploi. Syndicats et salariés étaient alors plus réceptifs aux remises en question de certaines conditions de travail et échelles salariales. Ce fut l'ère des concessions[8] ! »

Pouvez-vous donner d'autres exemples d'emplois dits atypiques ?

7. Voir Diane-Gabrielle Tremblay, *L'emploi en devenir*, Québec, Institut québécois de recherche sur la culture 1990.

8. *Ibid.*, p. 29-30.

ENCADRÉ 4

L'emploi atypique dans le monde

La progression du travail atypique n'est pas propre au Canada. Les employeurs d'autres pays industrialisés se tournent aussi vers ce genre de régime de travail.

Par exemple, l'emploi à temps partiel représente plus de 30 % de l'emploi total aux Pays-Bas, 25 % en Norvège, 20 % en Australie, au Danemark, en Nouvelle-Zélande et en Grande-Bretagne, et près de 20 % aux États-Unis[9].

On développa aussi la notion de FLEXIBILITÉ DE LA MAIN-D'ŒUVRE. Un personnel flexible est par définition un personnel mobile, qui n'est rattaché à aucune entreprise en particulier et qui peut être embauché ou licencié au besoin. À court terme, la flexibilité du personnel permet de réduire considérablement les coûts de la main-d'œuvre. Selon Diane-Gabrielle Tremblay, le personnel flexible est surtout composé de jeunes et de femmes.

Il s'est donc créé deux types de main-d'œuvre au sein des entreprises. D'abord, il y a la main-d'œuvre stable, à salaire régulier. Celle-ci bénéficie d'une sécurité d'emploi grâce à la protection du syndicat et aux conventions collectives. Elle a accès à des avantages sociaux (régimes d'assurances, de perfectionnement, de retraite ; congés de maternité, de maladie, etc.). Ensuite, il y a la main-d'œuvre flexible. Celle-ci est mobile, instable, sans protection ni sécurité. Elle doit souvent travailler dans des conditions rappelant celles du début de l'industrialisation : salaire à la pièce, à l'heure, à contrat. C'est le cas par exemple des « chargés de cours » ou des « professeurs à la leçon » dans les universités. L'entreprise publique ou privée engendre elle-même la dualité sociale : un noyau fixe d'employés permanents et, en orbite, des éléments mouvants et flexibles de plus en plus nombreux.

LES CHANGEMENTS TOUCHANT LA GESTION

Aux prises avec une nouvelle réalité, l'entreprise a dû aussi revoir ses modes de gestion du personnel et de sa production. Il était important de continuer à motiver les travailleurs. Comme le contexte était moins favorable aux augmentations de salaires et à la bonification des avantages sociaux, elle a cherché à faire de nouvelles expériences sur le plan des conditions politiques, psychosociales et socioaffectives. C'est ce que l'on a appelé la modernisation sociale des entreprises[10].

9. *Le Devoir,* 7 février 1996.

10. Voir Paul R. Bélanger, Michel Grant et Benoit Lévesque, *La modernisation sociale des entreprises,* Montréal, Presses de l'Université de Montréal, 1995.

On a donc mis sur pied de nouveaux modes de participation engageant les travailleurs dans la définition de leur tâche, de l'organisation du travail et de l'utilisation des nouvelles technologies. Le choix des nouvelles technologies demeurant une prérogative patronale, il s'agissait d'amener les employés à définir l'utilisation de ces technologies, de manière à en minimiser les effets négatifs sur l'emploi et le travail.

On vit ainsi apparaître des « cercles de qualité ». Les cercles de qualité sont essentiellement des équipes formées d'employés et de cadres appelées à définir les meilleurs modes de production et d'organisation du travail en vue d'assurer une meilleure qualité des produits. Bien qu'elle ne touche pas tous les aspects de la prise de décision, cette décentralisation a pour effet de créer de nouveaux rapports entre les cadres et les employés.

On a qualifié cette démarche de « post-taylorisme » et de « post-fordisme », puisqu'elle vise à créer de nouveaux rapports entre les employés à l'intérieur de l'entreprise. On a parlé aussi d'une nouvelle « culture d'entreprise » parce qu'elle faisait davantage appel à la collaboration et à la négociation qu'à l'opposition ou aux affrontements. Les employés étaient invités à prendre part à la gestion d'entreprise et à faire preuve d'initiative et de créativité. C'étaient là de nouveaux modes de partage du pouvoir qui devaient transformer peu à peu le sentiment d'appartenance des employés par rapport au milieu de travail. Selon Michel Crozier[11], la participation active des employés favorisait des milieux de travail plus démocratiques et plus créatifs.

Cela ne signifiait pas pour autant que le taylorisme était complètement disparu. Alors qu'il était depuis toujours concentré dans le secteur industriel, il pénétrait maintenant de nouveaux secteurs. La restauration en fournit une bonne illustration.

Bref, dans un certain nombre de cas, les entreprises se sont démocratisées et humanisées en manifestant une certaine ouverture à des modes de gestion plus égalitaires. Cela a pu se faire quand les syndicats ou les organisations professionnelles étaient assez forts pour exiger ces nouveaux modes de gestion et participer à leur mise en place. Mais les bénéfices pour l'ensemble de la société ont été moindres que ce qu'ils auraient pu être en raison de la fracture entre la main-d'œuvre stable et la main-d'œuvre flexible.

C'est pourquoi, selon Tremblay, l'entreprise n'a pas joué, comme institution, le rôle d'innovateur qu'elle aurait pu jouer sur le plan macrosocial. Elle a permis que la précarité de l'emploi devienne la norme pour un nombre

RÉVISION

Connaissez-vous une entreprise de restauration rapide où il y a :

- **une main-d'œuvre composée surtout de femmes et de jeunes ;**
- **du travail à la chaîne ;**
- **une parcellisation des tâches ;**
- **un travail manuel, répétitif, exigeant peu de qualifications ;**
- **des cadences de travail élevées ;**
- **un travail payé à l'heure ;**
- **aucun syndicat ?**

11. Voir Michel Crozier, *L'acteur et le système*, Paris, Seuil, 1977.

de plus en plus grand de jeunes arrivant sur le marché du travail ou pour ceux qui n'étaient pas en mesure de s'adapter à l'évolution technologique rapide. En favorisant la dualité des emplois dans l'entreprise, elle a contribué à la dualité sociale que nous vivons actuellement.

Tremblay donne l'exemple de pays occidentaux comme l'Allemagne, la Norvège, la Finlande ou la Suède, où les entreprises ont élaboré des politiques de flexibilité axées sur l'employé. On y embauche de jeunes recrues à qui l'on offre une certaine sécurité d'emploi, des perspectives d'avenir et des possibilités de recyclage et de perfectionnement selon les besoins de la technologie. Les entreprises peuvent déplacer la main-d'œuvre, mais doivent leur assurer un minimum de sécurité. Les travailleurs doivent faire preuve de polyvalence et être en mesure de s'adapter aux changements. Ce type de politique plus dynamique devrait permettre de protéger des emplois et de motiver le personnel. On l'oppose à des politiques statiques visant uniquement à réduire les coûts de main-d'œuvre à court terme.

À long terme, soutient Tremblay, cette conception du travail et de la main-d'œuvre devrait avoir un effet positif sur la production elle-même et sur sa qualité, la rentabilité économique reposant sur la compétence et la mobilité de la main-d'œuvre. Une organisation du travail qui tient compte de l'intégration de l'individu au sein de l'entreprise est mieux à même de motiver l'employé. Inversement, il est peu vraisemblable qu'une armée de travailleurs à la pige puisse participer activement à la vie de l'entreprise et concourir à sa prospérité.

RÉVISION

Quelle est la différence entre la flexibilité axée sur l'entreprise et la flexibilité axée sur l'employé ?

On peut se demander pourquoi certains pays ont mieux réussi que d'autres à prendre le virage technologique. Il semble que le contexte sociopolitique général joue un rôle important dans cette capacité de changement, notamment le soutien que le gouvernement accorde aux efforts de concertation patrons-employés par l'entremise de lois et de politiques. Il existe aussi dans ces pays une longue tradition de partenariat et de concertation entre tous les acteurs socioéconomiques qui facilite ces transitions plus harmonieuses.

L'ACTION SYNDICALE

Nous avons vu précédemment qu'à l'époque du taylorisme et du fordisme l'action syndicale visait l'amélioration des conditions matérielles et des conditions physiques de travail. D'autre part, le syndicat abandonnait aux patrons le domaine de la décision et de la gestion. C'était l'époque de l'organisation pyramidale du travail, qui subsiste encore dans bien des entreprises.

Récemment, les nouvelles expériences de démocratisation au sein de l'entreprise ont amené les syndicats à prendre part à la gestion de l'entreprise. Il n'y a pas que l'entreprise qui transforme ses pratiques ; les syndicats le font également. Au Québec, les centrales syndicales ont adopté des stratégies de partenariat et de concertation pour limiter les fermetures d'usines et les mises à pied. La Fédération des Travailleurs du Québec (FTQ) a créé un fonds, appelé Fonds de solidarité, destiné à préserver des emplois par des investissements dans des entreprises en difficulté.

Cependant, les syndicats se sont aussi fait complices des pratiques patronales d'embauche d'employés flexibles au statut précaire. C'est même souvent à ce prix qu'ils ont pu maintenir des niveaux de salaire et des conditions matérielles de travail avantageuses pour leurs membres en dépit de la crise de l'emploi.

Il faut dire à leur décharge que leur rôle était auparavant de défendre les droits de groupes homogènes d'employés travaillant au même endroit. Ils se trouvaient soudainement responsables d'étudiants et de mères qui réclamaient des horaires souples et étaient prêts à occuper des postes à temps partiel et à faire preuve de flexibilité. Les stratégies syndicales antérieures étaient fondées sur les besoins d'une clientèle stable et homogène. Il leur fallait désormais élargir leurs perspectives pour tenir compte de cette nouvelle réalité. Mais ils continuaient à défendre avant tout leurs membres, les employés permanents à temps plein.

Les conditions de travail avaient progressé. Durant les années de prospérité, les syndicats les plus forts obtenaient des gains dont profitaient les employés plus faibles ou non syndiqués. À la suite de changements survenus dans les années 80, les centrales syndicales commencèrent, dans les années 90, à discuter de formules d'organisation visant à pallier au problème de la pénurie d'emplois et du chômage affectant particulièrement les jeunes. Cependant, au début de 1996, on faisait état dans les médias de nouvelles politiques d'embauche de jeunes diplômés dans un certain nombre d'entreprises.

Un autre facteur important à prendre en considération dans l'analyse de la réalité de l'emploi est la proportion des employés syndiqués par rapport au nombre total d'employés. Ainsi, les employés qui travaillent dans la restauration, dans les services aux personnes et dans les services financiers ne sont généralement pas syndiqués. Au Québec, plus de 80 % de la main-d'œuvre du secteur public est syndiquée. À cause du taux élevé de syndicalisation dans le secteur public, le taux de syndicalisation moyen de la main-d'œuvre s'élevait, toutes catégories de travailleurs confondues, à 41,9 % en 1995. C'est le taux le plus élevé en Amérique (il est de 37 % au Canada et de 17 % aux États-Unis) et l'un des plus élevés en Occident. Selon le numéro d'août 1995 du *Bulletin du Conseil du patronat du Québec,* le taux de syndicalisation se répartissait comme suit en 1994 : secteur primaire, 44,6 % ; secteur secondaire, 54,6 % ; secteur tertiaire, 39,4 %.

LES INÉGALITÉS, LA PAUVRETÉ ET L'EXCLUSION

La croissance n'entraînant plus de baisse significative du chômage, il s'ensuit des inégalités sociales entre les employés qui ont un travail rémunéré et les autres, qui vivent davantage des programmes gouvernementaux. Cette restructuration de l'économie, du monde du travail et de l'emploi crée de nouvelles inégalités sociales, de la pauvreté et de l'EXCLUSION SOCIALE.

Nous avons déjà parlé des inégalités entre les hommes et les femmes et entre les groupes d'âge. Mais il existe bien d'autres types d'inégalités, par exemple les inégalités entre les nations. Ainsi, le chômage n'est pas le même dans tous les pays du **G7**.

G7
Groupe des sept pays les plus industrialisés du monde.

Ces pays connaissent non seulement des hausses du taux de chômage, mais également un chômage de longue durée, ce qui est une nouvelle réalité socio-économique. La figure 1 met en évidence ces disparités à l'aide du taux de chômage, celui-ci étant considéré comme un des indicateurs[12] de la prospérité des pays.

Figure 1 Taux de chômage pour les pays du G7 en pourcentage de la population active (1980-1996)[13]

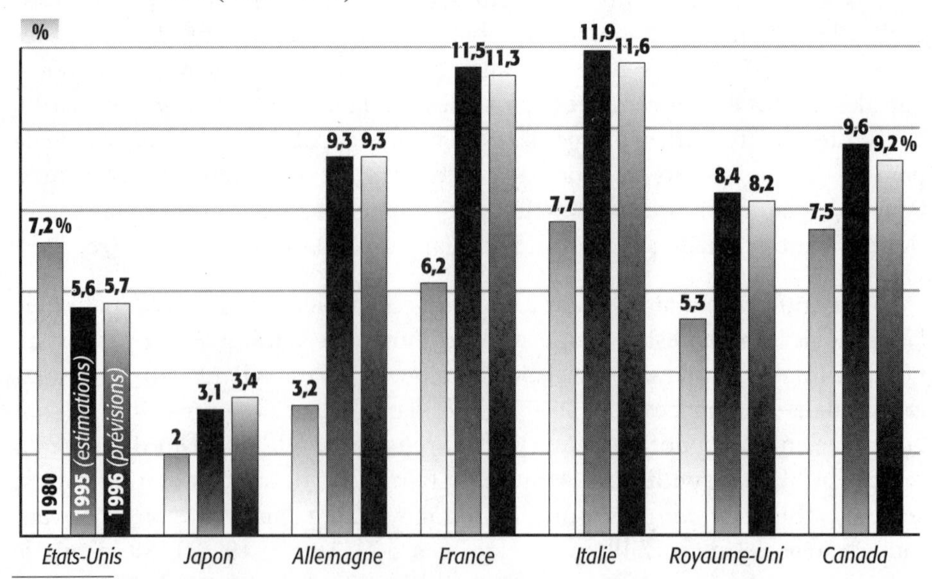

12. La protection sociale, qui est une façon de redistribuer les richesses, est un autre indicateur de prospérité important.

13. OCDE. Source citée dans *Le Devoir,* 2 avril 1996.

ENCADRÉ 5

La mondialisation en question

[…] À l'intérieur du G7, l'adaptation à la mondialisation a varié d'un pays à l'autre. Les États-Unis ou le Royaume-Uni ont réussi à limiter leur chômage (5 % de la population active aux USA et 7,9 % en GB) mais souvent au détriment de la protection sociale des plus faibles.

L'OCDE[14] recense 30 millions d'Américains qui travaillent et sont en dessous du seuil de pauvreté. En Grande-Bretage où le salaire minimum n'existe pas, les employés à 15 francs[15] de l'heure se comptent par centaines de milliers.

À l'inverse, la France et l'Allemagne ont conservé des protections sociales plus importantes, mais la France est la lanterne du chômage dans le G7 et l'Allemagne compte plus de 4 millions de chômeurs. Seul le Japon semblait pouvoir encore concilier les deux, mais depuis quelques années, le chômage a considérablement progressé dans l'archipel[16].

Si nous prenons le cas du Québec (voir le tableau 3), nous observons d'une part des écarts importants entre les régions et d'autre part une augmentation générale du taux de chômage pour la période allant de 1988 à 1991.

Tableau 3 Taux de chômage selon les régions du Québec, 1988 et 1991[17]

Région	1988	1991
Gaspésie	16,3	25,0
Bas Saint-Laurent	12,5	16,1
Saguenay/Lac Saint-Jean	12,3	15,5
Québec (région)	8,0	9,6
Mauricie	9,5	12,7
Estrie	8,0	11,1
Montréal (région)	9,0	11,2
Lanaudière	8,4	10,8
Laurentides	11,1	12,2
Outaouais	8,0	9,9
Abitibi-Témiscamingue	9,2	17,4
Moyenne pour le Québec	**9,4**	**12,1**

14. Organisation de Coopération et de Développement Économique.

15. Environ 4 $ en 1996.

16. Agence France-Presse, dans *Le Devoir*, 2 avril 1996.

17. Tableau fait à partir de *Le Québec chiffres en main*, 1990 et 1995, BSQ.

Ce sont la pénurie d'emplois et la multiplication des emplois précaires qui entraînent des disparités dans les revenus entre les familles et les individus. Le chômage va de pair avec les bas revenus. L'ouvrage du Conseil des Affaires sociales *Deux Québec dans un*[18] met en relation ces deux phénomènes, qui recoupent les disparités régionales au Québec. Selon cette étude, on constatait en 1990 les disparités sociales suivantes :

- les zones de pauvreté se rencontraient à la fois dans les centres des villes de Montréal et de Québec et dans les villages des régions éloignées ;
- les zones de prospérité se trouvaient dans les banlieues et dans les petites villes servant de centre de services pour les régions éloignées.

On y identifiait les sources de revenus pour une personne ou une famille suivantes :

- le travail rémunéré ou l'emploi, les revenus de loyers ;
- les subventions de l'État ou les transferts fiscaux : bourses, octrois, assurance-chômage, bien-être social, allocations familiales, pensions, etc. ;
- le partage du revenu d'une autre personne ;
- les rentes, les épargnes personnelles, les placements ;
- un héritage ;
- les gains de loterie.

Les deux dernières sources sont évidemment très aléatoires. Elles servent davantage à faire rêver les individus qu'à leur assurer un revenu.

Nous avons parlé au chapitre 1 des nouvelles formes de pauvreté. De nombreuses études techniques ont été faites pour déterminer les seuils à partir desquels une personne et une famille pouvaient être définies comme pauvres. Toutes n'arrivent pas aux mêmes conclusions[19]. Il est cependant possible de distinguer deux types de pauvreté : la pauvreté absolue et la pauvreté relative.

Par PAUVRETÉ ABSOLUE, on entend l'incapacité de satisfaire les besoins élémentaires de survie, soit les besoins de nourriture, de vêtements et de logement. C'est ce que l'on appelle aussi le strict minimum vital. La PAUVRETÉ RELATIVE désigne plutôt la privation de biens de consommation qui résulte de revenus insuffisants. Il s'agit de biens considérés autrefois ou dans d'autres pays comme un luxe mais qui sont généralement jugés ici indispensables à l'organisation de la vie domestique. On pense par exemple au téléphone, à la radio, à la télévision, au réfrigérateur, aux installations sanitaires et à l'approvisionnement

18. Conseil des affaires sociales, *Deux Québec dans un,* Montréal, Gaétan Morin, 1989.

19. Voir Simon Langlois, « Les seuils de la pauvreté », dans Madeleine Gauthier, *Les nouveaux visages de la pauvreté,* Québec, Institut québécois de recherche sur la culture, p. 199-220.

en eau courante et en eau chaude. On dit d'une personne qui n'a pas accès à ces biens qu'elle est relativement pauvre.

La pauvreté n'est pas seulement une condition économique, mais aussi un mode de vie qui met l'individu à la merci de la conjoncture économique, sociale ou climatique. Elle se traduit par l'incapacité d'avoir des projets, des ambitions, des aspirations. Le pauvre est captif de l'univers des besoins.

Au début du siècle, le sociologue français Maurice Halbwachs a élaboré une théorie sur les besoins et les classes sociales[20]. Cette théorie fait intervenir la distinction entre trois univers différents : l'univers des besoins, l'univers des aspirations et l'univers du rêve. Selon Halbwachs, quand l'individu n'est pas en mesure de satisfaire ses besoins, il lui est très difficile d'accéder à l'univers des aspirations, l'aspiration étant définie comme une ambition réalisable à court ou à moyen terme. Il aura donc tendance à se réfugier dans l'univers du rêve, qui représente par définition l'inaccessible. Il rêvera d'autant plus qu'il lui est impossible de réaliser ce qu'il souhaite réaliser. On peut voir dans la multiplication des files d'attente aux guichets de la 6-49 les soirs de gros lot une illustration de cette théorie.

La pauvreté et l'exclusion ne veulent pas nécessairement dire la même chose. Même si le premier stade de l'exclusion sociale est la perte d'emploi ou le décrochage scolaire, les pauvres ne sont pas tous exclus et isolés, comme l'a bien montré Madeleine Gauthier[21].

Selon le Bureau de la Statistique du Québec, les deux tiers des bas salariés en 1988 étaient soumis aux normes minimales du travail, et un peu plus de la moitié étaient des jeunes de 25 ans et moins. Les mécanismes qui mènent à l'exclusion ont fait l'objet de diverses études qui permettent de mener des actions préventives.

Les groupes d'itinérants du centre de la ville à Montréal ou Québec comprennent notamment des sans-abri, des gens atteints du sida, des drogués et des ex-psychiatrisés, bref, des personnes qui n'entretiennent des relations sociales qu'avec d'autres itinérants ou sans-abri. Comme l'a montré Shirley Roy dans son étude sur l'itinérance à Montréal[22], la marginalisation ou l'exclusion ne se font pas du jour au lendemain. C'est un long processus de mise à l'écart dont l'individu est la victime non consentante. Les étapes de ce parcours sont souvent les mêmes : perte d'emploi, chômage de longue durée, bien-être social, consommation d'alcool et de drogues jusqu'à la dépendance, perte des amis,

20. Maurice Halbwachs, *La classe ouvrière et les niveaux de vie,* Paris, Alcan, 1913.

21. Madeleine Gauthier, « La sociabilité des jeunes chômeurs », dans R. Levasseur (dir.), *De la sociabilité,* Montréal, Boréal, 1990, p. 153-168.

22. Shirley Roy, *Seuls dans la rue – Portraits d'hommes clochards,* Montréal, Éditions Saint-Martin, 1988.

En collaboration avec des organismes de charité, les gouvernements réalisent, avec plus ou moins de succès, des programmes de réinsertion des bénéficiaires de l'aide sociale dans le marché du travail.

rupture ou éloignement de la famille, mendicité périodique (la dernière semaine du mois) et finalement itinérance. Ce parcours s'accompagne aussi d'une lente dépréciation de soi.

Les sans-abri et les itinérants se concentrent dans les mêmes lieux géographiques (quartiers, coins de rue) et fréquentent les mêmes soupes populaires et les mêmes refuges. Ceux-ci sont soutenus financièrement par des organismes de charité, des bénévoles, des vedettes et des artistes, et les divers paliers de gouvernement. Même si l'individu qui décroche du marché du travail ou de l'école est plus vulnérable, l'existence de ce réseau d'entraide peut l'aider à éviter l'exclusion.

On mène actuellement plusieurs expériences sociales sur la phase de fragilité-vulnérabilité. Selon le sociologue français Robert Castel, c'est précisément durant cette phase qu'il importe d'intervenir pour empêcher que se complète le processus d'exclusion[23].

Ainsi, certaines organisations communautaires d'alphabétisation tentent d'aider les décrocheurs à retourner aux études. Ils leur fournissent des connaissances techniques sur le monde du travail en même temps qu'un milieu social d'appartenance.

L'édition du journal *L'Itinéraire,* réalisée à Montréal par des itinérants, en fournit une seconde illustration. Ce journal traite des différents aspects de la vie à Montréal du point de vue d'un itinérant et propose des solutions à divers problèmes urbains (vie sociale, environnement, mendicité). C'est là l'exemple de l'action utile d'un groupe de gens vulnérables. En produisant un journal rendant compte des problèmes vécus par tous et en le distribuant aux endroits où ils mendiaient auparavant, ces individus font un premier geste pour se prendre en charge.

La transformation des classes moyennes

Dans une société, il n'y a pas que des pauvres et des riches. Il y a aussi une classe moyenne, qui englobe la vaste majorité de la population. L'étendue et

23. Robert Castel, « La dynamique des processus de marginalisation : de la vulnérabilité à la désaffiliation », *Cahiers de recherche sociologique,* Presses de l'UQAM, n° 22, 1994, p. 11-28.

la composition très diverse de ce groupe justifient qu'on parle parfois « des » classes moyennes pour exprimer que ce groupe rassemble en fait des sous-groupes formés d'individus ayant des revenus, des sources de revenus et des intérêts bien spécifiques[24].

Au début des années 50, la classe moyenne comprenait les travailleurs non manuels, dits aussi cols blancs. Puis, on y a inclus les ouvriers spécialisés (électriciens, mécaniciens, plombiers, etc.) dont les revenus et les aspirations se rapprochaient de ceux des employés de bureau.

Les emplois de la classe moyenne, comme ceux de la classe ouvrière d'ailleurs, étaient des emplois réguliers à temps plein. Ils procuraient une relative sécurité de travail aux personnes et aux familles qui les occupaient, leur permettant de réaliser certaines aspirations, notamment d'avoir des enfants et d'acheter une maison et une voiture.

Cette classe moyenne s'est bien transformée. Le travail précaire a remplacé le travail régulier à temps plein. On évalue actuellement à plus de 50 % la main-d'œuvre qui n'a pas d'emploi régulier à temps plein.

Si l'on ajoute à cela la proportion de chômeurs (autour de 10 %) et de prestataires de bien-être social (10 %), on voit qu'il existe des clivages sociaux importants, voire même une polarisation de la société[25]. Selon des données récentes, 70 % de la main-d'œuvre vivrait soit dans la pauvreté, soit dans une situation précaire.

Une partie de la classe moyenne s'est cependant enrichie, notamment les travailleurs occupant des postes qui demandent une maîtrise de la haute technologie, le tertiaire moteur. Simon Langlois inclut aussi dans cette classe les ménages à deux revenus. Ils sont de plus en plus nombreux, comme l'indique l'encadré 6.

ENCADRÉ 6

...du revenu des époux

Au cours des 30 dernières années, la société canadienne a été profondément marquée par la croissance du nombre de familles époux-épouse à deux soutiens.

Entre 1967 et 1993, la proportion de ces familles a presque doublé, passant de 33 % à 60 %.

24. Paul Bernard Paul et Johanne Boisjoly, « Les classes moyennes : en voie de disparition ou de réorganisation ? », dans Gérard Daigle (dir.), *Le Québec en jeu*, Montréal, Pressses de l'Université de Montréal, p. 297-334.

25. Voir Simon Langlois, « Le travail à temps partiel : vers une polarisation de plus en plus nette », *Relations industrielles*, 1990, vol. 53, n° 3, p. 548-564.

En moins d'une génération, la famille traditionnelle – où l'époux gagne la vie du ménage et l'épouse reste à la maison – s'est transformée : de plus en plus, les deux conjoints travaillent à l'extérieur du foyer.

Parallèlement, l'écart entre le revenu d'emploi des conjoints qui travaillent s'est rétréci.

En 1993, le salaire des épouses qui travaillaient correspondait en moyenne à 57 % de celui de leur mari, comparativement à 42 % en 1967.

Ces deux phénomènes ont notamment entraîné une augmentation du pourcentage de couples où les deux conjoints travaillent et où l'épouse touche un revenu supérieur à celui de son mari.

En 26 ans, cette proportion est passée de 11 % à 25 %[26].

C'est d'ailleurs grâce à ce double revenu que les ménages ont pu maintenir leur pouvoir d'achat en dépit de la diminution de la taille de la classe moyenne.

Comme le montrent le tableau 4 et la figure 2, c'est sans doute surtout grâce aux transferts fiscaux (retour de TPS, allocations familiales, crédits pour enfants, pensions de retraités, RRQ, assurance-chômage, bien-être social) que la classe moyenne, qui a vu ses revenus diminuer, a pu maintenir son pouvoir d'achat. Les employés à temps partiel, sur appel, saisonniers, contractuels, occasionnels, temporaires, à la pige et de sous-traitance sont de plus en plus nombreux au sein de cette classe.

Tableau 4 Répartition des salariés

Part en pourcentage	1971	1994	Écart
Bas salariés	20	22,3	2,3
Classe moyenne	60	54,6	–5,4
Hauts salariés	20	23,1	3,3
Total des salariés	100	100	

26. *Le Devoir,* 18 février 1996.

Figure 2 Écarts de revenus entre riches et pauvres en 1971 et 1993 (Québec)[27]

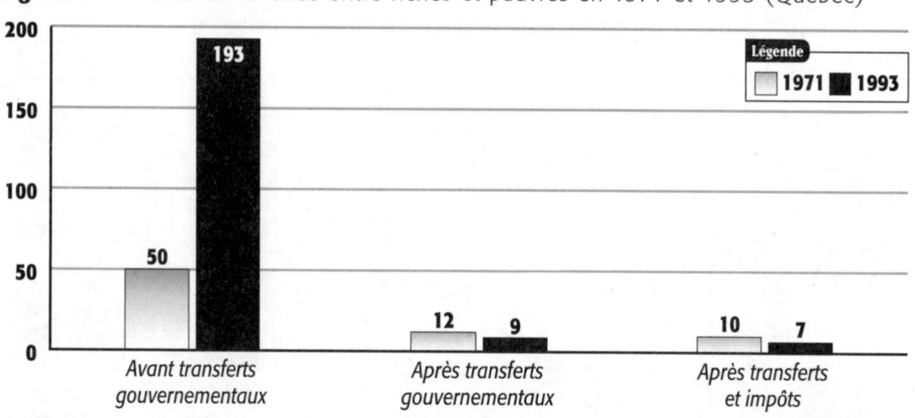

4 Les défis et les débats actuels

On peut dégager de ce qui précède les problèmes qui représentent les principaux défis actuels pour notre société :

- la pénurie d'emplois ;
- les écarts sociaux grandissants ;
- l'intégration sociale dans un contexte d'éclatement des cadres traditionnels de vie (famille, religion, monde du travail) ;
- la scission entre le travail et la famille.

On a pu constater au cours des dernières campagnes électorales, que ce soit aux États-Unis, en France, au Canada ou au Québec, que tous les partis politiques aspirant au pouvoir mettent le problème de l'emploi et du chômage au centre de leur programme. Dans tous les sondages sur les préoccupations des gens, la pauvreté et le chômage font partie des inquiétudes partagées par le plus grand nombre.

Il s'agit donc d'un problème majeur auquel tous cherchent à apporter des solutions. Il n'y a pas de recette magique. L'objectif est bien sûr de concilier la modernisation technique et économique avec la préservation du tissu social[28]. Il est clair pour tous les analystes que nous ne pouvons plus espérer vivre la situation prévalant durant la période des Trente Glorieuses, alors qu'on pouvait offrir un emploi standard au plus grand nombre tout en

27. Hélène Bégin, « Hausse de l'inégalité des revenus au Québec : mythe ou réalité », *En perspective,* Bulletin du Mouvement Desjardins, février 96. Cité par Claude Turcotte dans *Le Devoir,* 2 mars 1996.

28. Voir Bernard Schwartz, *Moderniser sans exclure,* Paris, Seuil, 1994.

ayant une maîtrise relative du chômage. Avec l'automatisation, la croissance économique peut se réaliser sans l'apport du travail humain.

Pourtant, le travail demeure encore une valeur importante. C'est d'abord un moyen de gagner sa vie, mais c'est aussi un moyen d'identification et de participation sociale très valorisé[29]. De plus, dans une société où les cadres sociaux éclatent, le travail demeure un lieu de réalisation personnelle privilégié. Il a pris pour les individus une valeur d'autant plus grande que la famille et la religion n'offrent plus le même encadrement que naguère. La reconnaissance d'autrui passe souvent par le milieu de travail ; il constitue ainsi un des principaux créateurs de liens sociaux.

En résumé, le travail permet de produire et de partager la richesse, et de créer des liens sociaux. Il contribue ainsi à constituer l'identité sociale d'une personne. Il représente pour de nombreux individus le meilleur fil conducteur de l'évolution personnelle.

C'est dans cette optique que l'on a longtemps revendiqué le droit au travail. Les femmes l'ont revendiqué durant les années 70 au nom de l'autonomie financière, de la réalisation personnelle, de la participation et de l'intégration sociale. On considère maintenant que tous et chacun ont le droit de se sentir utile dans la société. L'impossibilité d'accéder au marché du travail représente en ce sens un drame et un fardeau pour la société et pour les individus. La personne sans travail a besoin de la société pour vivre, mais la société n'a plus besoin d'elle. C'est là le drame du chômage.

Les pistes de solution

Plusieurs sont à la recherche de solutions au problème de l'emploi. Il nous faut choisir entre une société duale, avec les coûts individuels et sociaux que cela comporte, et une société unifiée. Dans le dernier cas, il faut agir pour changer la situation.

L'intégration de la technologie à nos vies doit se faire dans le respect de la solidarité sociale. Il faut maintenir la cohésion qui est le ciment de toute vie collective. Le problème est de savoir comment moderniser sans exclure, pour reprendre la formule de Bertrand Schwartz.

Les débats actuels portent sur les points suivants :

1. la satisfaction des nouveaux besoins ;
2. la promotion de la recherche et développement ;
3. le partage de l'emploi.

29. Renaud Sainsaulieu, « Stratégies d'entreprise et communautés sociales », *Revue économique*, 1988, vol. 39, n° 1, p. 155-173.

Nous allons maintenant examiner ces trois points un à un.

1. La satisfaction des nouveaux besoins. – Même un économiste comme Galbraith constate qu'il existe des besoins immenses à combler dans les domaines de l'éducation, de la santé et de la culture[30]. Claude Béland, président du Mouvement Desjardins, abonde dans le même sens : « Il suffit d'ouvrir les yeux pour voir qu'il y a plein de choses à faire : des routes à réparer, d'autres à construire, des forêts à aménager, des berges à nettoyer, des maisons à rénover, des parcs à faire fleurir, des terres à cultiver, de la récupération à effectuer [...] plein de choses à faire[31]. »

On peut ajouter à cette liste les services dits de proximité, qui sont offerts aux individus isolés et démunis comme les personnes âgées, les malades et les immigrants. Les besoins sont d'autant plus criants que les différents paliers de gouvernement responsables de ces services vivent des difficultés financières sans précédent qui les empêchent de créer de nouveaux emplois. Ils ont plutôt tendance à rationaliser leurs opérations en faisant des coupures de personnel.

Il y a aussi des besoins à satisfaire dans le domaine de l'environnement. Cependant, dans la conjoncture économique actuelle et compte tenu du mauvais état des finances publiques, il est difficile d'espérer des déblocages importants susceptibles de créer de l'emploi.

Et pourtant, la réalisation de ces tâches permettrait de faire travailler des gens qui, à leur tour, paieraient des taxes et des impôts, consommeraient et feraient des projets, au lieu de recevoir passivement des prestations de l'État. Éventuellement, cette logique du travail devra prévaloir et permettre de transformer des prestataires en payeurs de taxes et d'impôts.

2. La promotion de la recherche et développement. – Les pays qui ont réussi à développer des créneaux dans le marché international sont des pays qui ont beaucoup investi dans la recherche et l'innovation pour ouvrir de nouveaux secteurs d'activité économique (haute technologie, environnement, communications).

C'est par la recherche et l'innovation que l'on peut mettre des produits au point et leur trouver des débouchés, de manière à créer de la richesse et à améliorer la qualité de vie des citoyens. Cependant, bien que cette stratégie produise des emplois bien rémunérés et de qualité, ce sont souvent des emplois très spécialisés et donc peu accessibles à la majorité de la main-d'œuvre.

30. Voir Claude Julien, *Le Monde Diplomatique,* sept. 94, p. 17.

31. *La Presse,* 17 février 1996.

3. *Le partage de l'emploi*. – L'idée du partage de l'emploi était déjà mise de l'avant par certains intellectuels durant les années 70, mais ce n'est que maintenant qu'elle est défendue par les partis politiques et les centrales syndicales. Comme le bassin d'emplois s'est rétréci considérablement durant la dernière décennie, il s'impose de faire un meilleur partage des emplois disponibles. Le droit au travail ne doit pas nécessairement se traduire par une semaine de travail de quarante à cinquante heures. La plupart des travailleurs se satisferaient très bien d'une semaine plus courte et de plus de congés.

La question est de déterminer comment partager le travail. Pour que l'effet de telles mesures soit important, il faut s'appuyer sur des décisions politiques applicables à l'ensemble de la société. Des lois promulguant des semaines de travail moins longues, des vacances plus longues, le contrôle du temps supplémentaire, une plus grande accessibilité à la retraite ou à la préretraite avec des conditions intéressantes permettraient à un plus grand nombre de personnes de travailler.

Cette conception rejoint celle du sociologue André Gorz qui, depuis les années 70, défend une répartition plus égalitaire du travail et de la masse salariale. Avec les possibilités qu'offre la technologie actuelle, les individus pourraient diminuer le nombre d'heures qu'ils consacrent à leur travail rémunéré et utiliser leur temps libre pour faire d'autres types d'activités, par exemple des activités d'entraide, de création et de développement personnel. Ils pourraient ainsi tisser de nouveaux liens sociaux[32]. Cette conception de Gorz repose sur la distinction entre le TEMPS DE TRAVAIL NÉCESSAIRE (consacré à gagner sa vie) et le TEMPS DE TRAVAIL LIBÉRÉ (sans but économique). Le travail rémunéré demeure toujours une source importante d'identité sociale, mais il n'est pas la seule. Il existe d'autres voies de réalisation personnelle.

Une société où tout le monde pourrait gagner sa vie tout en ayant par ailleurs des activités restructurantes serait plus harmonieuse. Le climat social y serait meilleur que dans une société composée d'une minorité qui monopolise le travail et la consommation et d'un grand nombre d'exclus.

Pour le sociologue Jacques Robin, nous sommes au début d'une nouvelle civilisation qui privilégie le *temps choisi* par rapport au *temps subi* (consacré au travail)[33]. Les individus ont la possibilité d'affirmer leur identité non seulement dans le milieu du travail, mais aussi durant les périodes de temps choisi. La fonction du travail sur le plan de notre imaginaire s'en trouve transformée. Il ne suffit plus simplement de produire : il faut aussi discuter, parler, débattre, s'engager, se distraire et inventer.

32. André Gorz, *Métamorphoses du travail*, Paris, Galilée, 1988.

33. Jacques Robin, *Quand le travail quitte la société postindustrielle*, Paris, GRIT, 1994.

Cette conception de Gorz et de Robin, qui était une pure utopie durant les années 70, semble de plus en plus prise au sérieux, dans la mesure où l'idée du partage de l'emploi devient crédible dans une perspective de société plus égalitaire et solidaire. Ainsi, en Allemagne, la réduction négociée du temps de travail entre 1982 et 1992 a permis d'augmenter de 6,5 % le nombre d'emplois à temps plein en plus de sauver un millier d'emplois[34].

Les responsabilités respectives des différents acteurs sociaux

Dans une situation de changement, les différents acteurs sociaux que sont l'État, les entreprises et les syndicats doivent assumer des responsabilités spécifiques en vue de relever les défis qui se présentent à l'ensemble de la société.

1. L'État. – La première fonction de l'État est de légiférer. À l'heure actuelle, la plupart des travailleurs à statut précaire ne sont protégés que par les normes minimales de travail. Très souvent, les patrons ne respectent pas les normes relatives au salaire minimum, à la semaine de travail, au paiement du temps supplémentaire, aux vacances, à la santé et sécurité au travail.

L'État doit aussi se doter d'une politique de l'emploi (travaux publics, limite du temps supplémentaire) et rendre possible le partage du travail en diminuant la semaine de travail, forcer l'entreprise à participer à la formation et au recyclage, et soutenir l'entreprise dans l'innovation, la recherche et la création d'emplois. Les économistes Lise Poulin-Simon et Diane Bellemare ont montré que, dans les pays qui ont fait de l'emploi une condition de développement économique et social, les politiques de gouvernements socio-démocrates ont été déterminantes pour maintenir des niveaux d'emploi suffisants[35].

En plus de redistribuer la richesse par le biais des prestations sociales, l'État devrait mettre sur pied des mesures actives visant le développement et la création d'emplois. Ainsi, il existe des programmes d'encouragement à l'entrepreneurship et au développement d'initiatives répondant à des besoins spécifiques. Ces mesures actives ont un caractère incitatif et sont susceptibles de créer des emplois, donc d'alléger le fardeau social de l'État et d'apporter de l'argent à ses coffres.

Enfin, l'État est toujours le premier responsable de la formation et de l'éducation dans une société.

---

34. Voir S. Lehndorf, *Futuribles,* février 1985, p. 5-29.

35. Lise Poulin-Simon et Diane Bellemare, *Le défi du plein emploi,* Montréal, Éditions Saint-Martin, 1986.

2. Les entreprises. – Considérons maintenant les responsabilités de l'entreprise. Nous avons déjà parlé de l'importance des mesures de modernisation dans les années 90. Nous avons souligné que l'entreprise doit accroître sa flexibilité, non seulement de façon statique, mais aussi de façon dynamique en offrant un minimum de sécurité à ses employés et en leur permettant de se recycler et de se former pour faire face aux changements technologiques.

Voici un exemple de la capacité de l'entreprise à s'adapter aux situations nouvelles.

Le manifeste européen des entreprises contre l'exclusion, présenté à la Communauté économique européenne (CEE) par 20 chefs d'entreprise en janvier 1995, énonce une série de mesures destinées à favoriser la participation des employés dans le développement de l'entreprise :

- la diminution des heures supplémentaires ;
- la prévention de l'absentéisme ;
- la formation du personnel ;
- le rejet des exigences d'embauche favorisant des employés surqualifiés ;
- l'absence de discrimination envers ceux ayant vécu un chômage prolongé.

Il ne s'agit bien sûr que d'une initiative locale, mais elle suppose une véritable prise de conscience de la situation de l'emploi et une volonté de changement. Les changements se font toujours d'abord à une petite échelle. Des groupes minoritaires deviennent peu à peu majoritaires et contribuent à régler les problèmes.

3. Les syndicats. – Les actions des syndicats sont à l'origine de plusieurs mesures sociales dans les domaines de la santé, de l'éducation, du logement, de la santé et sécurité au travail et des congés de maternité. Le défi de l'emploi ne peut être relevé sans la participation active des syndicats. En regard des problèmes actuels sur le marché de l'emploi, le rôle des syndicats apparaît particulièrement important dans la défense des sans-emploi, l'élaboration d'un nouveau partenariat misant sur la concertation dans l'entreprise et la promotion du partenariat et de la concertation dans l'ensemble de la société. Les syndicats doivent favoriser la concertation entre l'État, les entreprises et eux-mêmes, de même que la concertation avec les groupes populaires.

Même si les individus peuvent être soutenus par les différents acteurs sociaux, ils ont une responsabilité propre dans l'orientation de leur destin.

L'éducation et la formation d'un citoyen dépendent de ses goûts et de sa motivation, mais aussi de sa détermination. Le savoir-faire s'apprend à l'école ou par la pratique, mais le savoir-être relève de l'individu, de ses connaissances générales, de sa culture, de sa souplesse et de ses aptitudes à communiquer et à travailler avec les autres. Pour changer les modes de fonctionnement du milieu du travail ou de la société, l'individu doit pouvoir s'intégrer à des groupes voués à la défense d'intérêts communs.

ENCADRÉ 7

L'engagement des différents acteurs sociaux envers l'équilibre travail-famille

Nous avons vu au chapitre précédent que les parcours professionnels des femmes étaient plus irréguliers que ceux des hommes. Les femmes occupent plus souvent des emplois à temps partiel et sont amenées à se retirer du marché du travail pour accoucher et pour s'occuper des enfants en bas âge. L'un des défis de notre époque est de permettre aux couples qui ont des enfants de poursuivre aussi une vie professionnelle.

L'État, les entreprises et les syndicats ont tous un rôle à jouer à cet égard : l'État, par ses politiques, l'entreprise, par son organisation du travail, et les syndicats, par leurs revendications. Les mesures favorables aux familles sont connues : il faut des congés parentaux, des congés pour maladies d'enfants, la mise en place d'un réseau de garderies, l'élaboration d'horaires plus souples, la reconnaissance du travail à temps partiel. Ces mesures qui ne sont pas encore généralisées. Il est clair que l'entreprise et l'État ne se sont pas encore ajustés à l'évolution du monde du travail.

ENCADRÉ 8

L'histoire de Robert

L'histoire suivante illustre bien le fait que le travail est non seulement un gagne-pain, mais aussi un lieu social où l'individu peut affirmer son identité et participer à un projet social.

Robert, un ingénieur de 45 ans, est remercié par l'entreprise pour laquelle il travaille depuis dix ans. Celle-ci a entrepris de rationaliser ses activités et congédie cinquante ingénieurs en plus d'une centaine d'autres employés : des techniciens, des graphistes et des secrétaires.

Robert vit seul, n'a pas d'enfant, mais fournit une aide financière à ses vieux parents qui habitent un quartier ouvrier de l'Est de Montréal. Il a bon espoir de se trouver assez vite un autre emploi. Il a de nombreuses expériences professionnelles intéressantes à son actif, a notamment dirigé des chantiers et des équipes de travail à la baie James, en Afrique, au Brésil.

Un an, deux ans passent : deux années jalonnées de démarches infructueuses. Il peut bien se dire qu'il n'est pas le seul dans sa situation et que plusieurs milliers d'ingénieurs vivent la même chose au Québec, ses propres échecs lui apparaissent tout de même comme un drame personnel. Depuis toujours, il est fortement identifié à son travail et à sa profession. Son incapacité de s'affirmer professionnellement le déprime.

Il n'est plus le même à ses yeux ; il perd contact avec ses anciens compagnons de travail et ses rares amis. Pour Robert, un homme en bonne santé doit se lever le matin, s'habiller et partir travailler. Rester à la maison dans l'attente d'un téléphone et vivre du chèque bien chiche qu'il reçoit à chaque mois sont pour lui les marques d'une véritable déchéance. Ses parents très âgés décèdent à cette époque. Il prend l'habitude de boire et devient graduellement alcoolique.

C'est alors qu'il fait une dépression et doit séjourner à l'hôpital psychiatrique. Il en sort quelques mois plus tard affaibli, fragile, muni d'une ordonnance bien remplie. Sur les conseils de son médecin, il s'inscrit chez les Alcooliques Anonymes. Il y rencontre des gens qui vivent les mêmes problèmes que lui, y trouve un soutien et s'y fait des amis. Au bout de quelque temps, il y fait la connaissance de Johanne, qui devient sa compagne. Elle n'a jamais été sur le marché du travail, est peu scolarisée et est de santé fragile. Elle travaille bénévolement plusieurs heures par semaine pour les Alcooliques Anonymes. Elle lui fait découvrir le cinéma, la littérature, la musique, les balades en vélo, lui présente ses amies et sa famille. De son côté, il poursuit ses démarches de recherche d'emploi, toujours infructueuses. Mais il est tenace. Grâce à l'affection, à l'admiration et au dynamisme de Johanne, il reprend peu à peu confiance en lui, même s'il souffre toujours de rester à la maison à attendre un appel qui ne vient pas.

Et puis, un beau matin, ça y est : on l'appelle et on lui donne un rendez-vous l'après-midi même. On crée un nouveau chantier à la baie James. Il s'habille comme à l'époque, alors qu'il était un travailleur régulier, et se présente à l'entrevue dans un des édifices à bureaux du centre de la ville. Tout se passe bien et il retourne de bonne humeur chez lui. Dans la soirée, il reçoit un autre téléphone : on lui offre de partir pour la baie James dès le mardi suivant. Il accepte sur-le-champ.

Il doit partir dans cinq jours. Il a à peine le temps de signer quelques papiers, de confier ses affaires à Johanne, de se procurer des vêtements chauds en pleine période de canicule montréalaise, de dire bonjour à ses amis. Le 12 juillet à 9 heures 30, Robert s'envole de Dorval pour la baie James avec en poche un contrat renouvelable de huit à dix mois. Il reviendra toutes les cinq semaines pour un congé de huit jours. Il est heureux, épanoui : sa vie a repris un sens. Ce n'est plus le même homme.

Il devra se recycler, car on utilise de nouvelles technologies. De plus, son supérieur immédiat est un jeune finissant de l'École polytechnique. Dans son équipe se trouvent trois femmes, récemment diplômées également. Ces réalités nouvelles représentent pour Robert autant de défis personnels.

RÉSUMÉ

1. Pour comprendre les défis que représentent les transformations du monde du travail, il faut voir comment le travail a évolué au cours des âges et la signification sociale qu'on lui a accorde. C'est avec l'industrialisation et le développement du capitalisme au XIXe siècle qu'émergea la conception encore prédominante du travail : une semaine de six, puis de cinq jours de travail, le salariat et la spécialisation.

2. Les transformations du milieu du travail survenues depuis la fin de la Seconde Guerre mondiale sont imputables à trois facteurs : l'innovation technologique, la mondialisation de l'économie et les facteurs culturels.

3. L'automatisation du travail a entraîné une nouvelle organisation du travail qui s'est traduite notamment par une réduction du personnel employé à des tâches répétitives et un accroissement du travail à domicile. La mondialisation de l'économie a engendré une division internationale du travail en vertu de laquelle la conception, le financement et la fabrication ne sont plus effectués en un même endroit. Finalement, les mouvements sociaux ont défendu une conception du travail plus valorisante pour l'individu.

4. Ces transformations ont eu des conséquences d'une part sur l'emploi, la gestion et l'action syndicale et d'autre part sur la répartition de la richesse. Sur le plan de l'emploi, les entreprises ont eu tendance à embaucher du personnel temporaire, surnuméraire et contractuel dont elles attendent plus de flexibilité. Pour s'attacher leurs employés, elles ont dû inventer de nouveaux modes de participation visant à démocratiser certains processus de décision. De leur côté, les syndicats ont tenté d'élaborer de nouvelles stratégies pour protéger les emplois, mais ont ainsi contribué à l'embauche d'employés précaires.

5. Sur le plan de la répartition de la richesse, on a observé une augmentation du chômage et un accroissement des disparités régionales au Québec. Diverses mesures ont été adoptées pour contrer l'exclusion sociale, qui se manifeste dans l'itinérance. On a constaté une transformation de la classe moyenne, qui s'est réduite et n'a pu maintenir son pouvoir d'achat que grâce au double revenu ou aux transferts fiscaux.

6. Les principaux défis que soulève cette transformation sont notamment la pénurie d'emplois et les écarts sociaux grandissants. L'objectif des principaux acteurs sociaux – l'État, l'entreprise et syndicats – doit être de concilier la modernisation technique et la préservation du tissu social.

POUR CONTINUER LA RÉFLEXION

GORZ, André, *Métamorphoses du travail,* Paris, Galilée, 1988.

SAINT-PIERRE, Céline, « Transformations du monde du travail », dans Fernand DUMONT (dir.), *La société québécoise après 30 ans de changements,* Québec, Institut québécois de recherche sur la culture, p. 67-79.

SOCIÉTÉ RADIO-CANADA, *Le travail mode d'emploi,* journaliste Pierre Sormany, dimanche le 10 septembre 1995, 60 min.

TREMBLAY, Diane-Gabrielle, *L'emploi en devenir,* Québec, Institut québécois de recherche sur la culture, 1990.

TROISIÈME PARTIE

Trois instruments de transformation des sociétés

CHAPITRE 6

L'éducation

CHAPITRE 7

La culture

CHAPITRE 8

L'État

Au cours de cette troisième et dernière partie du manuel, nous allons étudier trois instruments dont disposent les sociétés pour relever les défis actuels. Ce sont l'éducation, la culture et l'État.

L'éducation est l'action qu'exerce une génération sur une autre pour l'amener à s'intégrer à la société. Toutes les sociétés confient à une ou des institutions sociales la tâche de socialiser les enfants. Dans notre société, cela incombe d'abord aux parents, puis à l'école, qui prend très tôt la relève, en collaboration d'abord avec la famille et ensuite avec les autres institutions sociales. L'école a comme fonction de transmettre des connaissances qui permettront aux jeunes de s'intégrer au marché du travail, mais elle leur inculque aussi des valeurs nécessaires à leur épanouissement personnel. C'est par l'école que notre société pourra relever les défis reliés à l'évolution technologique, à la nouvelle division internationale du travail, à l'affaiblissement du tissu social et aux changements de valeurs qui caractérisent le monde d'aujourd'hui. Mais l'école doit elle-même s'ajuster aux transformations sociales pour être en mesure d'offrir des chances égales aux enfants de tous les milieux, d'assurer la réussite de tous et de faciliter l'intégration sociale dans un contexte d'échanges culturels intensifs.

La culture peut aussi être considérée comme un instrument de développement et d'émancipation des individus et des sociétés. Elle est le signe distinctif d'une société dans un contexte où les identités sont en voie de redéfinition constante et où la standardisation et l'uniformisation menacent tous les modes d'expression. Elle est le lieu par excellence de l'imagination et de l'intuition, et détermine à ce titre l'image qu'une société se fait d'elle-même et qu'elle projette aux autres. La culture doit par ailleurs intégrer les nouveaux moyens d'expression que lui apporte la technologie actuelle et réaffirmer sa place au sein d'une économie de marché qui tend à considérer toute production comme une marchandise.

Finalement, l'État aussi doit être vu comme un moteur de changement. Son rôle dépend évidemment de la conception que l'on s'en fait. À titre d'État-providence, il remplissait plusieurs fonctions : législateur, agent économique et agent responsable des politiques sociales et fiscales visant à rendre accessibles à tous les citoyens les services dont ils ont besoin pour s'épanouir. Cette conception de l'État prévalait depuis la fin de Seconde Guerre mondiale, durant une période de grande prospérité économique. Mais l'accroissement des charges de l'État, la stagnation de ses ressources et la mondialisation de l'économie obligent les acteurs sociaux à reconsidérer son rôle dans l'ensemble social. Il apparaît important de repenser la collaboration entre l'État et les autres acteurs sociaux responsables de l'économie ou des services auprès des personnes : l'entreprise, les syndicats, les groupes populaires et communautaires.

CHAPITRE 6

L'éducation

CHAPITRE

6

1 Éducation et société

- Les conceptions de l'éducation
- Les valeurs qui sous-tendent les diverses conceptions de l'école
- Les niveaux d'orientation et de décision

2 Éducation et transformations sociales au Québec dans les années 60

- La situation avant 1960
- Les réformes
- L'effet de ces réformes sur la scolarisation
- Les processus sociaux mis en branle par ces réformes
- Les agents de résistance au changement

3 L'éducation et les défis actuels

- Les nouveaux facteurs démographiques
- Une société du savoir
- L'école et les valeurs
- L'école et la famille

4 Les défis de l'éducation

- La réussite scolaire
- L'école et l'intégration sociale
- L'analphabétisme et le décrochage
- L'école et la diversité

Résumé

Pour continuer la réflexion

« NOTRE ESPOIR RÉSIDE TOUJOURS DANS L'ÉLÉMENT DE NOUVEAUTÉ QUE CHAQUE GÉNÉRATION APPORTE AVEC ELLE. »
(Hannah Arendt)

On peut définir l'ÉDUCATION comme l'action qu'exerce une génération sur une autre pour l'amener à s'intégrer à la société. On trouve dans chaque société une ou des institutions qui ont pour fonction de transmettre les éléments nécessaires à cette intégration. Souvent, diverses institutions sociales mènent une action concertée. Dans la société d'aujourd'hui, la famille, l'école traditionnelle et l'école dite parallèle (jeux, bandes dessinées, gangs, télévision, cinéma, etc.) transmettent le savoir et les valeurs dont ont besoin les enfants et les jeunes pour en devenir des membres à part entière. En fait, bien avant qu'il n'arrive à l'école, l'enfant a appris beaucoup de choses à la maison, dans la rue et à la garderie. Quand le jeune a l'âge d'apprendre un métier, c'est l'école et l'entreprise qui remplissent cette fonction. Au moment du recyclage ou du perfectionnement, c'est encore le système d'éducation qui entre en jeu par le truchement de l'éducation des adultes, mais également de divers groupes populaires voués à la formation et parfois des syndicats et des entreprises. Il y a donc une foule d'institutions qui s'occupent d'éducation et de formation.

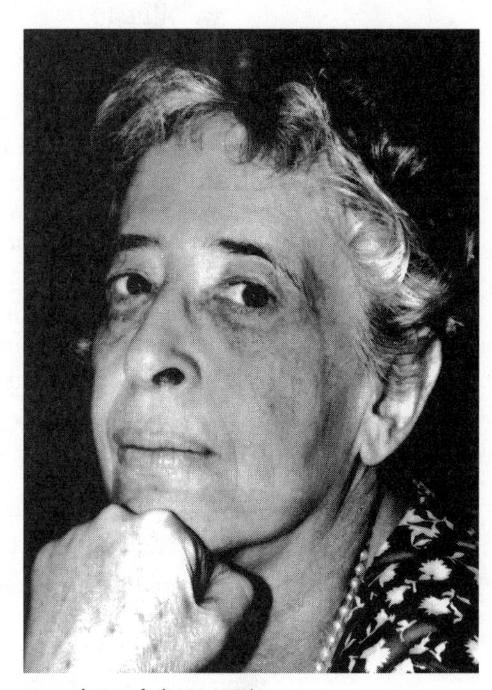

Hannah Arendt (1906-1975).

Dans ce chapitre, nous envisagerons l'école comme institution et considérerons ses liens avec les autres institutions sociales : la famille, le monde du travail, les groupes populaires et l'État. Nous verrons que l'école doit non seulement permettre l'intégration des individus, mais qu'elle doit aussi être facteur important de transformation de la société. Nous nous demanderons d'abord quelles sont les différentes conceptions que l'on a pu se faire de l'éducation au cours des âges et quelles sont celles qui peuvent s'avérer aptes à l'émancipation des individus et des groupes dans nos sociétés. Nous essaierons ensuite de clarifier la relation entre le changement social et l'école par l'étude d'un exemple concret, celui de la vaste réforme de l'éducation réalisée au Québec durant les années 60.

Nous examinerons ensuite comment l'éducation sert à relever les défis sociaux d'aujourd'hui et quels sont les défis auxquels le système d'éducation au Québec doit faire face pour être un outil de changement. L'importance de l'école a été mise en évidence tout au long des chapitres précédents, mais c'est vraiment dans ce chapitre que nous étudierons explicitement ses liens avec les différents agents sociaux et notamment avec l'État.

1 ÉDUCATION ET SOCIÉTÉ

On peut affirmer que l'éducation est un outil privilégié permettant aux individus et aux sociétés de relever les principaux défis de leur époque. Dans une société en profonde mutation, l'école reste une des institutions sociales les plus stables et une des seules qui soient fréquentées par les citoyens de tous les milieux. Alors que la famille est éclatée, que le milieu de travail n'intègre plus aussi bien les individus et que les Églises sont désaffectées, l'école apparaît encore comme une institution commune – peut-être la dernière. Mais elle doit elle aussi bouger et s'adapter à une société qui change, tout en conservant la stabilité qui lui permet de relever les importants défis de l'heure.

Durkheim exigeait qu'on traite l'éducation non pas comme un processus isolé, mais comme un aspect d'une société donnée, dont elle est une partie majeure[1]. Il faut donc essayer de voir le système d'éducation par le biais des relations qu'il entretient avec l'économie, la politique, la famille et la morale de son époque.

ENCADRÉ 1

L'éducation a varié selon les temps et selon les pays

L'éducation a infiniment varié selon les temps et selon les pays. Dans les cités grecques et latines, l'éducation dressait l'individu à se subordonner aveuglément à la collectivité, à devenir la chose de la société. Aujourd'hui, elle s'efforce d'en faire une personnalité autonome. À Athènes, on cherchait à former des esprits délicats, avisés, subtils, épris de mesure et d'harmonie, capables de goûter le beau et les joies de la pure spéculation ; à Rome, on voulait avant tout que les enfants devinssent des hommes d'action, passionnés pour la gloire militaire, indifférents à ce qui concerne les lettres et les arts. Au Moyen Âge, l'éducation était avant tout chrétienne ; à la Renaissance, elle prend un caractère plus laïc et plus littéraire ; aujourd'hui la science tend à y prendre la place que l'art y occupait autrefois. – Dira-t-on que le fait n'est pas l'idéal ; que si l'éducation a varié,

1. Cette conception est présentée dans *Éducation et sociologie*, Paris, Presses Universitaires de France, 1966.

c'est que les hommes se sont mépris sur ce qu'elle devait être ? Mais si l'éducation romaine avait été empreinte d'un individualisme comparable au nôtre, la cité romaine n'aurait pu se maintenir ; la civilisation latine n'aurait pu se constituer ni, par suite, notre civilisation moderne, qui en est, pour partie, descendue. Les sociétés chrétiennes du Moyen Âge n'auraient pu vivre si elles avaient fait au libre examen la place que nous lui accordons aujourd'hui. Il y a donc là des nécessités inéluctables dont il est impossible de faire abstraction. À quoi peut servir d'imaginer une éducation qui serait mortelle pour la société qui la mettrait en pratique[2] ?

Les conceptions de l'éducation

L'idée que l'on se fait de l'éducation a donc beaucoup varié au cours des époques, tout comme l'image que l'on se fait de l'être humain. On se souvient du « bon sauvage » de Rousseau : l'enfant naît bon et c'est la société qui le corrompt. Selon Rousseau, la vie libre en harmonie avec la nature, conformément à la représentation que l'Europe se faisait alors de celle des sauvages[3] d'Amérique, favorisait l'apprentissage de la nature elle-même et de la vie avec ses semblables. Ses ouvrages qui portent sur l'éducation des enfants et sur la vie en société, respectivement *Émile* et *Du contrat social,* sont étroitement reliés. Le développement de la solidarité et du souci de l'autre, naturels chez les êtres humains, se fait par le contact avec la nature et le partage de la vie avec les siens. Le système d'éducation français de l'époque, auquel il s'opposait, était fortement marqué par la morale catholique, qui considérait que les êtres humains sont souillés à leur naissance par une tache originelle. (Le baptême avait justement pour fonction de laver cette tache.) Les conceptions rousseauiste et catholique de l'être humain, de l'éducation et de la vie en société étaient donc foncièrement opposées.

Cet exemple montre bien que le destin de l'école est étroitement relié au destin de la société elle-même[4]. Une société qui a comme projet son développement social et économique est appelée à lui accorder une place centrale. Aujourd'hui encore, nous rencontrons diverses conceptions du rôle de l'école dans la société. En voici quelques-unes.

1. L'école humaniste. – Ce type d'école met l'accent sur l'enfant et ses possibilités d'apprentissage. Celui-ci doit être le premier agent de sa formation, l'école et les professeurs n'étant là que pour le guider. Les enseignants considèrent

2. Émile Durkheim *Éducation et sociologie,* Paris, Presses Universitaires de France, 1966, p. 34.

3. « Sauvage » signifiait alors « habitant de la forêt » et n'avait aucun caractère péjoratif ou négatif, comme c'est le cas maintenant.

4. Voir à ce sujet André Petitat, *Production de l'école : production de la société,* Genève, DROZ, 1982.

L'école est le reflet de la société.

l'ensemble des dimensions de l'enfant, de manière à lui permettre de développer toutes les facettes de sa personnalité et d'acquérir des connaissances. On y accorde donc une grande importance à lui transmettre l'héritage de sa société, de sa civilisation et de l'humanité. Le rôle de l'État est de voir à ce que les programmes et les enseignements reflètent ce caractère humaniste. Le *Rapport Parent sur l'éducation au Québec* (1964-1966) reflétait cette conception de l'éducation.

2. L'école utilitariste. – L'école utilitariste cherche à obtenir des résultats immédiats. Elle sert à former une main-d'œuvre destinée à satisfaire les besoins de l'entreprise en donnant aux élèves une formation technique spécialisée qui répond spécifiquement aux exigences d'une fonction. En principe, on s'y préoccupe moins des autres aspects du développement de la personnalité et des besoins socio-affectifs de l'enfant, puisque l'école sert de courroie de transmission entre le marché du travail et le bassin de main-d'œuvre.

Avec ce type d'école, l'État doit simplement s'assurer que le relais fonctionne bien. S'il lui alloue des ressources, il s'en remet aussi à l'entreprise pour compléter la formation. Il peut lui laisser définir ses propres exigences ou il peut s'y associer en défrayant totalement ou en partie les coûts de formation. Les diverses écoles de métiers mises en place pour les besoins de l'industrialisation sont un exemple de l'école à vocation essentiellement utilitariste.

3. L'école dite économiste ou néolibérale. – Selon cette école, l'individu doit avoir la liberté de choisir son école ou celle de ses enfants à partir d'un éventail de possibilités qu'on lui offre. Autrement dit, l'individu se comporte comme un consommateur dans un supermarché. En général, les citoyens qui veulent envoyer leurs enfants à une école spécialisée doivent appartenir à la bourgeoisie ou à la classe moyenne aisée pour être en mesure d'en défrayer les coûts.

Soumises aux lois de l'offre et de la demande, certaines institutions scolaires sélectionnent leur clientèle, alors que d'autres demeurent accessibles à tous, du moins durant la période de scolarisation obligatoire. Dans ce système de libre concurrence, l'école sert à préparer une élite tout en tâchant d'assurer un minimum d'éducation à la majorité. Un tel système mène à la coexistence de deux réseaux d'éducation, la plupart du temps dotés de moyens matériels et humains inégaux : un réseau privé fréquenté par l'élite et un réseau public destiné à la majorité. L'éducation devient une fonction des coûts et bénéfices pour les utilisateurs ainsi que pour l'État et l'entreprise. L'État se borne alors à offrir le plus grand éventail de choix possible, mais en évitant d'exercer un contrôle sur l'orientation des individus.

L'ensemble de ce système peut être qualifié d'élitiste parce que sa fonction première demeure la sélection sociale d'une minorité. Pour plusieurs, c'était le cas du système d'éducation supérieure québécois des années 40 et 50. La formation des enfants de familles aisées se faisait dans les collèges classiques. Les montants versés par l'État étaient relativement peu élevés. La formation des autres enfants était minimale. La sélection des élèves se faisait selon divers critères, le critère financier étant déterminant. Aujourd'hui, la sélection s'effectue en fonction de tests destinés à identifier les enfants doués.

4. L'école progressiste. – Comme l'école humaniste, la visée de l'école progressiste est de transmettre l'héritage culturel le plus riche possible, tout en sensibilisant les jeunes aux réalités sociales et culturelles de leur époque. Elle veut les amener à s'intéresser à ce qui se passe sur la planète aussi bien que dans leur propre milieu. Dans son fonctionnement, elle se veut démocratique et décentralisée, ce qui demande une forte participation des parents. L'école dite alternative en constitue un bon exemple. Dans la mesure où il existe plusieurs écoles alternatives au sein du système public d'enseignement, ce type d'école est accessible.

Selon cette conception, l'État est le premier responsable de la formation et du financement des écoles, mais celles-ci ont une marge d'autonomie leur permettant de tenir compte des priorités et de l'apport des parents, de la communauté et du quartier.

Le tableau 1 (p. 186) résume les caractéristiques de chacune de ces conceptions ainsi que les principaux éléments d'orientation et de valeurs rattachés aux différents types d'écoles, que nous allons présenter à la prochaine section.

Ces quatre types d'écoles correspondent à ce que l'on nomme en sociologie des « types purs » ou des « types idéaux », selon la terminologie élaborée par Max Weber. Les types sont des constructions de l'esprit nous aidant à mieux comprendre la réalité. Mais celle-ci est souvent plus complexe que les outils analytiques élaborés pour la décrire. Ainsi, l'école n'est jamais purement économiste, utilitariste, humaniste ou progressiste, puisqu'elle est soumise à de multiples centres de décision et d'orientation. On peut lui reconnaître une dominante d'un type particulier, sans pour autant qu'elle puisse correspondre parfaitement à la description de ce type.

Tableau 1 Types d'écoles et valeurs sous-tendues

École	Priorité	Appréhension de l'être humain	Valeurs dominantes
Humaniste	Personne	Personnalité globale	Autonomie de l'individu, héritage culturel
Utilitariste	Marché du travail	Travailleur	Efficacité, rentabilité
Progressiste	Citoyen	Être social	Responsabilité, égalité, démocratie
Néolibérale	Sélection	Personne plus ou moins douée	Compétition, concurrence

Les valeurs qui sous-tendent les diverses conceptions de l'école

Il convient de noter que les attentes de la société envers l'école ne sont pas les mêmes selon les niveaux d'étude. Le niveau de la scolarité obligatoire (en général jusqu'à 16 ans ou l'équivalent du niveau secondaire) doit être avant tout axé sur la formation de base, alors que la formation postsecondaire prépare davantage à l'exercice d'un métier ou d'une profession.

De plus, une école, quelle que soit la définition qu'on en donne, n'est jamais strictement utilitaire. Le personnel qui y travaille quotidiennement doit prendre en considération la personnalité des élèves. L'élève est là avec ses désirs, ses joies et ses peines. De plus, l'école reste toujours un lieu d'échanges et contribue ainsi à la transmission de valeurs multiples. L'entraide et la coopération existent tout autant dans une école de métier préparant à une fonction de travail que dans une école menant à l'obtention d'un diplôme universitaire.

Le sociologue français Pierre Bourdieu a montré que l'école française, qui se veut avant tout une école humaniste, démocratique et ouverte à tous, n'arrive pas à transmettre à tous les enfants également la culture française[5]. Les enfants de la bourgeoisie acquièrent mieux que les autres les éléments constitutifs de cette culture. Ils sont plus aptes à comprendre les grands auteurs, à aimer la peinture et la musique parce que leur milieu familial favorise de tels apprentissages. C'est ce qu'il appelle les HABITUS DE CLASSE, qui sont transmis d'abord par le milieu familial et ensuite par l'école. Celle-ci peut même être un

5. Voir Pierre Bourdieu, « L'école conservatrice – Les inégalités devant l'école et devant la culture » (*Revue française de sociologie,* 1966, vol. 7, p. 325-347) et *La distinction – Critique sociale du jugement* (Paris, Minuit, 1979).

facteur de reproduction des inégalités sociales face à la culture[6]. Malgré cette critique du système français, Bourdieu croit qu'il est possible de faire une l'école qui aide davantage les enfants venant des milieux moins favorisés économiquement et culturellement.

Les sociologues français Beaudelot et Establet ont aussi déconstruit, en s'appuyant sur de nombreuses données empiriques, la façon dont l'école française sert à perpétuer les clivages sociaux[7]. Cependant, ils croient également que l'école est une institution qui pourrait permettre de réduire les inégalités sociales.

Certaines écoles peuvent profitent davantage que d'autres de la marge de manœuvre qui leur est allouée. Une bureaucratie ne peut jamais arriver à tout contrôler, note Michel Crozier[8]. Cette constatation s'avère particulièrement juste dans le cas d'un système reposant presque uniquement sur la dynamique des relations humaines, qu'il s'agisse de la pédagogie, du fonctionnement de l'institution ou de la vie quotidienne au sein même de l'institution – dans les corridors, les cafétérias et les lieux d'activités parascolaires. Ainsi, au Québec, certaines écoles primaires ont des pratiques et des préoccupations plus environnementalistes. D'autres conçoivent du matériel didactique visant à montrer aux enfants à régler leurs problèmes autrement que par la violence. D'autres encore entretiennent des relations étroites avec le milieu local dans l'intention de décloisonner autant que possible les activités scolaires.

Il reste que les grandes orientations de l'école se situent souvent dans le prolongement des priorités sociales. Par ailleurs, il existe une marge de manœuvre propre à chaque milieu humain. Les tendances et le dynamisme du milieu constituent des canaux fondamentaux de transmission du savoir et des valeurs.

Les niveaux d'orientation et de décision

Le fonctionnement de l'école relève de différents niveaux d'orientation et de décision. Il s'agit là encore d'une réalité multiple et complexe, et elle l'est d'autant plus que ces niveaux sont en interaction les uns avec les autres.

Il y a d'abord celui de la société globale, définie par ses institutions économiques, politiques et culturelles ; puis, celui du système d'éducation lui-même,

6. Voir Pierre Bourdieu, *Les héritiers,* Paris, Minuit, 1974.

7. Voir Christian Beaudelot et Roger Establet, *L'école capitaliste en France* (Paris, Seuil, 1971) et *L'école primaire divise* (Paris, Seuil, 1975).

8. Voir Michel Crozier et E. Friedberg, *L'acteur et le système,* Paris, Seuil, 1977.

vaste et ramifié ; et enfin, celui du terrain, où se retrouvent les acteurs qui interagissent quotidiennement avec les enfants et les jeunes.

Dans la société québécoise, on peut diviser le second niveau en deux pour distinguer quatre niveaux généraux d'orientation ou de décision qui ont une influence sur la marche d'une institution scolaire (voir le tableau 2). Chacun de ces quatre niveaux est à son tour ramifié. Cette interaction entre le système d'éducation et la société est dynamique. Les trois sections suivantes de ce chapitre le montreront.

Tableau 2 Niveaux d'orientation et de décision en éducation

Niveau 1	Ensemble de l'organisation politique et économique d'une société
Niveau 2	Système scolaire
Niveau 3	Organisation scolaire de l'institution
Niveau 4	Vécu de l'institution

Chacun de ces niveaux est dans certaines limites autonome par rapport aux autres. Il dispose d'une marge de manœuvre qui lui permet de faire des ajustements. Si nous prenons l'exemple du système collégial au Québec, nous y trouvons quatre niveaux d'orientation et de décision.

RÉVISION

Quelles sont les différentes conceptions courantes de l'éducation, les valeurs inhérentes à chacune d'entre elles et les relations qu'elles supposent avec d'autres institutions sociales (monde du travail, État, famille) ?

1. *L'organisation politique et économique de la société québécoise.* – Cette organisation correspond aux besoins du marché du travail et des régions.

2. *L'ensemble du réseau scolaire.* – Le réseau collégial doit se conformer à des programmes et à des normes de fonctionnement (la Loi des collèges, les normes administratives et budgétaires du ministère de l'Éducation du Québec).

3. *L'organisation du collège.* – Chaque collège est responsable des inscriptions dans son institution, de l'embauche du personnel, des horaires, du fonctionnement des différents services aux étudiants, à la pédagogie, etc.

4. *La vie du collège.* – En dépit de l'existence de normes de fonctionnement et de financement communes aux différents collèges, chaque collège est différent. Cela se manifeste notamment par le choix des programmes et des activités, par la présence de mécanismes de concertation entre les divers groupes et par les relations avec la communauté environnante. Le dynamisme du personnel et des étudiants peut changer tout le climat d'apprentissage et l'environnement socioaffectif de l'institution.

Éducation et transformations sociales au Québec dans les années 60

Nous avons défini l'éducation, au début de ce chapitre, comme l'action qu'exerce une génération sur une autre pour l'amener à s'intégrer à la société. Il arrive qu'une génération de jeunes n'accepte pas ce que lui propose et lui demande la génération de ses aînés. Lorsqu'une partie des adultes acceptent la contestation et sont disposés à procéder à des changements, il devient possible d'en réaliser un certain nombre. Cette possibilité existe même si les forces de résistance demeurent présentes. C'est ce qui s'est passé au Québec au début des années 60.

La situation avant 1960

Deux traits caractérisaient le système d'éducation du Québec avant 1960 : il était élitiste et confessionnel.

Il était *élitiste* en ce sens qu'il avait pour principale fonction de former une élite. Certes, l'État assurait une éducation publique à la masse des individus. Le niveau primaire prévoyait 7 ans d'études dans les villes, où l'on pouvait poursuivre ses études jusqu'à la 11e année, et 9 ans dans les campagnes. Cependant, ce système était doté de ressources très inégales. Chaque commission scolaire devait prélever une taxe foncière pour faire fonctionner ses écoles. Ainsi, les commissions scolaires des villes ou des quartiers riches étaient dotées de plus de moyens que celles des milieux pauvres. À l'intérieur du système public, il y avait donc des écoles de riches et des écoles de pauvres.

De plus, le système le plus valorisé était celui des collèges classiques, dit cours classique. On y faisait 8 ans d'études après le niveau primaire. Le cours classique menait à l'université et aux professions libérales : le notariat, le droit, la médecine et la prêtrise. Comme les institutions qui dispensaient le cours classique étaient privées, elles étaient fréquentées surtout par les enfants de familles favorisées et des milieux urbains. Le rôle de l'État était minimal, puisqu'il se bornait à assumer une partie des frais d'éducation de base et à octroyer de maigres subventions aux collèges de garçons. En effet, les institutions privées offrant le cours classique aux filles ne recevaient aucune subvention. Du reste, elles étaient beaucoup moins nombreuses. Les filles fréquentaient plutôt les écoles ménagères et les écoles de secrétariat. Avant les années 60, les filles ne formaient que 14 % des étudiants universitaires. On les trouvait surtout en « sciences domestiques » ou en pédagogie familiale, où on leur apprenait à bien gérer un foyer et à élever des enfants, les deux facettes de leur principale mission sociale. Ce n'est qu'en 1918 qu'elles eurent accès aux études de médecine. Les départements d'art dentaire, de droit et de notariat leur ouvrirent leurs portes respectivement en 1922, en 1946 et en 1951.

La seconde caractéristique de ce système était d'être *confessionnel*, c'est-à-dire qu'il relevait de l'Église catholique pour les francophones et de l'Église protestante pour les anglophones. Il y avait bien un conseil de l'instruction publique relevant du gouvernement, mais il déléguait ses pouvoirs en matière de programmes, de manuels scolaires, de pédagogie, de formation des maîtres aux comités catholique et protestant qu'il avait créés. Quant aux collèges classiques, ils étaient contrôlés en majeure partie par les communautés religieuses. Le contenu des cours et des programmes étaient aussi déterminé par le comité confessionnel et se conformait toujours, du moins chez les francophones, aux programmes des cours européens du début du siècle. De plus, les programmes des écoles francophones étaient fortement influencés par les principes de la morale catholique.

Les religieuses jouaient un rôle très important dans le système scolaire québécois avant la réforme des années 60.

Plus de 50 % des enseignants étaient des religieux. Les femmes travaillaient surtout au primaire et dans l'enseignement donné aux filles.

Les francophones, les jeunes des régions rurales et les filles de tous milieux avaient un accès limité à l'éducation. Ni l'orientation de l'éducation, ni les contenus et les programmes ne relevaient de l'État. Celui-ci jouait dans ce domaine un rôle marginal.

Cependant, à mesure que la société s'industrialisait, surtout à partir de la fin de la Deuxième Guerre mondiale, les besoins changèrent. Dans les années 30 et surtout à partir de la fin des années 40, on assista au développement d'un réseau d'écoles techniques destinées à l'enseignement professionnel. Ces écoles relevaient de l'État et les programmes étaient établis en fonction des besoins de l'industrie. Cet enseignement échappait au contrôle de l'Église catholique. On trouvait ces écoles techniques et de métier surtout à Montréal et Québec, et elles étaient fréquentées principalement par les garçons.

Il va sans dire que, dans un tel contexte, l'accessibilité et le contenu des programmes comportaient de sérieuses lacunes. Toute l'Amérique du Nord subissait pourtant de profondes transformations technologiques et économiques, et tous les pays devaient ajuster leur système d'éducation à ces nouvelles réalités.

Dans la plupart des pays européens, le système public d'éducation débutait par la fréquentation de la maternelle à temps plein à partir de 4 ans. La fréquentation de l'école était obligatoire depuis 1882 en France et depuis 1891 en Ontario. Au Québec, elle ne deviendra obligatoire qu'en 1943, en vertu de la Loi de l'instruction obligatoire. Au début des années 50, le décrochage au primaire y était de 40 % chez les francophones. En 1950, pour le groupe d'âge des 15 à 19 ans, le taux de scolarisation au Québec était de 30 %, alors qu'il était de 44 % en Ontario et de 70 % dans la plupart des pays industrialisés (États-Unis, France, Belgique, Allemagne, Danemark)[9]. Le tableau 3 présente la situation de l'enseignement supérieur. On voit que les francophones, qui représentaient 85 % de la population québécoise, formaient à peu près 50 % des étudiants inscrits à l'université durant la période allant de 1946 à 1955 pour les trois cycles universitaires. Au troisième cycle, ils étaient moins bien représentés, puisque seulement environ le tiers des étudiants (387 étudiants sur 1210) étaient francophones.

Tableau 3 Nombre de diplômes conférés par les universités québécoises (1er, 2e et 3e cycles, 1946-1955)[10]

	Laval	de Montréal	McGill	Sir George Williams	Bishop, Loyola, Marianapolis
1er cycle	4 645	5 597	9 860	1 448	802
2e cycle	1 224	1 394	1 217	—	40
3e cycle	161	226	823	—	—
Total	6 030	7 217	12 000	1 448	842

Pour les historiens Linteau, Durocher et Robert, le système d'éducation de cette époque était un système « fragmenté, sous-financé, sous-développé, dépourvu de coordination, peu démocratique, élitiste et sexiste[11] ». On voit l'ampleur des défis que la société québécoise avait à relever à l'aube des années 60.

9. Pierre Dandurand, « Démocratie et école au Québec : bilan et défis », dans Fernand Dumont et Yves Martin (dir.) *L'éducation 25 ans plus tard ! et après ?* Montréal, Institut québécois de recherche sur la culture, 1989, p. 41.

10. R. Duchesne, *La science et le pouvoir au Québec*, Québec, Éditeur officiel du Québec, 1978, p. 104-105.

11. Paul-André Linteau, René Durocher et Jean-Claude Robert, *Histoire du Québec contemporain – Le Québec depuis 1930*, Montréal, Boréal, 1989, p. 320.

Les réformes

Les réformes portèrent à la fois sur les structures, les modes de financement, les programmes et la formation des maîtres. On créa dès 1961 la Commission Royale d'enquête sur l'Éducation, dite Commission Parent, à qui on confia la tâche d'étudier le système scolaire en place et de proposer des réformes pour mieux répondre aux défis de l'époque. Dans le mouvement de la Révolution tranquille, le gouvernement s'appuya sur les recommandations de la Commission Parent et apporta, de 1964 à 1970, plusieurs changements majeurs au système d'éducation québécois, dont les principaux sont les suivants :

- la création du ministère de l'Éducation (1964) ;
- la création d'un réseau de polyvalentes desservant l'ensemble du territoire du Québec (1965-1966) ;
- la création d'un réseau de cégeps, qui constituait une jonction des collèges classiques et des écoles professionnelles, de technologie, de soins infirmiers, d'arts plastiques et de musique, desservant l'ensemble du territoire du Québec (1968) ;
- la création du réseau de l'Université du Québec dans les principales villes (1968) ;
- la création d'un système d'éducation permanente intégré aux polyvalentes, aux cégeps et aux universités (1966 à 1969).

De plus, on dota le système public d'un niveau préscolaire et on porta à 15 ans l'âge de la scolarisation obligatoire. Le système scolaire réformé au Québec durant les années 60 prit donc la forme suivante :

- une maternelle à mi-temps dès l'âge de 5 ans ;
- un niveau primaire de 6 années ;
- un niveau secondaire de 5 années ;
- un niveau collégial de deux années pour l'enseignement préuniversitaire et de trois années pour l'enseignement professionnel ;
- un niveau universitaire.

On prévoyait à l'époque que l'ensemble des jeunes termineraient leurs études secondaires et que 60 % d'entre eux fréquenteraient le cégep. Nous savons aujourd'hui que près de 40 % des jeunes décrochent de l'école avant d'avoir obtenu leur diplôme d'études secondaires. Cependant, cette statistique alarmante ne tient pas compte du fait qu'un bon nombre de décrocheurs s'inscrivent ultérieurement à des cours d'éducation des adultes et profitent de conditions d'études moins contraignantes qui leur permettent de concilier le travail et les études. Une partie d'entre eux parvient à obtenir leur diplôme, même si cela prend plus de temps.

Par ailleurs, la proportion des diplômés du secondaire (cours régulier) qui fréquentent le cégep est de 66 %. Si l'on tient compte des inscriptions qui se font aussi à l'éducation des adultes, on peut dire que 60 % du groupe d'âge 17-24 ans accède désormais au cégep.

1. *Les programmes.* – On commençait à voir que le développement d'une société industrialisée requiert autre chose qu'une élite cultivée, formée par l'étude des humanités gréco-latines. On critiquait alors la formation désuète, très « dix-neuvièmiste » et européenne, dispensée par les collèges classiques. À l'encontre de cet humanisme d'une autre époque, le rapport Parent accorda une large place à la formation technique et scientifique requise pour faire face aux exigences du monde moderne.

Les programmes furent donc radicalement transformés. Pour préparer une main-d'œuvre technique de qualité et diversifiée, on offrit aux jeunes des écoles secondaires et surtout des cégeps toute une variété de programmes professionnels. Cette polyvalence du système scolaire était en fait l'un des objectifs centraux du rapport Parent.

2. *Le financement.* – L'éducation devint gratuite du primaire jusqu'à la fin des études collégiales. De plus, les manuels scolaires utilisés aux niveaux primaire et secondaire étaient aussi gratuits. On gela durant plusieurs années les frais de scolarité universitaires. Le rapport Parent recommandait de les supprimer complètement, ce qui ne fut jamais réalisé.

D'où provenait l'argent servant à financer la formation scolaire jusqu'à la fin des études collégiales ? L'objectif était d'établir un mode de financement plus égalitaire. Puisque l'inégalité économique des familles limitait l'accès aux études d'un nombre très important de jeunes, il était clair que l'État devait financer le réseau scolaire en proportion de la clientèle scolaire. Ainsi, l'ensemble des citoyens étaient appelés à contribuer au financement du système d'éducation par le biais des taxes et des impôts. De plus, pour compléter le financement de l'État, on permit aux commissions scolaires de prélever une taxe foncière peu élevée établie selon leurs besoins.

3. *La formation des maîtres.* – Dans le cadre de la réforme, il fut aussi décidé que la formation des maîtres allait être intégrée à la formation universitaire. On développa une pédagogie centrée sur l'enfant et ses capacités d'apprentissage. La nouvelle formation tenait compte des courants modernes en psychologie et en pédagogie, et adoptait des approches moins autoritaires. Les nouveaux enseignants étaient jeunes et une partie d'entre eux étaient spécialisés en littérature, en sciences, en art et en éducation physique. On embaucha aussi des orthopédagogues, des travailleurs sociaux et des psychologues dans les commissions scolaires.

L'effet de ces réformes sur la scolarisation

Comme le montre le tableau 4, en 1950, aucun des groupes d'âges de 12 à 18 ans n'a un taux de fréquentation de 100 %. Même les enfants de 12 ans n'y vont qu'à 95 %. En 1961, la situation s'améliore un peu : 100 % des enfants de 12 et 13 ans sont scolarisés. Et en 1986, 25 ans après les réformes, les enfants de 12, 13 et 14 ans sont complètement scolarisés et ceux de 15 ans le sont presque complètement.

Par ailleurs, le tableau 5 montre que les effectifs scolaires ont augmenté de façon significative durant la période allant de 1964 à 1990. Cependant, les effectifs scolaires du secondaire ont commencé à baisser à partir de l'année 1975-1976, alors que ceux du collégial ont continué de s'accroître.

Tableau 4 Taux de fréquentation scolaire selon l'âge en 1950, 1961 et 1986[12]

Âge	1950 (%)	1961 (%)	1986 (%)
12 ans	95,0	100,0	100,0
13 ans	75,0	100,0	100,0
14 ans	57,0	99,3	100,0
15 ans	35,0	88,0	97,0
16 ans	16,5	55,5	90,0
17 ans	11,5	34,0	64,9
18 ans	—	17,7	56,2

Tableau 5 Effectifs du secondaire et du collégial à l'enseignement régulier de 1964 à 1990[13]

Année scolaire	Secondaire	Collégial
1964-1965	322 103	—
1970-1971	590 822	67 111
1975-1976	643 924	116 705
1980-1981	558 691	135 025
1985-1986	475 653	161 350
1990-1991	475 221	154 808

Cela s'explique par le phénomène du retour aux études au niveau collégial ainsi que par le développement du secteur d'éducation des adultes, qui donne plus de souplesse dans l'organisation du plan d'études. Les étudiants ont la possibilité de suivre le soir des cours qui ne sont pas disponibles le jour. Cela leur permet de compléter un programme. Ces deux raisons expliquent que la baisse démographique n'a pas eu les mêmes conséquences au collégial qu'au secondaire.

12. Source : Conseil supérieur de l'éducation (1988b). Tableau tiré de Pierre Chenard et Mireille Lévesque, « La démocratisation de l'éducation : Succès et limites », dans Gérard Daigle (dir.), *Le Québec en jeu – Comprendre les grands défis*, Montréal, Presses de l'Université de Montréal, 1992 p. 388.

13. Sources : Rapports annuels du ministère de l'Éducation et données de la Direction générale de l'enseignement collégial. Tableau tiré de Pierre Chenard et Mireille Lévesque, *op. cit.*, p. 389.

Par suite de la hausse de fréquentation des collèges et du développement de l'éducation permanente et d'un réseau universitaire régional, les études universitaires sont devenues plus accessibles. En 1951, la population québécoise de 25 ans et plus détenant un grade universitaire était de 2,3 %, alors qu'en 1986 cette proportion s'élevait à 9,8 %[14]. En 1994, le Québec et l'Ontario décernaient l'un et l'autre 77 diplômes de maîtrise pour 100 000 habitants[15]. Cependant, l'écart entre anglophones et francophones existe encore.

> De 1971 à 1986, la fréquentation universitaire croît dans les deux groupes linguistiques du Québec. Toutefois, l'ordre de grandeur de cette croissance est tout à fait différent pour chacune des deux collectivités. Depuis 1971, les taux de fréquentation des anglophones sont plus de deux fois supérieurs à ceux des francophones. De plus, la différence entre les deux communautés s'élargit au cours des ans. Ainsi, alors qu'en 1971 la fréquentation universitaire des anglophones était de 2,2 fois supérieure à celle des francophones au premier cycle (2,6 fois aux deuxième et troisième cycles), l'écart passe à 2,6 en 1986 (3,7 pour les deuxième et troisième cycles). Enfin, on observe un plus grand retard de la fréquentation des francophones par rapport aux anglophones aux études supérieures qu'aux études de premier cycle[16].

Quant à l'éducation des adultes, elle a augmenté de la façon suivante. Alors qu'en 1959-1960, 80,000 adultes étaient inscrits à des activités de formation à l'intérieur des institutions scolaires, on comptait, en 1979-1980, 2 440 900 adultes ayant fait des activités de formation permanente, soit dans des programmes proposés par des institutions scolaires, soit à la pièce, selon les besoins[17].

Les processus sociaux mis en branle par ces réformes

Une société en mutation est appelée à mettre en branle un certain nombre de processus sociaux. L'idée même de processus social suppose un déroulement dans le temps. Ainsi, la socialisation, l'urbanisation et l'industrialisation sont des processus qui ont une certaine durée. Dans les années 60, au Québec, les transformations sociales ont engendré notamment les processus sociaux suivants.

1. L'étatisation. – Avec la création du ministère de l'Éducation, l'éducation relevait désormais de l'État, qui en assumait la responsabilité juridique.

14. BSQ, *Portrait social du Québec,* Québec, BSQ, 1992, p. 105.

15. Louis Maheu, « Tout pour persévérer », *Le Devoir,* 2-3 mars 1996.

16. Pierre Chenard et Mireille Lévesque, *op. cit.,* p. 407.

17. Guy Bourgeault, « Le projet inachevé de l'éducation permanente », dans F. Dumont et Y. Martin (dir), *L'éducation 25 ans plus tard ! Et après ?,* Montréal, Institut québécois de recherche sur la culture, 1990, p. 199-220.

Il en devenait donc le principal maître d'œuvre. De plus, en créant un organisme étatique de consultation placé sous la supervision du ministre lui-même, le Conseil supérieur de l'Éducation, l'État était en mesure de donner une orientation commune à tout le système.

2. *La centralisation.* – Les grandes orientations et les politiques ainsi que le financement du système devinrent centralisés, puisqu'ils relevaient tous du ministère de l'Éducation.

3. *La technocratisation.* – Une nouvelle classe, les technocrates, allait diriger ce ministère. Des critères uniformes et techniques de fonctionnement de l'appareil d'État et de ses institutions furent mis en place. Le développement de cette technocratie reliée à la croissance de l'État fut même un des « effets pervers », au sens défini précédemment, de cette réforme.

4. *La laïcisation.* – Comme l'État devint responsable de l'éducation, il s'accomplit une rupture entre l'Église et l'État. Cependant, cette laïcisation ne fut jamais complétée, puisque les structures des commissions scolaires demeurèrent confessionnelles.

5. *La professionnalisation.* – Le nombre d'employés de l'État chargés de questions relatives à l'éducation augmenta. De plus, ces employés provenaient de multiples horizons. Tout d'abord, il y avait les nombreux fonctionnaires requis par cette nouvelle structure. À cela s'ajoutaient les nombreux enseignants embauchés dans les polyvalentes, les cégeps et les composantes de l'Université du Québec. L'instauration de la scolarité obligatoire et le développement de l'éducation permanente contribuèrent aussi à cette augmentation. Finalement, l'État embaucha des conseillers en orientation, des psychologues, des orthopédagogues, des aides pédagogiques, des travailleurs sociaux, des bibliothécaires et des professionnels voués à l'administration et à la gestion des institutions.

On adopta des critères précis d'embauche, de sélection, de rémunération et de promotion du personnel. Les syndicats firent leur apparition dans les différents corps professionnels, ce qui favorisa la standardisation dans l'embauche, l'avancement et la rémunération.

Les agents de résistance au changement

Nous avons souligné l'importance d'identifier les agents de résistance au changement dans toute étude du changement social. Il y a dans n'importe qu'elle société qui amorce de grands changements des acteurs sociaux, des individus ou des groupes, qui ont intérêt à maintenir le statu quo. Leurs motivations sont diverses : ce peut être notamment qu'ils profitent du système en place ou qu'ils ne reconnaissent pas l'importance des changements.

Dans le cas de la réforme du système d'éducation des années 60, trois groupes ont fait obstacle aux différentes législations scolaires de l'époque. Ce sont la hiérarchie de l'Église catholique, la bourgeoisie francophone et la bourgeoisie anglophone. Ils ont réagi à cette volonté de réforme de différentes manières. En voici quelques exemples.

1. La hiérarchie de l'Église catholique[18]. – L'Église catholique revendiqua jusqu'à ces dernières années le maintien d'écoles confessionnelles et de commissions scolaires confessionnelles. À leur tour, les anglophones réclamèrent, jusqu'au début des années 90, le maintien des commissions scolaires protestantes. En 1995, il ne restait plus que le Mouvement scolaire confessionnel, à la direction de la CECM (Commission des Écoles Catholiques de Montréal), à réclamer encore des structures scolaires catholiques.

À Montréal, cela eut pour effet de multiplier les structures scolaires. Ainsi, il y a des commissions scolaires catholiques et des commissions scolaires protestantes. À l'intérieur de chacune de ces commissions scolaires cohabitent un réseau français et un réseau anglais. Ce résultat est très éloigné des recommandations du rapport Parent, qui favorisait une simplification des structures scolaires québécoises. Il en résulte une augmentation importante du coût de l'éducation.

2. La bourgeoisie francophone. – Une partie de la bourgeoise francophone a tenu à maintenir un réseau d'écoles privées financé par l'État. Une proportion importante de leur financement (entre 65 % et 70 %) provient encore de l'État. Mais, contrairement aux écoles publiques, elles peuvent sélectionner leur clientèle, n'ont pas à intégrer les enfants en difficulté d'apprentissage ou handicapés et se trouvent donc en mesure d'offrir de meilleurs services aux parents et aux étudiants. En général, elles n'offrent pas non plus d'enseignement professionnel, ce qui diminue leurs coûts de fonctionnement. De plus, elles sont davantage concentrées en milieu urbain, notamment à Montréal et à Québec.

Ce résultat s'éloigne aussi des recommandations du rapport Parent, qui préconisait un système scolaire unique et accessible, offrant les mêmes services aux enfants de toutes les régions.

3. La bourgeoisie anglophone. – Une partie de la bourgeoisie anglophone voulut préserver et développer un système d'écoles anglophones autonome à l'intérieur du réseau catholique afin d'intégrer les immigrants. L'école

18. Voir Léon Dion, *Le bill 60 et la société québécoise*, Montréal, HMH, 1967.

montréalaise était donc devenue un facteur d'assimilation des nouveaux venus à la minorité anglophone.

Les années 70 furent ainsi marquées par des conflits linguistiques ayant l'école comme terrain. Le gouvernement tenta de résoudre ce problème en adoptant diverses lois sur la langue : la loi 63 (adoptée en 1969 sous un gouvernement de l'Union nationale), la loi 22 (adoptée en 1972 sous le gouvernement du parti libéral) et la loi 101 (adoptée en 1977 sous le gouvernement du parti québécois).

Ces exemples montrent bien comment des groupes peuvent s'opposer à des changements jugés essentiels par l'ensemble de la population. L'intensité de la résistance au changement indique souvent le caractère épineux d'un changement. En dépit de ces résistances, les réformes en éducation ont permis d'amorcer une démocratisation dans tous les domaines de l'éducation, qui reposait sur un système implanté au XIXe siècle et demeuré presque inchangé depuis.

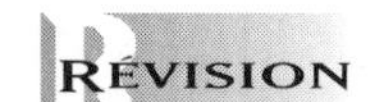

Décrivez brièvement le système d'éducation québécois des années 50.

Quels sont les éléments de la démocratisation qui furent mis en place à l'occasion de la réforme de ce système d'éducation ?

3 L'ÉDUCATION ET LES DÉFIS ACTUELS

On ne peut donc pas imaginer de projet de société sérieux qui ne soit associé à un projet d'éducation. Inversement, un projet d'éducation ne se dissocie pas des projets économiques, technologiques et culturels d'une société. Il s'agit de deux facettes d'un même développement.

À la fin des années 50, les défis qu'avait à relever le Québec étaient considérables : il y allait de la modernisation de toute une société. L'éducation avait une place de choix dans cette entreprise. On mit de l'avant un projet de développement socioéconomique global visant à réduire les inégalités régionales, notamment les inégalités entre les hommes et les femmes et entre les bien-nantis et les démunis. Le slogan de l'heure était « Maître chez nous ». On voulait rendre l'école accessible à tous, valoriser l'enseignement technique et professionnel, permettre la polyvalence dans la formation. La réforme de l'éducation devait être l'outil privilégié de la prise en charge par la société québécoise de son avenir social et économique.

Cependant, comme nous l'avons vu au cours des chapitres précédents, des inégalités subsistent, notamment sur le plan de la formation, entre les hommes et les femmes, entre les régions et entre les groupes ethniques. Cela montre que l'éducation ne peut à elle seule fournir la solution à tous les problèmes. L'école ne peut se substituer aux centres de décision politiques et économiques d'où émanent les projets de développement. Mais elle a certainement une fonction importante à remplir dans la réalisation de ces projets. Pour bien jouer son rôle de véhicule du savoir et des valeurs, mais aussi être une source d'innovations, elle doit s'ajuster sans cesse aux transformations majeures de la société.

Aucune institution sociale n'est davantage orientée vers l'avenir que l'école. Les professeurs ont la charge de former les enfants, les adolescents et les jeunes adultes, génération après génération. Devant les défis sociaux actuels, elle demeure un instrument privilégié de développement à la disposition des individus et des sociétés. Qu'il s'agisse de la préparation à l'emploi, de la formation des citoyens ou du renforcement du tissu social par le développement du sentiment d'appartenance, l'école a toujours un rôle de premier plan à jouer. Comme elle peut être aussi un facteur de redistribution des connaissances[19], elle peut aussi être un élément important de justice sociale, puisqu'elle seule est en mesure de fournir au plus grand nombre des outils concrets de prise de conscience et d'action.

Le monde actuel change. La démographie, l'évolution technologique rapide et la mondialisation des marchés rendent encore plus urgente la tâche de transmettre le savoir et les valeurs pour concevoir différemment le présent et l'avenir.

Les nouveaux facteurs démographiques

Nous avons mentionné plus haut les principaux facteurs démographiques déterminant l'évolution de la population dans les pays développés. Ce sont notamment l'augmentation de l'espérance de vie et l'immigration. Dans le contexte de cette évolution démographique, le réseau scolaire sera appelé à faciliter l'intégration sociale et culturelle des aînés et des nouveaux arrivants.

Dans les années à venir, on peut prévoir que les personnes âgées vont demander plus de services en matière de culture et d'éducation, la retraite marquant le début d'une nouvelle période d'activités. Alors qu'en 1991 environ 10 % de la population était âgée de 65 ans et plus, cette proportion devrait grimper à 30 % en 2031. Déjà, il n'est pas rare de voir dans les salles de cours des universités et des cégeps des adultes venus suivre un programme de formation. Cette tendance devrait s'accentuer. Cette génération, qui a pu bénéficier d'une bonne instruction dans sa jeunesse, va avoir la possibilité de

19. Voir Lise Bissonnette, « L'école, un chantier social à réactiver », dans *Options États généraux*, Éd. CEQ, 1995, p. 21-34.

continuer à élargir ses horizons. On assistera ainsi au développement d'une société d'apprentissage permanent valorisant le recyclage et la recherche d'une meilleure qualité de la vie. La société éducative, qu'annoncent les sociologues, les philosophes et les pédagogues, devrait comprendre l'école parallèle et s'appuyer sur la scolarisation fournie par l'école institutionnelle.

Cela peut sembler paradoxal, mais plus on est instruit, plus on veut s'instruire. L'instruction permet d'explorer de nouveaux champs de savoir et ouvre la porte à la réalisation de nouveaux projets. Le savoir devenant une composante importante de la qualité de vie, les aînés pourraient ainsi avoir accès à l'ensemble du patrimoine humain.

L'harmonisation des rapports entre les enfants de différentes cultures est une préoccupation constante des responsables du milieu scolaire.

Pour ce qui est des immigrants, l'école reste encore le lieu privilégié où leurs enfants peuvent entrer en contact, dès le plus jeune âge, avec la culture d'accueil. C'est à l'école qu'ils peuvent le mieux faire l'apprentissage de la langue, de l'écriture et de l'imaginaire de l'autre, pour éventuellement contribuer à son enrichissement. Elle est le creuset dans lequel les cultures se côtoient et se fondent. L'école permet aussi à l'immigrant de se recycler afin de s'intégrer plus facilement au marché du travail.

UNE SOCIÉTÉ DU SAVOIR

Daniel Bell a mis en évidence la relation entre le savoir et le pouvoir : le savoir permet de prendre conscience de la complexité du monde moderne et ainsi d'avoir prise sur son développement. La formation et l'information deviennent des enjeux si importants que l'on ne peut envisager de participer pleinement à la vie d'aujourd'hui sans une formation adéquate[20]. Le savoir est dorénavant autant un savoir-être qu'un savoir-faire.

Selon Bell, dans la société postindustrielle, le savoir devient un facteur de **discrimination sociale** au même titre que l'argent dans la société industrielle. Dans une société dont le développement passe par l'immatériel, les fonctions intellectuelles et cérébrales deviennent très importantes.

DISCRIMINATION SOCIALE
Isolement et exclusion des individus résultant de leur appartenance à des classes sociales ou à des groupes sociaux spécifiques (sexuels, ethniques, d'âge, etc.).

20. Voir plus haut, chapitre 3. Voir aussi Daniel Bell, *Vers la société post-industrielle,* Paris, Laffont, 1976.

À d'autres époques, le défi consistait d'abord à construire des routes, des infrastructures industrielles, des villes. Aujourd'hui, il faut en plus s'instruire et s'éduquer. Comme la capacité d'analyser, de forger des concepts et d'innover est la principale ressource première d'une société, il lui faut garantir l'accessibilité à un haut niveau de formation.

Peter F. Drucker formule cette réalité de façon encore plus dramatique : dans l'avenir, il n'y aura plus de pays pauvres, mais des pays ignorants[21]. Cela signifie que les pays qui ne font pas de l'éducation une priorité sont voués à la pauvreté.

Nous parlerons au chapitre 7 de la culture comme moyen de transformation des individus et des sociétés. Qu'il suffise de souligner pour l'instant que c'est l'éducation qui donne accès à la culture, apporte une ouverture sur le monde et permet à l'individu de se situer à l'intérieur de la division sociale du travail, comme le montre l'encadré 2. Le lien entre la scolarisation et l'emploi est évident.

ENCADRÉ 2

Scolarisation et emploi : un exemple

« La grande majorité des diplômés de l'Université de Montréal, soit 89,5 %, arrivent à se trouver rapidement un emploi après l'obtention de leur baccalauréat, mais les emplois permanents à temps plein dans leur champ d'étude deviennent de plus en plus inaccessibles.

Et plus des deux tiers de ces diplômés sont des femmes. On en retrouve d'ailleurs jusqu'à 80 % dans des disciplines autrefois considérées comme des chasses gardées masculines, notamment la pharmacie, l'optométrie, la médecine dentaire et la médecine vétérinaire.

C'est ce qui ressort d'une volumineuse étude publiée cette semaine par le Service d'orientation et de consultation psychologique de l'Université de Montréal, réalisée par Damien Chouinard et Claude Hamelin auprès de la promotion 1994.

Avec un taux de réponse de 46 % auprès des finissants de 1994, l'étude est considérée comme fiable par ses auteurs.

L'étude indique que parmi les diplômés du premier cycle qui avaient choisi d'aller travailler après l'obtention de leur baccalauréat plutôt que de continuer en deuxième cycle (six finissants sur dix), 89,5 % avaient trouvé un emploi après dix mois. Mais 75,3 % avaient trouvé un emploi relié à leur formation universitaire.

Ce chiffre, somme toute élevé, représente un recul par rapport à 1992, alors que 80,6 % des finissants affirmaient avoir trouvé un emploi lié à leur formation.

Quant à l'obtention d'un travail permanent à temps plein dans son champ d'étude, c'est un rêve difficile à atteindre : en effet, parmi les finissants de 1994, seulement 33,5 % avaient décroché ce gros lot.

21. Voir Robert Dutrisac, « Place aux travailleurs du savoir », *Le Devoir*, 7 février 1996.

Il est important de mentionner que cette enquête ne portait pas sur les finissants de l'École polytechnique ni sur ceux de l'École des hautes études commerciales, ce qui explique que plus de 60 % des répondants affirment travailler dans le secteur public, principalement dans les domaines de la santé et de l'éducation.

Les chiffres totaux compilés par les chercheurs camouflent de grandes différences selon le champ d'étude.

Ainsi, en mathématiques et informatique, 92 % des finissants ont trouvé un emploi, dont 81 % dans leur champ d'étude.

En sciences de la santé, 97 % des bacheliers diplômés travaillent, dont 100 % dans leur champ d'étude !

Mais en sciences pures, si 82,6 % des finissants occupent en emploi, seulement 55 % travaillent dans leur champ d'étude.

Et dans le « sciences humaines fondamentales » (anthropologie, histoire, géographie, science politique, économie, etc.), si 75 % des finissants affirment avoir trouvé un emploi, ils ne sont que 17 % à travailler dans leur champ d'étude. Parions qu'on pourra trouver bon nombre de géographes chauffeurs de taxi.

En « sciences psychosociales » (criminologie, psychoéducation, relations industrielles, service social), 97 % travaillent, dont 71 % dans un domaine lié aux études.

On savait depuis quelques années que la formation en droit ne garantissait plus de façon absolue un emploi, et l'étude de l'Université de Montréal le confirme : 77 % des finissants travaillent, dont seulement 67 % dans leur champ d'étude.

En lettres et communications, il faut être très très patient : seulement 39 % des finissants travaillent dans leur champ d'étude. Une proportion qui ne dépasse pas 33 % chez les finissants en arts[22].

En 1995, Emploi et Immigration Canada estimait que 64 % de tous les emplois créés entre 1986 et l'an 2000 exigeront plus de 12 années de scolarité et de formation, alors que près de la moitié des nouveaux emplois nécessiteront plus de 17 années, ce qui est l'équivalent d'un baccalauréat[23] !

Déjà à l'époque, le rapport Parent parlait d'un humanisme qui intégrerait la science et la technologie à tous les niveaux de la formation. L'enjeu était de comprendre la société moderne et de pouvoir y prendre place. Il va sans dire que, si c'était vrai alors, ce l'est encore plus aujourd'hui. Il s'agit en fait non seulement d'avoir une formation de base en science et technologie, mais d'avoir accès au savoir par la maîtrise des technologies. De plus, il faudra accroître les montants que l'on consacre à la recherche et déterminer quels

22. Paul Cauchon, « 89,5 % des finissants de l'U. de M. ont trouvé un emploi – Les postes permanents à temps plein sont toutefois de plus en plus rares », *Le Devoir,* 8 novembre 1995.

23. *Le Devoir,* 12 août 1995.

créneaux de recherche vont permettre au pays de se situer avantageusement à l'intérieur de la division internationale du travail. Ces problèmes concernent davantage le niveau de l'éducation supérieure.

L'ÉCOLE ET LES VALEURS

Cette formation technique et scientifique doit s'accompagner d'une réflexion sur l'utilisation abusive qu'on peut en faire. Si elle peut briser des servitudes, elle peut aussi en créer de nouvelles. L'école doit jouer à cet égard un rôle critique en inculquant aux élèves les critères qui leur permettront de mieux juger l'utilité de la technologie et le bien-fondé de l'usage qu'ils en feront.

La question des valeurs permettant de faire des choix a été l'objet de nombreuses analyses des philosophes et de sociologues. À chaque fois qu'il est question de conceptions de l'être humain et de vie en société, c'est aussi vers l'éducation que l'on se tourne. Nous présentons ici les considérations de quatre penseurs sur cette question.

1. Michel Serres. – Philosophe français contemporain, né en 1930. Professeur d'histoire et de philosophie des sciences, il trace la distinction entre *élever, instruire* et *éduquer* dans un petit livre classique intitulé *Le tiers-instruit*[24].

Élever, c'est voir au développement du corps, de la motricité et de la sensibilité de l'enfant. On lui apprend à marcher, à manger, à parler, à écrire, à chanter, à danser : bref, on le rend apte à s'intégrer à la vie d'une société par l'apprentissage de ses principaux codes et rituels. Cette tâche est accomplie durant la petite enfance par les parents ou ceux qui les remplacent à la maison, à la garderie et à la maternelle.

Instruire, c'est transmettre des connaissances qui relèvent de la science, de la technique, de la langue et de la culture. L'école est une institution dans laquelle l'instruction est donnée. On la trouve aussi à l'école dite parallèle : à la télévision, dans les vidéocassettes, les bandes dessinées et les périodiques.

Éduquer, c'est transmettre des valeurs. En élevant les enfants et en les instruisant, on les éduque aussi. L'éducation est donnée à l'école tout autant que dans la famille ou à la télévision. Autrefois, les Églises se chargeaient de la transmission des valeurs. Maintenant, l'école joue un rôle de premier plan à cet égard, puisqu'elle est là pour tous les enfants et les adolescents d'une société, qui y passent la majeure partie de leur vie. Michel Serres donne l'exemple de l'école française qui sut être un soutien essentiel à l'établissement de la république et des valeurs qu'elle sous-tendait (liberté, égalité, fraternité) à partir du XIXe siècle.

24. Michel Serres, *Le tiers-instruit,* Paris, Gallimard, coll. Folio/Essais, 1991.

Serres défend l'importance, dans une société pluraliste, du rapprochement entre les extrêmes ou entre ce qui s'oppose : la joie et la douleur, la technique et la culture, les sciences de la nature et les sciences humaines, la guerre et la paix, l'amitié et l'affrontement, l'accessibilité et la fermeture. Éduquer la jeunesse de notre époque, soutient-il, c'est l'amener à prendre conscience de ces oppositions, des possibilités et des dangers qu'elles renferment et des choix à faire. Tout n'est pas sur un même pied d'égalité ; il y a des choix qui vont dans le sens de l'amitié et de la coopération, et d'autres qui vont dans le sens de la domination et de la conquête. Il faut, par l'éducation, apprendre à faire le tri entre ce qui est utile pour la vie et la survie de l'humanité et ce qui peut la mettre en danger. L'encadré 3 donne une illustration de la façon dont des individus sont appelés à jouer des rôles opposés dans des circonstances sociales différentes.

ENCADRÉ 3

Du nouveau sous le soleil, ailleurs

« Pendant la bataille du Pacifique, l'une des plus dures de la dernière guerre mondiale, un bâtiment de servitude, dont je tairai le nom et le pavillon, reçut dans la même heure une telle pluie de torpilles et de projectiles qu'il embarqua autant d'eau que son tonnage. Il ne coula pas cependant : il arrive qu'un navire flotte encore dans ces conditions extrêmes.

Sans machine ni gouvernail, privé de tout contact radio, enveloppé soudain par la brume, saisi par les courants puis par les vents quand le brouillard se leva, désemparé, livré aux météores sans pouvoir agir, il erra seul pendant deux ou trois semaines sur l'étendue déserte de la mer, après avoir perdu son escadre qui, le croyant au fond depuis longtemps, avait cessé toute recherche. Comme les œuvres vives et mortes disparaissaient sous l'eau, l'équipage presque en entier occupait les hauts, mâts et envergures, pour chercher de tous les yeux quelque signe à l'horizon. Les rescapés racontèrent qu'ils croyaient en ces moments avoir quitté le monde des hommes.

Et tout à coup, un beau matin, miracle. Terre ! terre ! Illuminée par le soleil levant apparaît, droit devant, une barrière de corail, enserrant un lagon tranquille aux eaux vertes d'où ses dégage une longue côte plate de sable derrière laquelle des falaises hautes s'empanachent de palmiers et de cascades. On eût dit l'île Coco, l'une des plus belles des terres pacifiques et des plus typiques, mais située des milliers de milles plus à l'est.

La houle tranquille poussa le navire, corps et biens, vers le premier pont de pierre où il se fracassa et sombra en deux minutes, comme s'il avait attendu vingt jours, en équilibre, ce moment foudroyant. Mais les radeaux et baleinières, mis à la mer bien avant, portaient au rivage matelots et officiers dans le désordre affamé qu'on devine et l'espérance folle de survivre. Pas un seul noyé.

De tous les ponts de la côte surgissent alors des pirogues longues garnies de rameurs et de hérauts qui les hèlent à grand renfort de cris et gesticulations, de chants, de tambours. Chaque bateau de sauvetage se trouve investi. Comme les marins ne comprennent rien à ces démonstrations, ils ne savent que décider : se défendre avant une attaque ou embrasser qui les accueille.

Le silence d'un coup se fait : le chef ou le roi apparaît, quasi nu, en majesté, fait demander le capitaine. Celui-ci se lève, on confronte les apparats. L'enchantement descend sur la scène. Les naturels retournent leurs embarcations cap sur cap et entraînent vers la terre ceux qui soudain deviennent leurs hôtes.

Rien ne manqua pendant de longs mois au bonheur complet des naufragés. Les rescapés racontèrent qu'ils croyaient en ces moments avoir touché au paradis terrestre. Échanges qui comblent les parties, jeux et ris, festins délicieux autour de ces fours polynésiens creusés dans la terre et d'où les cuisiniers tiraient de somptueuses galettes faites de patates douces ; certains, comme dans les siècles passés, prirent femme, d'autres défrichèrent un coin de jardin pour ensemencer quelques graines sauvées du désastre.

Une fois réglées ces choses de la vie, on se mit à discuter interminablement : des dieux de chacun, en comparant leurs performances, des règles suivies en maintes matières par chacune des deux communautés, de leurs avantages et inconvénients ; d'abord par gestes complaisants puis dans une langue progressivement claire et dominée.

Les naturels nourrissaient une passion étrange pour les mots : ils demandaient la traduction précise de leurs vocables et devenaient intarissables dans l'explication. Les assemblées se multipliaient et n'en finissaient plus dans les plaisanteries et la bonne humeur. Il fallut dire l'amour, la religion, les rites, la police et le travail, avec les plus grands détails. On s'épuisa aux parallèles : les contraintes différaient, mais chacun subissait dans son pays des règles également compliquées, incompréhensibles jusqu'au rire à ses interlocuteurs, mais sans jamais les négliger ni d'un côté ni de l'autre. Bref, sous des différences très spectaculaires, tous ensemble finirent par reconnaître de grandes ressemblances et cela les rapprocha.

Le temps passait, l'horizon demeurait vierge. Pour les naturels, il n'avait jamais cessé de le rester. Les anciens racontaient cependant que leurs anciens racontaient, et ainsi de suite, qu'en des temps reculés des populations pâles avaient déjà touché là, mais jamais depuis. Les navigants du bateau de guerre, quant à eux, ne se souvenaient pas qu'il existât une île sur leurs cartes en ce gisement-là.

Certains l'appelèrent l'île Nulle, mais, comme ils ne se partageaient plus, comme à bord, en bâbordais, pour le service, et tribordais, d'autres se mirent, pour rire, à nommer la Tierce-Île cette terre bénie, comme une embarcation immobile à équipage sans partage. Passait le temps.

Comme on risquait de s'ennuyer, même à se comparer, malgré le bonheur et la satiété, on organisa des tournois de football. D'abord spectateurs de ces jeux ou luttes dont le faste se déroulait sur des terrains tabous, les insulaires, doués, apprirent vite, pieds nus, à conduire un ballon en courant, à défendre et attaquer, à multiplier les passes et à tirer au but. Leurs gardiens surtout s'adonnaient à des acrobaties très extravagantes. Il s'ensuivit des rencontres croisées qui opposaient tantôt chaque communauté par équipes distinctes et tantôt les îliens à leurs hôtes. Dans les huttes, le soir, on débattait, en buvant de la bière de racine, des stratégies et des entraînements. Le temps se réfugia en ces rencontres. Les rescapés racontèrent qu'ils y perdirent tout souvenir de leur ancienne vie.

Qui cependant revint, un beau soir, sous la forme d'un porte-avions apparu soudain sans que nul l'ait vu sortir de quelque point de l'horizon. On disait même que sa baleinière avait touché terre avant qu'on l'ait remarqué mouillé, affourché, gigantesque, devant la barrière de corail. L'amiral commandant le navire convoqua le capitaine à son bord et décida de rapatrier aussitôt ce beau monde qui ne projetait plus que football sous les tropiques, paradis et vie de rêve. Séparation, pleurs, désespoir de part et d'autre, adieux pathétiques, promesses, cadeaux, chants et mélopées, les marins du porte-avions, au garde-à-vous le long de la coupée, parés à l'appareillage, n'en croyaient ni leurs oreilles ni leurs yeux. On lève l'ancre au son du clairon mélancolique, les falaises et cascades disparaissent dans le cercle de la mer.

Chacun de son côté, sur quelque unité nouvelle, reprit les hostilités, l'Amirauté ayant eu grand soin de disperser le groupe. Certains moururent, d'autres non, selon la chance. Puis la guerre s'acheva, comme on sait, à Hiroshima. Fin du premier acte[25]. »

On voit bien, dans le récit de l'encadré 3, les deux logiques qui s'affrontent : celle de la découverte, de l'entraide et de l'amitié, et celle de l'hostilité et de la haine. D'autres, en d'autres lieux avaient décidé que c'était la guerre. Tout d'abord, il y avait le jeu, le partage, les échanges, l'amitié et peut-être l'amour. Puis, c'était de nouveau la guerre, avec son cortège d'images destinées à éveiller l'antagonisme, la méfiance et la haine. On était parvenu à transformer des êtres humains tolérants et pacifistes en soldats voués à la conquête.

2. *Hans Jonas.* – Philosophe allemand d'origine juive (1903-1993). Dans son ouvrage *Le principe responsabilité*[26], Jonas fait ressortir la nécessité de développer de nouvelles attitudes par rapport à la nature et à nos semblables. Il porte un jugement pessimiste sur les chances de l'humanité et de la planète. Il voit dans la transmission de nouvelles valeurs la seule lueur d'espoir. Il revient aux parents et aux éducateurs, soutient-il, de transmettre l'amour de la vie sur terre sous toutes ses formes : « L'éducation a un but matériel déterminé, l'autonomie de l'individu qui inclut la faculté d'être responsable[27]. » Parents et éducateurs ont un rôle privilégié à jouer auprès des enfants dans la création de ce nouveau rapport à l'environnement, non seulement en leur inculquant le respect la planète, mais également en suscitant l'amour de leur environnement. L'éthique de la responsabilité qu'il prône suppose que l'on se sente solidaire face au destin de la nature et à celui de l'humanité.

Dans le souci des enfant réside le souci de l'avenir. Pour Jonas, il faut concevoir le rapport à la planète dans le même optique que les parents considèrent le patrimoine qu'ils veulent léguer à leurs enfants pour des études ou

25. Michel Serres, « Éduquer », dans *ibid.*, p. 194-197.

26. Hans Jonas, *Le principe responsabilité – Une éthique pour la civilisation technologique,* trad. de l'allemand par Jean Greisch, Cerf, 1992.

27. *Ibid.*, p. 152.

une carrière future. Dans le cas de l'environnement, il s'agit bien sûr d'un héritage collectif et même planétaire. La responsabilité des parents vis-à-vis des enfants doit aller plus loin que le présent ou l'avenir immédiat. Ils doivent prendre en considération l'avenir de la planète et celui de tous les peuples qui y vivent. L'harmonie entre les nations suppose l'harmonie avec la nature, dit-il en déplorant que la domination et l'exploitation se reflètent dans nos sociétés à tous les niveaux. L'avenir des jeunes générations devient une responsabilité collective et le degré de civilisation de nos sociétés devrait se mesurer, en cette fin de siècle, à l'attention qu'elles accordent à ce souci envers la nature et envers les être humains. Sur le plan de la transmission des valeurs, les parents ont un rôle important à jouer, de même que les professeurs et le système d'éducation.

3. *Émile Durkheim*. – La position de Durkheim sur l'école et les valeurs recoupe sa position sur la solidarité sociale dont nous avons parlé au chapitre 2. Pour Durkheim, il était urgent de faire de la prévention sociale afin d'éviter la pathologie sociale (les suicides, l'anomie et les divers comportements et phénomènes de marginalité sociale). Optimiste, il croyait que l'éducation pouvait aider la société à continuer d'évoluer dans le sens de la modernisation tout en la prémunissant contre les problèmes sociaux causés par l'industrialisation. Le système d'éducation français devait à ses yeux jouer ce rôle préventif d'une double façon[28]. D'abord, l'éducation devait servir à former une main-d'œuvre compétente pouvant s'intégrer au marché du travail et répondre aux très grands besoins de main-d'œuvre qualifiée. Ensuite, l'école devait transmettre les valeurs de solidarité, d'égalité et de liberté de la République. Durkheim adhérait aux valeurs de son époque et souhaitait qu'il en aille de même des jeunes générations. L'école lui apparaissait donc comme un des lieux privilégiés où se tissent les liens sociaux.

RÉVISION

Nommez et décrivez quelques-uns des défis auxquels la société et les individus doivent faire face aujourd'hui. En quoi l'éducation peut-elle les aider ?

La protection contre le non-emploi, la participation et l'intégration sociale, l'adhésion à des valeurs de base, voilà autant de façons, pour l'école, de participer à la prévention des problèmes sociaux.

4. *Alain Touraine*. – Selon Touraine , l'école a trois fonctions : 1) le développement de la pensée scientifique, 2) le développement de l'imaginaire et de l'expression personnelle, et 3) la reconnaissance de l'autre[29].

Une éducation démocratique, dit-il, doit viser la création d'une identité individuelle et collective, de l'identité-participation. Tout ce qui contribue à renforcer le sujet individuel et le sujet collectif renforce aussi la démocratie. L'école est un outil de consolidation très important de la démocratie parce

28. Voir Émile Durkheim, *Éducation et sociologie*.

29. Voir Alain Touraine, *Qu'est-ce que la démocratie ?* Paris, Fayard, 1994.

qu'elle transmet des connaissances et propose des critères de jugement et de sélection de ces connaissances. C'est le lieu de la formation de la citoyenneté.

Dans un projet global de développement social et culturel, l'éducation a pour lui une grande importance. Elle ne peut remplacer l'initiative personnelle ni suppléer à l'action économique, politique ou culturelle, mais elle peut guider les individus et les groupes dans leurs choix. C'est en ce sens qu'elle est un outil essentiel pour relever les défis de notre époque.

ENCADRÉ 4

La caravane de la tolérance

Dans le milieu scolaire anglophone de la région de Montréal, on mit récemment sur pied « La caravane de la tolérance ». On y associait des jeunes des écoles secondaires de la région montréalaise à une expérience contre toutes les formes de racisme et de xénophobie. Cette caravane, initiative conjointe des Caisses Desjardins, du Congrès juif et de groupes d'hommes d'affaires, se proposait de visiter les écoles secondaires des différentes régions du Québec durant trois années (1995 à 1997) et de les sensibiliser aux effets néfastes de l'intolérance par des expositions de photos, des articles de journaux et des vidéos. Que ce soit l'Holocauste (1939-1945) ou les génocides du Cambodge durant les années 70, du Rwanda en 1994-95 et de la Bosnie-Herzégovine en 1995, notre siècle offre de nombreux exemples de ces formes extrêmes de discrimination. Il était important pour les organisateurs de cette initiative de les amener à chercher des solutions et à imaginer des mesures préventives pour éviter toute forme de manifestation d'intolérance et de discrimination dans les cours d'école, dans la rue et dans les médias.

L'ÉCOLE ET LA FAMILLE

L'école n'est qu'un élément de ce que l'on appelle dans une société l'éducation. Dès leur plus jeune âge, les enfants entrent en contact avec d'autres agents de socialisation. La famille fournit un milieu d'apprentissage des connaissances élémentaires de la vie en société et du développement personnel. La garderie également. Par les jeux et les rapports avec leurs amis, les enfants apprennent tôt les exigences de la vie de groupe. Ils sont également en contact avec les éléments techniques de la vie moderne qui leur deviennent vite très familiers. Jouets complexes, vidéos, jeux vidéos, répondeurs, ordinateurs et logiciels font partie du milieu dans lequel baignent quotidiennement les enfants et les jeunes des classes moyennes. Ces derniers sont donc en mesure d'acquérir sur le tas des connaissances technologique tout en développant des habiletés. Cela fait dire aux sociologues Beaudelot et Establet que le niveau monte du fait que les enfants d'aujourd'hui connaissent davantage de choses et sont plus débrouillards que ceux des générations précédentes[30]. Malheureusement, ce n'est pas le cas pour tous les enfants. Ceux qui n'entrent pas en contact avec cette nouvelle technologie dans leur milieu familial et l'environnement immédiat de la petite enfance ne partent pas dans la vie avec les mêmes possibilités que les autres. Les écarts s'agrandissent plus entre les enfants des milieux favorisés et ceux des milieux défavorisés. C'est ici qu'intervient l'école et ses capacités de redistribution du savoir favorable à l'égalité des chances. Elle peut renforcer la transmission des habiletés et des valeurs et aussi suppléer en partie aux manques du milieu familial.

4 Les défis de l'éducation

En mars 1996, le Conseil Supérieur de l'Éducation dénonçait la situation des écoles publiques primaires et secondaires de la ville de Montréal. Les conditions d'apprentissage y sont plus difficiles à cause de la mobilité géographique et sociale, de la diversité culturelle, de la pauvreté et de la criminalité, qui sont plus grandes qu'ailleurs, et de réseaux sociaux moins denses qu'ailleurs. L'amélioration de cette situation dans la perspective de l'égalité des chances représente un défi de taille pour les commissions scolaires.

La réussite scolaire

Nous savons que les gens ne naissent pas égaux, même s'ils doivent avoir des droits égaux. Il y a des différences individuelles importantes au plan biologique, économique, culturel. Or, dans une société démocratique, on doit viser l'égalité des droits.

Si la démocratie doit tendre à assurer aux plus faibles les mêmes chances qu'aux plus forts, alors l'école est un outil important pour y parvenir. La démocratisation de l'éducation à la base de la réforme des années 60 avait rendu l'école accessible aux enfants, aux adolescents et aux adultes. On souhaitait que les groupes puissent étudier selon leurs désirs et leurs talents. On y a réussi en grande partie. Désormais, on vise une augmentation des taux de réussite et de diplomation. Alors qu'on cherchait auparavant à permettre aux groupes défavorisés d'*entrer* dans le système, on cherche maintenant à s'assurer qu'ils en *sortent* avec un diplôme. C'est pourquoi les efforts pour contrer le décrochage scolaire et l'analphabétisme et pour favoriser la réussite du plus grand nombre sont devenus des priorités sociales. Bien sûr, il faut toujours faire entrer le plus de monde possible à l'école, mais il faut aussi trouver le moyen de faire réussir le plus grand nombre.

30. Voir Christian Beaudelot et Roger Establet, *Le niveau monte*, Paris, Seuil, 1989.

Au départ, la réforme de l'éducation a offert les mêmes services à tous parce qu'on croyait parvenir ainsi à l'égalité des chances de réussite scolaire, indépendamment du milieu socioéconomique. Mais très vite, on s'est rendu compte que les enfants des milieux socioéconomiques pauvres réussissaient moins bien à l'école. On observait que les taux d'absentéisme, de décrochage et d'échecs scolaires étaient plus élevés dans ce groupe. L'offre des mêmes services ne suffisait donc pas à égaliser les chances.

Le nouveau défi de l'école est celui de la diplomation et de l'excellence.

Il n'y a pas qu'au Québec que l'on s'est interrogé sur la capacité du système scolaire d'assurer l'égalité des chances. On a soulevé les mêmes questions en France, dans diverses provinces du Canada et aux États-Unis. Ce constat a donné lieu à des interventions gouvernementales importantes qui visaient à compenser les lacunes matérielles et culturelles des milieux familiaux. C'est ainsi qu'aux États-Unis on mit sur pied les projets ***Head Start*** et ***Follow-through***. Par des mesures d'encadrement, de soutien socioaffectif et de services alimentaires, ces projets visaient à permettre aux enfants de milieux défavorisés de réussir aussi bien à l'école que les enfants des classes moyennes ou de la bourgeoisie.

HEAD START, FOLLOW-THROUGH
Interventions menées auprès des enfants de milieux défavorisés dans les années 60 et 70 aux États-Unis dans le cadre des actions de soutien à l'atteinte de l'égalité des chances.

Dans la foulée de ce qui se faisait aux États-Unis, on lança dans les années 70 un projet ambitieux, appelé **Opération Renouveau**, sur le territoire de la Commission des écoles catholiques de Montréal, où étaient concentrées les principales zones de pauvreté. Ce projet avait pour but de donner un meilleur encadrement aux enfants, de faire du dépistage précoce des difficultés de lecture ou d'écriture et de compenser les lacunes alimentaires et culturelles des enfants de milieux défavorisés. À terme, on espérait obtenir une amélioration des apprentissages de base, de l'état de santé, des rapports socioaffectifs et des apprentissages de culture générale. Cela devait se traduire par une meilleure image de soi et un décloisonnement des milieux familial et scolaire.

OPÉRATION RENOUVEAU
Intervention réalisée à Montréal qui avait pour but d'amener les enfants de milieux défavorisés à réussir leurs études.

Cette opération eut peu d'effet sur la réussite scolaire proprement dite. Le rendement scolaire comme tel s'améliora quelque peu, mais les écarts entre les participants et les enfants de milieux favorisés ne furent pas diminués de façon significative[31]. Par contre, les participants trouvèrent ces expériences très enrichissantes, notamment sur le plan socioaffectif (meilleurs rapports entre la famille et l'école) et sur celui des attitudes face à l'apprentissage (par exemple, fréquentation plus importante de la bibliothèque).

De telles opérations ont coûté cher et c'est pourquoi on tend actuellement à favoriser des actions locales plus modestes. L'Opération Renouveau existe encore, mais on y consacre moins d'argent. On essaie plutôt d'encourager les initiatives de soutien à la réussite et de lutte au décrochage qui proviennent des écoles elles-mêmes.

Les sociologues de l'éducation considèrent que les principaux facteurs influençant la réussite scolaire sont les suivants.

- Le milieu socioéconomique. Les enfants des milieux pauvres sont toujours ceux qui décrochent le plus facilement, qui réussissent le moins bien et qui sont le moins motivés.
- Le sexe. Les garçons décrochent plus facilement du secondaire et du cégep et réussissent moins bien que les filles durant les premières années de l'école. Par contre, celles-ci sont moins nombreuses à poursuivre des études de maîtrise et de doctorat, alors qu'elles sont plus nombreuses dans les programmes du baccalauréat et de certificat.
- Le pluralisme ethnique. Cela peut être un atout pour une école s'il est bien encadré, mais il peut aussi rendre l'apprentissage plus difficile.
- L'organisation scolaire elle-même. Elle peut faciliter les rapports entre les différents acteurs de l'école et entre l'école et le milieu. Le climat social de l'école peut faciliter l'apprentissage ou lui nuire.

Un ouvrage récent publié par la Centrale de l'enseignement du Québec fait état des résultats d'expériences qui montrent qu'on peut surmonter ces obstacles[32]. Ceux-ci représentent des défis qui favorisent la mobilisation vers la poursuite et la réussite des études.

Le cas de l'école Jeanne-Mance, à Montréal, en fournit un bon exemple. Cette école secondaire est située dans l'Est de la métropole, au cœur d'un quartier défavorisé et multiethnique du plateau Mont-Royal (50 % des élèves sont d'origine autre que canadienne française). On y trouve un nombre important de familles monoparentales.

31. Claude Montmarquette *et al.*, *Les interventions scolaires en milieu défavorisés*, Montréal, Presses de l'Université de Montréal, 1989.

32. Voir CEQ, *L'ABC de la réussite scolaire*, Éd. CEQ/Saint-Martin, 1994.

En août 1995, cette école fut sélectionnée parmi 260 écoles du Canada et reçut le titre d'école exemplaire de l'Association canadienne d'éducation. Dans l'ensemble du Canada, 21 écoles reçurent ce titre, dont quatre au Québec et une seule à Montréal.

À l'école Jeanne-Mance, la direction a conçu un projet visant à amoindrir l'effet des obstacles à la réussite scolaire. Les enseignants, le comité d'école et le conseil d'orientation de l'école ont participé activement au projet. On a établi des politiques de dépistage rapide des difficultés d'apprentissage et des politiques d'encadrement. On cherchait notamment à créer un climat de confiance entre le directeur, les enseignants, les parents et les élèves. On a fait la promotion de la langue française par l'écriture et la lecture, et on a valorisé l'usage de la bibliothèque de l'école comme complément à celle du quartier ou de la ville. Finalement, on a cherché à favoriser l'harmonie interculturelle.

Par ailleurs, l'école entretient des relations avec les organismes communautaires tels le CLSC, le Centre Immaculée-Conception, la maison des jeunes, la caisse populaire du quartier et divers regroupements de Vietnamiens, de Latino-Américains, de Portugais et d'Italiens. On a également établi une relation directe avec le poste 35 de la police de Montréal, question de mieux contrôler la criminalité et la circulation de la drogue.

Les résultats sont impressionnants. Quatre-vingt-six pour cent des finissants de secondaire V y ont obtenu leur diplôme d'études secondaires comparativement à 40 % dans les milieux aux caractéristiques sociodémographiques identiques et 70 % se sont inscrits au cégep comparativement à 30 %. De plus, les jeunes élèves interrogés se disent d'autant plus motivés à lire, à écrire, à assister aux cours et à faire les travaux exigés qu'ils vivent des relations intéressantes avec leurs professeurs. C'est le pivot du programme. En un mot, les obstacles à la réussite que sont un milieu socioéconomique moins favorisé, la multiethnicité, le cloisonnement de l'école par rapport au milieu et la bureaucratisation du système scolaire n'ont pas un caractère déterminant sur la motivation et la réussite. Ils appellent la mise sur pied d'initiatives locales.

D'autres écoles ont aussi des politiques analogues de prévention du décrochage et de l'échec scolaire. À Granby, l'école polyvalente Joseph-Hermas-Leclerc a mis sur pied, dans les années 80, des politiques d'aide à la persévérance et à la réussite. Le décrochage y a diminué et la motivation des étudiants s'y est accrue. Dans le Bas-du-Fleuve, un programme communautaire appelé « La fondation pro-jeune-est Rimouski-Neigette » vise à prévenir le décrochage scolaire et la toxicomanie, et à augmenter l'intérêt des jeunes pour les études. Cet organisme implique les principaux acteurs socioéconomiques de la région : les commissions scolaires, l'université locale, le CLSC, la chambre de commerce, les organisations syndicales. Ces acteurs sociaux mènent une action concertée auprès de la jeunesse de la région.

Qu'elles aient lieu à Montréal, à Granby, à Québec, à Rimouski ou ailleurs, ces expériences démontrent l'importance de l'implication de tous les acteurs à tous les niveaux. C'est souvent à la base, par des actions locales et discrètes, que s'amorcent les changements qui vont permettre à tout le système de relever les défis de l'heure.

« Agir localement, penser globalement », disait-on durant ces années de participation que furent les années 70. À l'Université Laval, la faculté des sciences de l'éducation a créé un centre appelé CRIRES (Centre de recherche et d'intervention sur la réussite scolaire). On y fait des recherches sur les causes de l'échec scolaire et de l'abandon ainsi que sur les moyens à mettre en œuvre pour inciter les jeunes à persévérer dans leurs études. Des chercheurs travaillent en étroite collaboration avec les directions d'école mais surtout avec les enseignants pour trouver des solutions concrètes aux difficultés d'apprentissage.

Voilà autant d'éléments sur lesquels prendre appui pour permettre aux élèves de réussir leurs études.

L'école et l'intégration sociale

Si l'école doit permettre l'acquisition des connaissances qui sont partie intégrante de l'héritage d'une société, elle doit également permettre l'intégration des individus dans la division sociale du travail. Les enquêtes faites auprès de décrocheurs ont mis en évidence l'importance de relier les études au monde du travail. Pour beaucoup de jeunes, cette collaboration étroite peut être un important facteur de motivation pour la poursuite de leurs études. Une façon de lutter contre le décrochage est de fournir aux jeunes une formation reliée directement au monde de l'emploi, sans pour autant réduire l'école à cette fonction purement utilitaire.

On discute actuellement des liens entre l'école et le milieu de travail susceptibles de motiver les élèves à poursuivre leurs études. Certains pays ont fait des expériences intéressantes en ce sens. Christian Payeur, agent de recherche à la CEQ, a étudié diverses expériences internationales de relations travail-école, notamment celles de l'Allemagne et de la Suède[33].

33. Voir Christain Payeur, *Formation professionnelle, éducation et monde du travail au Québec – S'engager pour l'avenir,* Éd. CEQ/Saint-Martin, 1991.

1. *Le cas de l'Allemagne.* – La puissance industrielle de l'Allemagne n'est plus à démontrer. Quand elle était divisée en deux pays, l'Allemagne de l'Ouest et l'Allemagne de l'Est, chacun des deux constituait une force industrielle. Unifiée, elle demeure un des grands producteurs de biens à valeur ajoutée, notamment dans le secteur de l'automobile et des machines-outils. Comment forme-t-on la main-d'œuvre hautement qualifiée dont a besoin l'industrie ?

Dès l'âge de 12 à 13 ans et jusqu'à 18 ans, le jeune qui manifeste de l'intérêt pour le travail industriel peut se diriger vers une formation professionnelle. Il existe un système de formation pratique dans l'entreprise appelé « apprentissage » qui permet de relier la théorie et la pratique, l'école et les entreprises travaillant de concert pour assurer la maîtrise de la langue, de l'écriture, du calcul, de l'histoire et de la géographie tout en fournissant les éléments théoriques et techniques essentiels à la pratique d'un métier. Cette concertation entre le système scolaire et le monde du travail fait intervenir des entreprises des industries de l'automobile, de l'électroménager, de l'électronique, de la mode et du design. L'entreprise prépare sa main-d'œuvre de longue date. En Allemagne, le secteur de la transformation et de la production industrielle est encore très important : plus de 40 % de la main-d'œuvre y travaille, comparativement à 26 % au Québec. De plus, le secteur secondaire allemand possède une plus grande valeur d'entraînement (automobile, haute technologie) que le secteur secondaire québécois (textile, alimentation). On y crée donc des emplois de qualité exigeant une formation de base à laquelle se greffe une formation spécialisée. Cette main-d'œuvre hautement qualifiée est fort bien rémunérée. En Allemagne, l'enseignement technique et professionnel est très valorisé, tout comme l'est le travail ouvrier.

Selon Payeur, cette intégration tient à un ensemble de facteurs, notamment :

- une structure sociale et un système scolaire qui institutionnalisent les relations école-travail ;
- un mouvement ouvrier fort qui valorise les métiers d'ouvrier et de technicien ;
- la grande autonomie des écoles et des travailleurs dans l'entreprise ;
- un secteur secondaire exigeant une main-d'œuvre de qualité ;
- une tradition de concertation école-entreprise-gouvernement.

Au niveau universitaire, il existe également une étroite relation entre les programmes d'études, les besoins de l'économie, la politique et les préoccupations sociales du pays. Le taux de chômage en Allemagne a longtemps oscillé entre 4 et 5 %, pour ensuite atteindre près de 10 % vers 1995. Au début de 1996, les patrons, l'État et les syndicats ont mis au point un plan d'action concerté, le « pacte de l'emploi », pour faire face à la nouvelle réalité et trouver des solutions aux problèmes qu'elle présente.

2. *L'exemple de la Suède.* – En Suède, toute la formation des jeunes se fait à l'école, comme c'est le cas au Québec. Mais l'école donne une formation directement branchée sur le marché du travail. Cela est dû à la tradition de partenariat entre les entreprises, les syndicats et l'État qui caractérise le système suédois de négociations sociales constantes.

Dans ce système social, l'école détient une place de choix. Ainsi, le système scolaire doit encadrer le jeune jusqu'à l'âge de 18 ans, même s'il est déjà sur le marché du travail. De plus, durant la période des études secondaires, chaque jeune doit obligatoirement effectuer trois stages de quelques semaines dans un secteur ou l'autre du marché du travail. Chaque filière professionnelle est contingentée pour assurer une meilleure intégration au marché du travail. Les professeurs restent en contact constant avec le jeune pour l'aider à s'orienter ou à se réorienter et à se trouver de l'emploi une fois ses études terminées. C'est l'un des pays où le taux de chômage des jeunes de 18 à 25 ans est le plus bas au monde : il varie entre 5 % et 6 % (en 1990, il était de plus de 16 % au Canada et de 20 % au Québec).

Les conditions qui facilitent cet ajustement de l'école au milieu du travail sont les suivantes :

- une tradition de concertation entre l'État, le patronat et les syndicats ;
- une politique de plein emploi et de formation de la main-d'œuvre ;
- une structure industrielle forte ;
- une bonne politique de recherche et développement ;
- une grande valorisation du système d'éducation ;
- une relation étroite entre professeurs et étudiants ;
- des rapports systématiques entre l'école et le milieu social environnant ;
- un mouvement syndical respecté ;
- une valorisation de la formation professionnelle et technique.

Comme le souligne Payeur, nous pourrions nous inspirer de ces expériences en tenant compte de nos traditions et de nos acquis. De telles expériences ont au moins le mérite de montrer qu'il est possible de procéder autrement et que le décrochage et l'échec scolaire dus à l'absence de motivation ne sont pas une fatalité.

L'ANALPHABÉTISME ET LE DÉCROCHAGE

À l'aube du XXIe siècle, alors que le savoir est le moyen d'accès privilégié au patrimoine humain, il subsiste encore une exclusion sociale reliée à l'analphabétisme. La lutte à l'analphabétisme constitue un autre défi que doit relever la société actuelle.

Au sens strict, L'ANALPHABÉTISME est l'incapacité de lire, d'écrire et de compter. On trouve un tableau assez éloquent du phénomène de l'analphabétisme dans le monde et au Québec dans un article récent de Jean-Pierre Proulx[34]. Celui-ci note qu'en 1990, 26,9 % de la population mondiale de 15 ans et plus ne savait ni lire ni écrire, alors qu'en 1950, elle était de 44,0 %. Dans les pays développés, cette proportion s'élève à 4,4 %[35].

Soixante-trois pour cent des analphabètes dans le monde sont des femmes. Il n'est donc pas surprenant que le dernier Forum international des femmes, tenu à Béjing au mois d'août 1995, ait réclamé des pays participants qu'ils adoptent des politiques de scolarisation spécifiques pour les filles et les femmes. C'est par l'éducation qu'elles pourront gagner leur autonomie. L'éducation permet aussi un meilleur contrôle de la démographie. Elle rend possible de changer les stéréotypes sur les hommes et les femmes que les femmes contribuent à perpétuer par l'éducation des enfants en bas âge. On trouve dans *L'État du monde* de 1996 le constat suivant sur l'analphabétisme et les femmes : « Si globalement pour les femmes, le taux d'analphabétisme est passé de 46,5 % à 33,6 % entre 1970 et 1990, dans certaines régions du monde le phénomène de mise à l'écart de l'éducation s'est accentué. En Asie du Sud, plus de 50 % des jeunes femmes âgées de 20 à 24 ans étaient ainsi analphabètes en 1990, contre 30 % des hommes de la même classe d'âge. Dans nombre de pays développés, en revanche, les jeunes filles sont plus nombreuses que les jeunes hommes à poursuivre des études secondaires et de plus, elles tendent à mieux réussir que les garçons[36]. »

Au Québec, il y aurait 10 % d'analphabètes. Mais, dans le cas des pays développés, on préfère parler, à l'instar de l'UNESCO, d'analphabétisme fonctionnel. Cette notion recouvre les lacunes en lecture et en calcul qui rendent l'individu incapable d'exécuter des tâches simples de la vie quotidienne, par exemple de lire un mode d'emploi sur un médicament ou un produit et d'effectuer des opérations telles une addition, une soustraction ou le paiement

34. Jean-Pierre Proulx, « L'analphabétisme », dans Fernand Dumont, Simon Langlois et Yves Martin (dir.), *Traité des problèmes sociaux,* Montréal, Institut québécois de recherche sur la culture, 1993, p.797-816.

35. Elle est de 52,7 % en Afrique sub-saharienne, de 48,7 % dans les États arabes, de 15,2 % en Amérique latine et dans les Caraïbes, de 24,0 % en Asie de l'Est (Corée, Japon, Chine, etc.) et de 53,8 % en Asie de l'Ouest (Inde, Népal, Bengla-Desh, etc).

36. *L'État du monde 96,* p. 77.

d'une facture. Il y aurait, au Québec, 18 % d'analphabètes fonctionnels. Il y a évidemment un lien entre la scolarisation et l'analphabétisme ainsi qu'entre la pauvreté et l'analphabétisme.

D'après les études disponibles sur ce phénomène, une partie des décrocheurs, qui ont un niveau de scolarisation pouvant aller jusqu'au secondaire III mais n'ont pas pu pratiquer la lecture et l'écriture, peuvent devenir progressivement analphabètes fonctionnels. Pour un nombre assez important de personnes, notamment celles pratiquant certains métiers (mineurs, cultivateurs, ouvriers de la construction) où l'écrit est peu requis, l'analphabétisme est un processus avant d'être un état. Les facultés intellectuelles, si elles ne sont pas entretenues régulièrement par la lecture et l'effort d'écriture et de mémorisation, peuvent s'atrophier.

Cette perte de compétence constitue un premier pas vers l'exclusion. Un analphabète fonctionnel qui perd son emploi devient très vulnérable au chômage de longue durée et peu apte à se recycler. C'est pourquoi les divers groupes voués à l'alphabétisation visent à la fois la participation au marché du travail par le recyclage, l'implication sociale des individus dans des groupes organisés et le développement de l'intérêt pour la culture comme moyen d'épanouissement personnel. On vise à donner à l'analphabète une image positive de soi plutôt qu'une image de marginal et d'exclu. C'est ce qu'illustre le cas d'Alain et de Marc présenté dans l'encadré 5.

ENCADRÉ 5

Alphabétisation : Abattre le mur de la honte

« Pendant quinze ans, Alain s'est rendu à l'usine d'assemblage avec son journal sous le bras, comme bien d'autres travailleurs. Mais il lui arrivait fréquemment de « manquer de temps » pour le lire, d'« oublier ses lunettes » ou de « devoir aller rapidement aux toilettes » quand venait le temps d'en discuter le contenu avec ses collègues. Et pour cause : Alain ne savait ni lire ni écrire.

Il lui a fallu plusieurs années pour finir par admettre, à 33 ans, qu'il était analphabète. « Comme un alcoolique ou un toxicomane, il n'est pas facile d'admettre qu'on est analphabète », dit-il.

Selon la Fondation québécoise pour l'alphabétisation (FQA), on compte au Québec 275 000 adultes ne pouvant ni lire ni écrire, alors que 595 000 personnes ne peuvent que repérer un mot familier dans un texte. Et plus du quart de la population adulte peine à exécuter des opérations simples, comme l'addition ou la soustraction. Pourtant, l'analphabétisme demeure largement caché derrière un mur de honte, que vise à abattre la FQA pendant la semaine québécoise de l'alphabétisation, qui se déroule jusqu'à samedi prochain.

Après avoir quitté l'école à 14 ans, alors qu'il n'avait pas encore complété sa quatrième année, Alain se retrouve sur le marché du travail et développe, comme d'autres « A. A. » (analphabètes anonymes), un sens aigu de la débrouillardise. « Quand je devais faire l'épicerie seul, je regardais sur les étiquettes des produits pour voir si les lettres concordaient avec celles se trouvant sur la liste que ma femme avait faite. Ça prenait beaucoup de temps ! »

Quand son épouse et lui se sont séparés, il a réussi à admettre son handicap. Une fois ce pas franchi, il a pu entamer des cours qui lui apporteront une autonomie dont il jouit pleinement aujourd'hui, sans compter les heures de plaisir que lui procure désormais la lecture. Il lui faudra néanmoins attendre un an après le début de ses cours pour révéler son secret à ses proches : un an à expurger les dernières traces d'une gêne qui clôturait son monde. Aujourd'hui, Alain essaie de briser ce mur du silence derrière lequel plusieurs se cachent en mettant sur pied un groupe d'alphabétisation dans son milieu de travail, tout en se préparant, à 40 ans, à donner des conférences sur l'alphabétisation et le décrochage.

Marc n'ignore pas qu'il est difficile pour un adulte de reconnaître qu'il ne sait pas écrire. Peintre en entretien, après avoir travaillé plus de dix ans dans la construction, il a perdu un nouvel emploi, après quelques mois, lorsque son employeur s'est rendu compte qu'il était incapable d'écrire un rapport. N'ayant jamais complété son secondaire IV, dans le secteur professionnel, il a toutefois décidé de suivre des cours… sans s'attendre à être envoyé dans une classe d'alphabétisation !

« Ça m'a fait mal. Je ne voulais pas m'avouer que j'étais analphabète parce que partout, on renvoie des analphabètes. Pourtant, ça faisait 12 ans que je travaillais ! »

Acculé au mur, Marc s'est lancé dans des cours de français il y a un peu plus d'un an, à l'aube de sa troisième décennie. Et sans demander de pitié de qui que ce soit. « Les analphabètes n'ont pas besoin de pitié. Ce qu'il faut leur donner, c'est de la fierté. Ce n'est pas vrai qu'ils ne savent rien faire ! Plus ils trouveront de la fierté, plus ils voudront apprendre[37].

Il existe un certain nombre de regroupements et d'organismes offrant des services et de l'assistance aux analphabètes.

Au Québec, le Regroupement des groupes populaires en alphabétisation du Québec rassemblait en 1995 une quarantaine de groupes de toutes les régions, les analphabètes se trouvant aussi bien dans les régions rurales que dans les centres urbains. Pour ce regroupement comme d'autres organismes qui s'occupent d'éducation populaire, l'alphabétisation est une question de dignité.

Comme l'analphabétisme fonctionnel fait souvent suite au décrochage scolaire, une des meilleures façons de prévenir l'analphabétisme consiste à lutter

37. *Le Devoir,* 19 octobre 1995. Note : Les noms de famille ont été omis pour préserver l'anonymat.

contre le décrochage. Les groupes d'alphabétisation et le secteur d'éducation des adultes dans les commissions scolaires et les cégeps ont mis sur pied des structures favorisant le retour aux études. L'alphabétisation et l'éducation des adultes sont cependant des mesures curatives. Les mesures préventives doivent viser les causes mêmes du décrochage. On sait que le décrochage affecte surtout des jeunes entre 14 et 18 ans. Nous avons indiqué, au chapitre 1, les principales causes de ce problème. Ce sont essentiellement un besoin de liberté, le désir de gagner vite de l'argent pour se procurer des biens de consommation, le fait que les apprentissages de l'école sont souvent déconnectés de la réalité, une mauvaise orientation dans les études et finalement des retards et des échecs accumulés, souvent depuis le primaire.

Nous avons vu comment certains pays (Allemagne, Suède) ont réussi à créer des liens étroits entre les institutions d'enseignement et les entreprises, notamment en établissant un système d'apprentissage. À l'heure actuelle, au Québec, des efforts sont faits pour instaurer des liens plus étroits entre les études et le monde du travail dès le secondaire, de manière à mieux motiver les jeunes. De plus, on parle de rémunérer ces stages en entreprise, ce qui pourrait donner aux jeunes une certaine autonomie financière. Il s'agit encore de projets à l'étude, mais les centrales syndicales, les entreprises et le gouvernement se sont déclarés intéressés à mettre de l'avant de telles pratiques pour éviter le décrochage et donner un sens aux études. La concertation entre ces acteurs sociaux représente déjà un premier pas dans la bonne direction.

RÉVISION

Nommez et décrivez brièvement quelques mesures de prévention efficaces contre le décrochage scolaire.

Une autre mesure préventive consisterait à dépister très tôt les élèves les plus susceptibles de décrocher, de manière à leur donner un meilleur appui.

Et finalement, on pourrait encore aider les jeunes en leur fournissant de meilleurs services d'orientation pour qu'ils puissent se diriger dans des secteurs où ils ont une chance de réussir.

L'ÉCOLE ET LA DIVERSITÉ

L'école n'est plus un milieu homogène. Au début des années 60, l'étudiant universitaire typique était un garçon de race blanche âgé de 19 à 22 ans, anglophone ou francophone, finissant son cours classique. Il étudiait à temps plein. Il provenait en général d'un milieu familial plus aisé que la moyenne et habitait un centre urbain, principalement Montréal ou Québec. Environ 10 % des étudiants seulement se conforment maintenant à ce modèle. On trouve aujourd'hui à l'université des femmes, des gens de toute origine ethnique et géographique, des adultes, des travailleurs et des étudiants à temps partiel. Cette diversité caractérise l'ensemble du système scolaire.

Elle est encore plus marquée à Montréal, où 90 % des immigrants s'établissent chaque année. Sur le territoire de la CECM ou de la CEPGM (Commission des Écoles Protestantes du Grand Montréal), plusieurs écoles primaires et secondaires comprennent plus de 50 % des enfants qui sont nés ailleurs qu'au Québec ou au Canada. Et cette immigration elle-même est diversifiée.

Il va sans dire que l'école a un rôle important à jouer pour faciliter le développement harmonieux d'une société pluraliste. On peut y parvenir en valorisant l'expérience interculturelle, c'est-à-dire les échanges entre gens de différentes cultures qui fréquentent l'école, et en prônant la tolérance et l'ouverture par la lutte à toute forme de racisme et de discrimination. L'histoire, la littérature et l'imaginaire d'une société se transforment à mesure que la société s'abreuve à diverses sources et intègre de nouveaux patrimoines. Un tel processus d'intégration demande une adhésion de l'ensemble de la société au pluralisme[38].

L'école est un milieu de vie ainsi qu'un lieu d'apprentissage et de développement de l'imaginaire. Dans son fonctionnement global et dans les contenus qu'elle transmet, elle peut être un creuset pour l'intégration des individus et l'enrichissement d'une culture de langue française.

Plusieurs pays, comme la Suisse et l'Allemagne, acceptent des immigrants selon leurs besoins à court terme de main-d'œuvre. Ces besoins satisfaits, ils les encouragent à retourner dans leur pays d'origine plutôt que de tenter de s'intégrer à la société d'accueil, de s'y installer, d'y faire grandir des enfants.

La situation est bien différente au Québec qui ouvre ses portes aux immigrants en leur permettant de s'intégrer à la société, d'y trouver du travail, d'y faire instruire leurs enfants. Les études faites aux États-Unis sur l'intégration des nouveaux arrivants identifient deux canaux principaux d'intégration sociale à la société d'accueil : le monde du travail (lorsque la langue de travail est celle de la société d'accueil) et l'école. Ces études montrent en outre que c'est à la seconde génération scolarisée que l'intégration est vraiment réalisée. L'école joue donc un rôle de premier plan dans la réalisation de cette intégration harmonieuse[39].

38. CEQ, *Apprendre à vivre ensemble,* Montréal, Éd. CEQ, 1995.

39. Jean-Pierre Rogel, *Le défi de l'immigration,* Montréal, Institut québécois de recherche sur la culture, 1989.

RÉSUMÉ

1. L'éducation est l'action qu'exerce une génération sur une autre pour l'amener à s'intégrer à la société. Chaque époque et chaque société ont leur conception de l'éducation. Les principales conceptions contemporaines de l'école – l'école humaniste, l'école utilitariste, l'école néolibérale et l'école progressiste – reposent sur des conceptions de l'être humain et des valeurs qui accordent une plus ou moins grande part à la formation de la personne, à la formation de la main-d'œuvre, à la liberté de choix et à la transmission de l'héritage culturel.

2. Le système d'éducation québécois a été complètement transformé durant la Révolution tranquille. Avant 1960, ce système était élitiste et confessionnel. Après la réforme réalisée essentiellement de 1964 à 1970, il devint en grande partie gratuit, accessible à l'ensemble de la population et on lui donna des programmes plus modernes. Cette réforme entraîna une hausse du taux de scolarisation et se traduisit aussi par l'étatisation, la centralisation, la technocratisation, la laïcisation et la professionnalisation du système d'éducation.

3. Certains développements sociaux récents, notamment les changements démographiques, obligent les acteurs sociaux à repenser les structures de ce système. L'école demeurant un des principaux outils du développement social, elle doit offrir aux enfants, aux travailleurs, aux aînés et aux groupes ethniques des programmes et des structures qui favorisent leur intégration. Une société dite du savoir demande que l'on rende le savoir largement accessible au plus grand nombre.

4. Le décrochage scolaire et l'analphabétisme représentent aussi des défis importants pour les responsables de l'éducation. Il devient important de s'assurer que non seulement les jeunes fréquentent l'école, mais qu'ils en sortent avec un diplôme. Les facteurs du décrochage et de l'analphabétisme sont connus et on cherche dorénavant à mettre sur pied des programmes qui permettent de lutter efficacement contre ces problèmes.

POUR CONTINUER LA RÉFLEXION

BERTHELOT, Jocelyn, *Une école de son temps,* Éd. CEQ/Saint-Martin,1994.

DANDURAND, Pierre, « Démocratie et école au Québec : bilan et défis », dans F. DUMONT et Y. MARTIN (dir.), *L'éducation 25 ans plus tard ! Et après ?,* Montréal, Institut québécois de recherche sur la culture, 1989, p. 37-60.

SERRES, Michel, *Le tiers-instruit,* Paris, Gallimard, coll. Folio/Essais, 1991.

CHAPITRE 7

La culture

CHAPITRE 7

1. **Quelques notions de base**
   - Les niveaux de culture
   - L'interaction entre la culture première et la culture seconde
   - La culture plurielle
   - La culture de divertissement
2. **Du réel à l'imaginaire**
   - La culture traditionnelle et la modernisation
   - L'accessibilité de la culture et l'ouverture au monde
   - La diversité des formes d'expression artistique
   - L'importance de la liberté
3. **La transformation de la réalité par l'art**
   - L'art et le changement social
   - La prise de conscience de l'identité
   - La culture de la distinction
   - L'art par l'éducation ou l'éducation par l'art
4. **La transformation de l'art par la société**
   - La technologie
   - L'économie de marché
   - Cosmopolitisme et internationalisme
   - Les valeurs d'une société et son art

Résumé

Pour continuer la réflexion

« La culture, c'est exercer le plaisir de changer la réalité. »
(Bertolt Brecht)

Au cours des chapitres précédents, il a été fréquemment question de valeurs, de symboles, de significations et de choix de société. Nous avons indiqué que nos représentations de la vie avec autrui, de l'amour, du travail et de l'avenir forment l'imaginaire d'une société. Les valeurs, les représentations et l'imaginaire sont autant d'éléments d'une culture. Les sciences humaines – l'anthropologie et la sociologie en tête – ont accordé une très grande importance à cette dimension de la vie collective et ont cherché à comprendre son fonctionnement et son évolution. La culture est à la fois un miroir des sociétés et une projection de leurs désirs vers l'avenir.

Au cours de ce chapitre, nous allons tenter de préciser ce que l'on entend par culture et quels sont les différents sens que l'on donne à ce concept en sciences humaines. Nous allons ensuite examiner les liens entre la culture et la société, et indiquer dans quelle mesure la culture est un reflet de la réalité et comment elle peut contribuer à la transformer. Il apparaîtra que la culture est un des instruments privilégiés dont une société dispose pour faire face aux défis qui se présentent à elle. Le caractère ludique de l'art ainsi que sa capacité de susciter des émotions lui confèrent une grande efficacité. Le plaisir fait partie de l'activité culturelle autant pour le créateur que pour le consommateur, comme le souligne Bertolt Brecht dans la phrase mise en exergue. Dans l'optique de l'analyse de la transformation des sociétés, l'étude de la culture comme moyen d'expression de l'autonomie s'avère de toute première importance. Les modes de l'esthétique constituent une des dimensions de l'imaginaire qu'il est essentiel d'explorer pour comprendre comment la société peut se percevoir et percevoir son avenir différemment.

Nous avons présenté au chapitre 3 le concept d'imaginaire social de Castoriadis, défini comme la capacité qu'a une société de se recréer elle-même sans cesse en relevant des défis. Le sociologue Wright Mills avait déjà mis en évidence, dans les années 50, l'importance de l'imagination sociologique pour l'analyse des transformations sociales. Il considérait que les « critiques et romanciers, poètes et hommes de théâtre, ont été les grands, et souvent les seuls formulateurs des épreuves personnelles – parfois même des enjeux collectifs[1] ». L'art peut exprimer les sentiments et

1. Wright Mills, *L'imagination sociologique*, trad. de l'américain par Pierre Clinquart, Paris, Maspero, 1977, p. 22.

conférer un caractère dramatique aux situations. Comme la sociologie est appelée à analyser et à expliquer les problèmes sociaux et à essayer de proposer aux politiques des solutions applicables, elle devrait pouvoir s'inspirer de l'expression sociale de ces problèmes. Malheureusement, déplore Mills, l'intuition, la sensibilité et l'imagination se trouvent trop souvent du côté des arts, alors que la bureaucratisation, « l'obsession méthodologique » et la « structurite » sont du côté des analystes. Et pourtant, les rêves et les projets des sociétés peuvent nous révéler beaucoup sur la nature des sociétés.

À l'heure actuelle, il existe une branche de la sociologie consacrée à l'étude des représentations, des significations et des symboles. Elle s'inscrit dans la foulée des travaux d'éminents sociologues, notamment de Max Weber. Dans la mesure où un groupe humain est vu comme un être vivant, c'est la culture qui est le principe de cette vitalité. Elle irrigue et nourrit sans cesse l'ensemble des institutions que s'est donné le groupe.

En abordant l'étude des problèmes sociaux, on peut faire le pari qu'une société imaginative sur le plan artistique le sera également sur le plan social. Et inversement, les sociétés figées dans des structures autoritaires auront tendance à étouffer la liberté d'expression et la créativité des artistes. C'est ce que n'ont pas cessé de dénoncer les artistes et les intellectuels de l'Europe de l'Est durant les quarante années de régime communiste. C'était aussi le propos des signataires du *Refus global,* dont nous parlerons plus loin dans ce chapitre. Il est clair que dynamisme social et dynamisme culturel vont de pair.

7 Quelques notions de base

L'étude de la culture fait intervenir un certain nombre de notions de base qu'il convient de clarifier dès maintenant. Ce sont les notions de culture première et seconde, de culture plurielle et de culture de divertissement.

Les niveaux de culture

Pour les anthropologues, la CULTURE est l'ensemble des connaissances, des croyances, des coutumes et des traditions requises par l'être humain pour vivre au sein d'une société. C'est là une conception globale de la culture. Elle se rapporte à un savoir transmis ou acquis qui constitue un principe d'équilibre et de dynamisme au sein d'une société.

Cette notion générale de culture comporte plusieurs ramifications. Ainsi, le sociologue québécois Fernand Dumont trace une distinction entre la culture première et la culture seconde[2]. La CULTURE PREMIÈRE est la culture qui s'exprime dans les façons de faire, de travailler, d'aimer, de penser et de parler des membres d'une société. C'est la culture au quotidien comprise dans ce que l'on appelle les modes de vie. Elle se rattache directement au sens anthropologique du concept de culture. La CULTURE SECONDE se manifeste dans les œuvres littéraires, poétiques, musicales, architecturales et picturales d'une société. Elle englobe l'ensemble des formes de l'expression artistique, des œuvres les plus hermétiques aux créations plus populaires présentées dans les médias et les lieux de divertissement. C'est surtout de culture seconde qu'il sera question dans ce chapitre.

Le sociologue Fernand Dumont (né en 1927).

L'INTERACTION ENTRE LA CULTURE PREMIÈRE ET LA CULTURE SECONDE

La culture première et la culture seconde ne sont pas indépendantes. Il est clair que les artistes tirent leur matériau de leur expérience de vie quotidienne. On retrouve dans les romans de Michel Tremblay la vie du plateau Mont-Royal des années 40 et 50 et dans *La petite poule d'eau* ou *Cet été qui chantait* de Gabrielle Roy de nombreux éléments de son expérience d'institutrice au Manitoba dans les années 30 ou des histoires rapportées par son père concernant les difficultés reliées à la colonisation de l'Ouest canadien. Cinéastes, romanciers, poètes, peintres créent avant tout à partir de leur expérience personnelle.

Si la culture première alimente la culture seconde, l'inverse est aussi vrai. Les émotions provoquées par la musique, la poésie, la littérature, le cinéma ou l'art peuvent transformer notre façon de voir et d'agir. On considère de plus en plus que la pratique de la musique, de la peinture ou de l'écriture a une valeur préventive et thérapeutique. Elle permet d'exprimer des pulsions et ainsi de faire dévier la violence, l'ennui, la lassitude dans des activités constructives. Des individus moins frustrés et plus inventifs sont sans doute mieux en mesure de faire une contribution plus dynamique à la vie de leur société. Elle peut aussi meubler les moments de solitude que tout être doit affronter à l'occasion au cours de son existence. La culture seconde, parfois appelée culture savante,

2. Voir Fernand Dumont, *Le lieu de l'homme – La culture comme mémoire et distance,* Montréal, HMH, 1969.

n'est donc pas enfermée dans des musées ou réservée à une minorité, puisqu'elle rayonne, touche la vie quotidienne et s'en inspire.

Tout en étant déterminée par les conditions économiques, politiques et idéologiques de son époque, l'expression artistique revendique un développement relativement autonome. Si la réalité inspire souvent les artistes au départ, ceux-ci sont amenés à la dépasser et même à l'imaginer autrement. La métaphore et le rêve les transportent hors du réel. C'est là une précieuse qualité de l'art et de la littérature : regarder ce qui est pour voir au-delà. Les relations entre la culture et la société apparaissent ainsi comme des relations d'interdépendance.

Il faut par ailleurs distinguer la culture et la civilisation. Une *civilisation* est un phénomène global englobant plusieurs univers culturels. Ainsi, la civilisation occidentale englobe l'Europe et l'Amérique. Elle se traduit par l'ensemble des acquisitions techniques, scientifiques, spirituelles, éthiques et esthétiques de ces sociétés. C'est à ce niveau que se placent les processus sociaux de longue durée, comme l'industrialisation et l'urbanisation, dont nous avons parlé au premier chapitre.

Alors que la culture fait appel aux particularismes et à la spécificité d'une société, la civilisation souligne les traits communs à plusieurs cultures. On ne peut parler d'une civilisation sans se référer à ses œuvres de littérature, orales ou écrites, à son architecture, à ses sculptures et à ses productions picturales ou utilitaires. L'art fait partie intégrante d'une civilisation.

La culture plurielle

Le sociologique Michel de Certeau[3] a formé l'expression CULTURE PLURIELLE pour mettre en évidence un caractère essentiel de la culture contemporaine. En tant que réseau de représentations, de symboles, de références guidant les agissements et les attitudes des individus, la culture a en effet un caractère de diversité intrinsèque.

C'est ainsi que les recherches sur la culture en sciences humaines ont permis de d'appréhender les cultures dites ouvrière, paysanne, populaire et régionale comme autant de foyers vivants et de modes d'expression particuliers animant les structures sociales. Désormais, on ne se contente plus de décrire ces différentes facettes de la culture comme des dimensions d'une réalité passée. Elles sont plutôt vues comme un patrimoine à conserver. Les danses, les contes, les fêtes, les rituels et les langages multiples sont fixés dans

3. Voir Michel de Certeau, *La culture au pluriel*, Paris, UGE, 1974.

la mémoire collective où ils apparaissent comme le produit de l'action de divers groupes dans des conditions sociohistoriques particulières.

La culture plurielle traduit souvent une résistance à une culture uniformisante imposée par des élites religieuses, politiques ou économiques. Dans la mesure où elle manifeste une opposition à la domination d'un groupe sur un autre, la culture plurielle a un caractère politique. La domination culturelle peut se faire au niveau international, national ou local. Ainsi, l'omniprésence de la musique et du cinéma américains, qui diffusent partout sur la planète les diverses facettes de l'*American Way of Life*, témoigne d'une prépondérance universelle de la culture américaine. Face à ce phénomène, les nations tentent de protéger leurs propres productions, qui rendent compte de leur spécificité. Certains gouvernements ont essayé, lors des négociations de l'**ALENA** et du **GATT**, d'inclure dans les accords des clauses leur permettant de protéger les cultures nationales contre la domination culturelle américaine. L'enjeu global de telles démarches est de préserver l'hétérogénéité des cultures contre une tendance à l'homogénéisation et à la standardisation.

ALENA
Accord de libre-échange nord-américain entre le Canada, les États-Unis et le Mexique.

GATT
Accord général sur les tarifs douaniers et le commerce auquel adhèrent maintenant 116 pays.

On peut aussi, à l'intérieur d'une même nation, se protéger contre la domination d'un groupe. Ainsi, la culture du Lac-Saint-Jean ou celle de la Gaspésie représentent à certains égards des modes de résistance à une conception trop exclusivement urbaine de la culture. Les habitants de ces régions tentent par exemple de préserver et d'encourager des modes d'expression régionaux. Il existe des oppositions du même type entre d'autres formes de culture, par exemple la culture ouvrière et la culture bourgeoise.

C'est cette grande diversité d'expression et cette créativité qui constituent la richesse des patrimoines. La diversité culturelle repose sur des façons particulières d'exprimer l'expérience humaine qui ne se limitent pas aux productions des artistes reconnus ou officiels. Cela ne signifie pas pour autant que la culture est éclatée en de multiples sous-cultures en opposition. Elle conserve un caractère unificateur en dépit de ces oppositions et de ces différences. Il y a dans une société un héritage commun qui détermine des raisons communes d'agir[4].

La culture de divertissement

Lire un livre, écouter un disque, jouer un instrument de musique, assister à un concert, écrire de la poésie, regarder la télévision : voilà autant d'activités culturelles qui servent à nous divertir et à meubler nos loisirs. Mais

4. Nous reprenons cette expression de Fernand Dumont. Voir son ouvrage *Raisons communes,* Montréal, Boréal, coll. Papiers collés, 1995.

la culture de divertissement est aussi une culture de masse rendue possible par le développement des médias.

Diverses études et sondages indiquent que la télévision occupe une place de choix dans les divertissements de masse. En 1992, les Québécois passaient en moyenne 14,7 heures par semaine devant leur petit écran. C'était un peu moins qu'en 1986, alors qu'ils passaient en moyenne 17 heures par semaine à regarder la télévision (voir le tableau 1). On a aussi constaté que les moments consacrés à la lecture ont quelque peu augmenté durant la même période.

Tableau 1 Temps moyen quotidien, en minutes, alloué à la télévision et à la lecture chez les 15 ans et plus (Québec, 1986-1992)[5]

	1986	1992
Télévision	145	126
Lecture	25	29

5. BSQ, *Le Québec, chiffres en main*, 1995, Québec, BSQ, p. 10.

Si on regarde beaucoup la télévision, on écoute aussi beaucoup de musique, comme l'indiquent les données suivantes :

- en 1992, 80 % des Québécois de 18 ans et plus disaient écouter de la musique : 50 % en écoutaient 15 heures par semaine et 25 % 30 heures et plus par semaine ;
- en 1993, la population de 7 ans et plus écoutait la radio en moyenne 24 heures par semaine[6].

La radio est certainement le média le plus accessible aux individus de tous les groupes d'âge et de tous les milieux, grâce notamment aux baladeurs et aux radios d'auto.

Le tableau 2 (p. 232) indique les niveaux de participation aux diverses activités culturelles selon les groupes d'âge dans la population québécoise en 1992. On constate une grande variété dans les activités culturelles et les divertissements disponibles aux individus. Par ordre d'importance, les activités de loisirs sont l'écoute de disques ou de bandes, la lecture, le visionnage de cassettes vidéo ou de films, la visite de musées, la fréquentation de compétitions professionnelles (concours de musique, de danse) et le cinéma. Les activités culturelles se font davantage à la maison, entre amis ou en famille, qu'à l'extérieur. On peut aussi constater que le groupe qui consomme le plus de culture est le groupe des 15 à 24 ans. Ceux-ci assistent à des spectacles professionnels d'art d'interprétation (théâtre, opéra, danse) et visitent les galeries d'art et les musées presque autant que leurs aînés. Ce sont aussi eux qui sortent le plus au cinéma. Il y a donc une forte demande de culture chez ces jeunes et il y a fort à parier que cette demande ne faiblira pas dans les années à venir. La dynamique déjà observée avec l'éducation existe ici aussi : mieux on est en mesure d'apprécier les produits culturels, plus on a tendance à en consommer.

Les jeunes sont de plus en plus nombreux à pratiquer des activités culturelles. Ils sont aussi les principaux consommateurs de produits culturels.

6. *Ibid.*, p. 11.

Tableau 2 Participation aux activités culturelles selon les groupes d'âge pour la population de 15 ans et plus (Québec, 1991)[7]

	15-19	20-24	25-34	35-44	45-59	60 +	Total
Au cours de la semaine précédente							
Lire un livre comme activité de loisir.	47 %	45 %	40 %	47 %	43 %	44 %	44 %
Regarder des films au moyen d'un magnétoscope.	63 %	54 %	49 %	45 %	29 %	11 %	38 %
Aller au cinéma.	22 %	16 %	10 %	7 %	5 %	2 %	8 %
Écouter des disques compacts et des bandes.	95 %	89 %	76 %	69 %	59 %	39 %	67 %
Au cours de l'année précédente							
Assister à des spectacles professionnels d'arts d'interprétation.	31 %	31 %	28 %	33 %	36 %	23 %	30 %
Visiter des musées et des galeries d'art.	30 %	34 %	31 %	39 %	35 %	24 %	32 %
Assister à des compétitions professionnelles.	45 %	38 %	37 %	35 %	27 %	15 %	31 %

Du réel à l'imaginaire

On peut se demander si la popularité de la radio, de la télévision et du cinéma auprès des jeunes ne dépend pas du fait qu'ils présentent une image idéalisée de la réalité. Sans vouloir régler ce débat, disons que les manifestations culturelles sont liées d'une manière ou d'une autre à ce que vit une population. Il est certain que l'image qu'elles donnent de la société – une image à la fois proche et lointaine de ce que les gens vivent – facilite leur prise de conscience. Dans cette section, nous allons examiner plus en détail le fonctionnement de ce jeu des représentations.

La culture traditionnelle et la modernisation

Quand on parle de modernisation de la société québécoise, on pense surtout à l'industrialisation, à l'urbanisation ou au développement de l'État et

7. *Statistique Canada*, 1991, cat. nº 87-004.

de l'éducation. Pourtant, cette modernisation a eu un effet important sur l'activité artistique.

ROMAN-FEUILLETON
Roman édité par fragments dans un journal.

Au XIXe siècle, avec l'apparition de la presse écrite, les **romans-feuilletons** publiés quotidiennement dans les journaux à grand tirage connurent une forte popularité. Certains de ces feuilletons, tel *Charles Guérin* de P. J. O Chauveau, conservaient un caractère rural. D'autres racontaient la vie des femmes ou des quartiers urbains au début de l'industrialisation. C'était le cas de *Jeanne la fileuse* (1875), de *Angéline de Montbrun* (1881) et de *Jacques et Marie* (1865), publiés respectivement par Honoré Beaugrand, Laure Conan et Napoléon Bourassa. Les femmes surtout lisaient ces feuilletons romanesques.

On assista aussi à un affaiblissement de la culture traditionnelle, de caractère plutôt rural, axée sur la famille élargie, la parenté et la religion. Comme la population possédait peu d'instruments de musique, on se tournait vers le chant et la danse. On chantait et on dansait dans les soirées, accompagnés la plupart du temps par le « violonneux » du rang ou du village.

Cette culture traditionnelle, de tradition orale, était encadrée par le clergé. Elle fut progressivement reléguée au rang de folklore. On la trouvait surtout dans les milieux ruraux, transmise par les femmes et les communautés religieuses dans le cadre de la vie domestique. Les albums de la Bonne Chanson de l'abbé Gadbois étaient à l'époque très connus. Héritées du folklore français, ces chansons étaient le plus souvent épurées pour les enfants et les familles d'ici.

Parallèlement à cette tradition orale, contrôlée par l'Église, s'était développée une tradition de contes populaires à caractère osé et subversif. La narration de ces contes occupait une place importante dans le programme des veillées d'antan du temps des Fêtes ou du Carême. Ils étaient le plus souvent racontés par un homme, le « conteur d'histoires ». Auprès d'un auditoire acquis, le « raconteur » se devait de posséder l'art de créer l'émotion, le suspense, de faire peur ou de faire rire en décrivant des situations cocasses et souvent irrespectueuses mettant en cause les autorités civiles ou religieuses. Ces contes meublaient aussi les longues soirées entre hommes dans les camps de bûcherons, ces très importants lieux masculins du Québec préindustriel[8].

Chants, contes, légendes et danses faisaient donc partie de ce que l'on a appelé la culture traditionnelle, qui était essentiellement orale. En peinture, les artistes furent longtemps partagés entre la tradition et le modernisme. Un peintre comme Marc-Aurèle Fortin peignait des scènes rurales de Sainte-Rose, de Charlevoix ou de la Gaspésie, mais aussi des quartiers de l'Est de Montréal, où se voient la pollution des usines et l'entassement humain. En général, le

8. Aurélien Boivin, *Le conte fantastique québécois au XIXe siècle*, Montréal, Fides, 1987.

monde urbain était présenté sous un jour sombre, alors que le monde rural apparaissait baigné de poésie et de calme.

L'art, dans cette société, c'est aussi beaucoup l'art sacré, qu'on trouve surtout dans les églises et les presbytères. En plus des tableaux et des objets de culte, l'architecture même des églises, des couvents, des manoirs et des vieilles maisons est typique de l'art de cette époque, qui était l'œuvre d'artisans locaux travaillant avec les matériaux disponibles dans des conditions climatiques difficiles. Un musée de l'art sacré existe depuis peu à la Basilique de Sainte-Anne-de-Beaupré, un important lieu de pèlerinage situé près de Québec. Il existait aussi un art domestique, présent dans les manoirs et les vieilles maisons. C'étaient des objets utilitaires adaptés également aux conditions locales de vie et de climat.

La modernisation des modes d'expression mit fin à cette culture traditionnelle qui se trouva graduellement reléguée dans les musées et exhibée lors de certaines fêtes, au Jour de l'an et à la Saint-Jean-Baptiste[9]. Les courants modernes s'imposèrent peu à peu dans toutes les formes d'art. Le mouvement automatiste de Paul-Émile Borduas marqua ce passage avec éclat. En 1948, Borduas et quinze cosignataires provenant de la scène artistique et littéraire publièrent un manifeste, le *Refus global,* dans lequel ils dénonçaient les conditions sociales et idéologiques régnant au Québec à cette époque et leurs conséquences sur la vie des créateurs. Ils y conspuaient la censure omniprésente et y défendaient la liberté de parole et la libre circulation des idées, soutenant que les arts et la littérature ne pouvaient s'épanouir que dans un climat politique favorable.

Dans le domaine de la littérature, Gabrielle Roy publia en 1945 un premier roman urbain, *Bonheur d'occasion,* qui décrivait la vie d'une famille ouvrière de Saint-Henri à Montréal. À la même époque, Roger Lemelin faisait paraître *Au pied de la pente douce,* qui rendait compte de la vie dans un quartier ouvrier de la basse ville de Québec. La condition ouvrière et urbaine était désormais décrite dans la littérature.

La rupture entre le monde traditionnel et le monde moderne se dessina en fait dès la fin de la Seconde Guerre mondiale. Elle se manifesta dans les arts et la littérature tout comme dans les structures sociales et politiques. Cela allait de pair avec la transformation de l'image de soi des individus et de la société.

9. Il est intéressant de noter que, dans des périodes de la vie politique et sociale marquées par la volonté de changement, notamment dans les années 60 et 70 au Québec, on a tendance à faire revivre le folklore et la tradition comme élément important de prise de conscience de soi. On le constate dans la popularité de téléromans comme *Le temps d'une paix* et *L'héritage*, et dans celle de groupes de chansonniers comme Les Carrick. Félix Leclerc et Gilles Vigneault puisèrent une partie de leur inspiration dans le folklore français. Le romantisme français du XIXe siècle avait lui aussi procédé à un retour aux sources, remontant parfois jusqu'au Moyen Âge comme source d'idées nouvelles.

L'ACCESSIBILITÉ DE LA CULTURE ET L'OUVERTURE AU MONDE

L'innovation technique et culturelle qui contribua le plus aux changements majeurs des mentalités et des aspirations survenus dans les années 50 fut sans contredit la télévision. Apparue au Québec en 1952, elle contribua à transformer le domaine de la production artistique et l'image que la population se faisait d'elle-même. En décrivant la réalité, elle la transformait également. Des téléromans comme *La famille Plouffe*, où l'on présentait une famille canadienne française de l'époque dans son milieu de vie, et des émissions d'information comme *Point de Mire*, dans laquelle on expliquait par exemple les enjeux de la guerre d'Algérie, provoquèrent une prise de conscience qui eut des effets d'entraînement très importants par la suite. Née après la Seconde Guerre mondiale, la télévision était le véhicule idéal pour les idées dominantes de l'époque, notamment celle d'accessibilité de la culture.

Radio-Canada fut le premier réseau de télévision au Canada. On y présentait en alternance des émissions en français et en anglais. On voulait donner accès à un large public aux événements politiques et cultures importants de la société, par exemple les concerts, les pièces de théâtre et les débats politiques. La télévision transmettait ainsi dans les foyers des informations économiques, politiques, scientifiques, sportives et culturelles qui avaient été jusqu'à ce jour réservées à une minorité. À côté d'émissions de divertissement comme *Les Plouffe*, on trouvait des émissions d'information consacrées à l'actualité internationale, des téléthéâtres et des rediffusions de concerts. Ces émissions étaient très populaires. La population était fascinée aussi bien par les matches de hockey que par les débats politiques. On s'ouvrait à ce qui se faisait ailleurs.

Dans les années 70, la télévision connut des transformations très importantes. À la chaîne publique de Radio-Canada s'ajoutèrent des chaînes privées comme Télé-Métropole. Dans ce contexte de compétition entre les chaînes, on assista au développement de la télévision de divertissement. Le spécialiste des communications Florian Sauvageau note qu'à partir de ce moment le milieu culturel diminua ses standards et chercha avant tout à plaire à son public[10]. L'humour et même le burlesque occupèrent désormais une grande place au petit écran. Pour rejoindre la clientèle et les commanditaires, le sensationnalisme prit souvent le dessus sur la réflexion, l'analyse et l'esthétique. Ses principaux ingrédients étaient ce que l'on a appelé « les trois S » : le sport, le sexe, le sang. Cette évolution ne s'est pas démentie depuis et on l'observe dans tous les pays.

---

10. Florian Sauvageau, « Quatre décennies de télévision : de la culture aux industries culturelles », dans Fernand Dumont (dir.), *La société québécoise après trente ans de changements*, Québec, Institut québécois de recherche sur la culture, p. 143-152.

Cependant, on constate que la population tire de l'information des téléromans. Ceux-ci ne font pas que véhiculer des stéréotypes : ils font aussi réfléchir les téléspectateurs sur les problèmes sociaux. Ainsi, un sondage effectué aux États-Unis en mai 1995 révèle que les spectateurs des séries télévisées avouent avoir modifié leur opinion sur le sida (19 %), le viol (18 %), le cancer du sein (17 %), l'alcool (14 %), la violence conjugale (11 %) et les relations interraciales (10 %)[11]. La télévision a donc toujours le pouvoir de modifier des attitudes.

Cette évolution générale du marché amena graduellement les responsables de la programmation à recibler les émissions éducatives, qui furent destinées principalement aux enfants. On ne peut plus parler de création artistique et imaginative à la télévision sans parler des émissions pour enfants. Certaines sont demeurées des classiques. On peut dire avec Brecht qu'elles ont contribué à « changer en s'amusant ». Des émissions comme *Le Capitaine Bonhomme, Bobino, Monsieur Surprise, Franfreluche, Sol et Gobelet, La souris verte* et, plus tard, *Passe-Partout* furent reconnues pour leur grande qualité artistique et leur valeur éducative. En émouvant les enfants, les personnages sympathiques de ces émissions parvenaient à gagner leur adhésion et à stimuler leur imagination, ce qui a ouvert la voie à l'invention de nouveaux modes de rapport avec les autres, avec la nature et avec l'environnement.

À la même époque, on mit sur pied un réseau de bibliothèques. Avec la réforme de l'éducation et la création des maisons de la culture un peu partout au Québec, les bibliothèques publiques et scolaires furent appelées à contribuer au divertissement, à la culture et à l'éducation de la population.

La diversité des formes d'expression artistique

La télévision eut un effet bénéfice sur d'autres formes d'expression, notamment sur les arts visuels et de la représentation (danse, théâtre, opéra, musique). Alors que l'on avait craint au départ que le petit écran ne les supplante, la demande pour toutes ces formes d'art ne cessa de s'accroître, comme le montre le tableau 3.

Tableau 3 Augmentation des arts de la scène (Québec, 1987-1993)[12]

	1987	1993
Nombre total de spectateurs	2 663 589	4 464 000
Nombre de spectateurs par 1000 habitants	403	620

11. « Usa-today snapshots », *Usa-Today,* 21 mai 1995.

12. BSQ, *Le Québec, chiffres en main,* 1995, p. 11.

Même le théâtre profita de cette évolution. Il se diversifia et rendit mieux compte des nouvelles réalités sociales. Toutes les formes d'expression artistique et littéraire prirent place dans le paysage social et culturel. La chanson, la musique et la littérature connurent un développement sans précédent.

Durant cette période survint la professionnalisation des métiers de la télévision, qui offraient de nouveaux débouchés aux artistes. Les réseaux avaient besoin des services de journalistes, d'annonceurs, d'interviewers, de techniciens, de costumiers, de comédiens, de scripteurs et de designers compétents. Un nouveau secteur d'activités culturelles se développa à partir des productions télévisuelles.

Tout cela fut rendu possible par le climat d'enthousiasme et d'effervescence caractéristique de ces années. L'État jouait un nouveau rôle dans la vie collective et assumait une responsabilité accrue envers la création et la diffusion de la culture. Par l'entremise du Conseil des arts du Canada et du ministère de la Culture du Québec, l'État procéda à la construction d'infrastructures consacrées aux arts, notamment la Place des Arts à Montréal, le Grand Théâtre à Québec, le Centre national des Arts à Ottawa, les maisons de la culture, les bibliothèques et les musées. Il intervint également par la création de programmes de bourses, de subventions, d'aide à la promotion et à la diffusion de la culture dont bénéficièrent les auteurs, les artistes et les organismes. Il fournit un soutien financier aussi aux manifestations culturelles, aux festivals, aux concerts et aux tournées effectuées au Québec, au Canada et à l'étranger.

Dans le domaine du cinéma, il faut mentionner le rôle important que joua l'ONF (Office national du film) dans la création d'un cinéma national. Denis Arcand, Pierre Perrault, Jacques Godbout, Anne-Claire Poirier, Frédéric Bach et bien d'autres purent y réaliser des œuvres traitant de problèmes locaux qui furent reconnues sur la scène internationale. Il en est de même des œuvres de Claude Jutras, d'Arthur Lamothe et de Jean-Claude Lauzon.

Pouvez-vous nommer des films tournés par ces cinéastes ?

Sans cette aide importante de l'État, la culture n'aurait pu se développer autant, le marché du Québec étant fort restreint comparé aux marchés français et américain.

L'entreprise privée emboîta bientôt le pas et offrit aussi son soutien financier aux productions culturelles. L'expression « industries culturelles » fit alors son apparition[13]. Il fut question de respecter des critères de rentabilité dans la création d'œuvres télévisuelles. C'est ainsi que l'on a vu ces dernières années différentes entreprises publiques ou privées, notamment Du Maurier, Benson & Edges, Loto-Québec et Lavallin, soutenir les artistes

13. Voir notamment les écrits de Florian Sauvageau concernant la télévision.

par le financement d'expositions, d'activités et de démonstrations culturelles. Comme l'État a de moins en moins de ressources, l'entreprise privée fut conviée à prendre sa relève.

Comme le soulignent les artistes par la voix de leurs diverses organisations et de leurs porte-parole, un de leurs défis est de préserver leur autonomie face aux organismes de subvention, que ce soit l'État ou les compagnies privées. Même s'il est déterminé par les conditions économiques, politiques et idéologiques de son milieu, l'artiste tente toujours de respecter une logique propre à son art.

L'importance de la liberté

L'affirmation de l'autonomie créatrice peut emprunter bien des voies. Le texte de Pierre Vadeboncœur présenté dans l'encadré 1 en donne une bonne illustration. Vadeboncœur n'est pas un peintre, mais un journaliste, un écrivain et un penseur qui s'adonne à la pratique du dessin. Dans cet extrait, Vadeboncœur dégage les principaux jalons de son itinéraire artistique, amorcé dès les premières années du primaire. Dans le cadre d'un cours, raconte-t-il, il devait dessiner un mouton selon les règles techniques du dessin à main levée. Mais son admiration allait tout entière à un camarade qui avait réussi à produire des images d'un réalisme criant au moyen d'un projecteur à images fixes. Il s'agissait en apparence d'un procédé tout à fait anodin. Et pourtant, il manifestait bien la capacité d'invention et d'émerveillement des enfants.

Qui n'a pas fait l'expérience de cette autonomie créatrice chez l'enfant ? Qui n'a pas été ému devant la fraîcheur du regard de l'enfant, devant sa capacité d'allier les couleurs, de jouer sans complexe avec les formes pour représenter une maisonnette, un jardin, des enfants, des animaux, des nuages, le soleil ? Les enfants de Sarajevo, durant la guerre en Bosnie-Herzégovine, dessinaient des scènes de guerre avec des fusils, des couleurs sombres, des visages graves. C'était leur réalité. Mais ce que décrivent tous ces enfants va beaucoup plus loin que la simple réalité quotidienne. Ils font sourire, ils émeuvent, ils étonnent. C'est là l'essence de l'art dans ses rapports à la réalité.

L'autonomie créatrice s'exprime à tous les âges, mais est particulièrement manifeste chez les enfants.

ENCADRÉ 1

Les mauvaises raisons

L'art en général, qu'est-ce que cela peut représenter pour des enfants qui ne connaissent encore rien de lui et qui s'en tiennent à ses aspects superficiels ? Il arrive néanmoins que des travaux pourtant médiocres ou franchement déplorables fassent sentir à ces enfants, on se demande comment, l'authentique présence de l'art, exerçant sur eux son attrait véritable, malgré tout. J'ai de très anciens souvenirs de ce pouvoir occulte.

À l'école primaire, j'apprenais à dessiner, mais de la manière dont on doit éviter d'apprendre. Il s'agissait de reproduire un dessin conventionnel d'animal, par exemple un mouton : un rectangle pour le corps, quatre lignes droites pour les pattes, une sorte de parallélogramme pour la tête, surmontée de deux petits triangles pour les oreilles !... Il était interdit de tenir son crayon près de la pointe. Il fallait le tenir par le milieu. Un étourdi avait attrapé une punition pour s'être entêté à ne pas le faire. Mais un autre camarade nous inspirait une admiration sans bornes à cause des portraits de joueurs de hockey qu'il faisait chez lui. C'étaient de grands dessins à la plume, réalisée, comme il l'avouait sans réticence, à l'aide d'un projecteur à images fixes : les photos projetées sur un carton blanc servant d'écran, il n'avait qu'à en suivre habilement les contours avec des plumes plus ou moins épaisses ou plus ou moins fines.

Le résultat nous sidérait. Ces dessins d'environ 75 cm, exposés en classe, valurent à leur auteur un prestige considérable. Ils m'inspiraient un enthousiasme dont je me souviens encore. J'aurais beaucoup aimé pouvoir en faire autant. Je m'imaginais que c'était très difficile. L'enfant, nommé Doyon, âgé de dix ou onze ans comme moi, était sympathique, bon camarade. À cause de ces portraits, on lui imputait un talent fou. À nos yeux, Doyon était un phénomène. Nous étions fiers de compter parmi nous un camarade doué d'un don pareil et capable de créer des images aussi fascinantes, qui nous donnaient une espèce de bonheur.

Ces portraits obtenus quasi mécaniquement n'avaient bien entendu aucune valeur, mais c'est vite dit. En art, le plus mauvais chemin est encore un chemin. Comment peut-on venir à l'art ? Eh bien, par tous les chemins.

Non seulement peut-on prendre à peu près n'importe quel chemin, mais même ce qu'on réalise à l'aide d'un procédé aussi inavouable que celui de Doyon possède *nécessairement* certaines vertus plastiques dont nous, dans notre innocence, subissions sans doute l'effet. Espace, généreuses dimensions du dessin, souple rapidité des lignes, valeur des plages de blancs laissées entre les noirs, éclat de l'œuvre à cause de ces blancs, vivacité du contraste et ainsi de suite, sans parler de l'étonnante ressemblance de portraits réduits à quelques improbables traits. Donc, il y avait dessin. (Certains dessins *pop art* des années soixante-dix ou quatre-vingt, réalisés dans le style des BD américaines, ressemblent à mes Doyon du début des années trente !) Il y avait dessin, donc apparition de cela qui n'est ni le motif, ni aucune image, mais autre chose, et qui agit[14].

14. Pierre Vadeboncœur, « Après les lyriques », *Liberté*, n° 221, vol. 37, n° 5, oct.1995, p. 104-105. Ce texte sera incorporé dans un autre essai qui paraîtra bientôt dans un autre ouvrage du même auteur : *Vivement un autre siècle !* (Bellarmin).

Il en est de même des sociétés. L'expression artistique libre a un effet d'entraînement sur l'ensemble de la vie collective, en plus d'agrémenter l'existence des individus et des groupes. Parce que l'inspiration est créatrice de beauté, elle est un élément de la mémoire et du patrimoine. Elle permet de sensibiliser l'individu et de l'ouvrir sur d'autres horizons, sans être pour autant un agent direct et manifeste de changement social. Nul n'est davantage *sujet créateur* que l'artiste ou l'écrivain[15]. Les artistes sont souvent marginalisés par leur contestation, mais ils apparaissent rétrospectivement comme des précurseurs. L'histoire de l'art recoupe de bien des manières l'histoire de la société d'où il émerge. L'encadré 2 présente en résumé les principales caractéristiques de l'art québécois.

ENCADRÉ 2

Principales caractéristiques de l'art québécois

XIXe siècle	Tradition orale
XIXe siècle–1940	Monde rural
XVIIIe siècle–XIXe siècle	Art sacré
Jusqu'en 1960	Encadrement par le clergé
XIXe siècle	Art utilitaire
Fin des années 40	Art urbain
Fin des années 40	Art ouvrier
Jusqu'en 1960	Censure
Années 60	Activité d'émancipation
Depuis le milieu des années 50	Ouverture sur le monde
Fin des années 50	Accessibilité de l'art
Années 60 et 70	Diversification
Années 70	Rentabilité des produits culturels

15. Le peintre Paul-Émile Borduas, cosignataire du manifeste du *Refus global*, était professeur d'art et de dessin à l'École du meuble de Montréal. Il était très impressionné par la grande capacité d'imagination et de créativité des enfants et des jeunes. Il suffit, constatait-il, de leur mettre des crayons, des pinceaux et des feuilles de papier en mains pour qu'ils deviennent artistes. Il a été ainsi amené à se demander pourquoi les adultes sont si amorphes et dépourvus d'imagination, alors que les enfants en débordent. Cette question l'a conduit à formuler une critique du contexte idéologique et social de l'époque et à dénoncer l'absence de liberté d'expression et le peu de reconnaissance sociale des artistes et des écrivains et de l'art en général. C'était l'époque dite de la grande noirceur. À la suite de la parution de ce manifeste, Borduas perdit son poste d'enseignant à Montréal et dut s'exiler en France, où il mourut en 1960. On a vu dans ce manifeste le symbole d'un mouvement social d'une grande vitalité, qui existait en dépit de la censure. La peinture reproduite sur la couverture de ce livre est de Borduas (*Sous le vent de l'île*, 1947).

3 La transformation de la réalité par l'art

Comme la culture est vivante et qu'elle imprègne les comportements individuels et collectifs, elle peut agir sur la société et contribuer à la transformer. C'est en ce sens que le journaliste français Claude Julien constate : « Produit de la société, la culture est aussi un agent de changement de la société qui l'a créée[16]. » L'encadré 3 illustre le fait que l'art a une valeur thérapeutique et préventive pour les individus. Il doit en être de même pour les sociétés.

ENCADRÉ 3

Le virage artistique

La musique, la danse, le dessin ou la poésie sont de plus en plus utilisés comme traitements thérapeutiques complémentaires par des médecins du monde entier.

Les praticiens mettent sur pied des groupes d'étude et des publications sur le sujet. Et le bureau des médecines de remplacement de l'Institut national de la santé propose des bourses de recherche sur la thérapie par la danse et la musique.

« Nous le définissons comme un nouveau mouvement social que nous appelons la médecine par les arts », déclare le Dr Richard Lippin, fondateur et président de l'Association internationale de médecine par les arts et membre de la Société internationale de la musique en médecine.

Le peintre Henri Matisse a peut-être été sans le savoir un des précurseurs du mouvement. Il apportait ses tableaux au chevet de ses amis malades car il était convaincu que la couleur améliorait leur santé « Nous sommes en mesure de le prouver scientifiquement », affirme le Dr Lippin.

Ce sont les malades qui peignent aujourd'hui. À Salt Lake City, les sidéens sont ainsi encouragés à utiliser le dessin ou la peinture pour exprimer leurs émotions. Pour Cathy Malchiodi, médecin de la ville et rédacteur en chef de *Art Therapy*,« l'art est souvent l'unique moyen d'exprimer certaines choses ». Elle rapporte le cas d'un malade du sida qui dessinait des spirales vers le bas et dont l'état s'est rapidement aggravé.

Artistes recrutés

Le Dr John Graham-Pole, un pédiatre spécialiste du cancer, a lancé un programme de médecine par les arts à l'hôpital Shands de Gainesville, en Floride, il y a quatre ans. L'établissement recrute des artistes pour travailler avec les malades atteints d'affections aiguës et chroniques. Le personnel participe aux activités artistiques, pratiquées en groupe ou individuellement.

Mélanger les arts et la médecine peut faire ressortir le côté artistique du patient et contribuer à la guérison, déclare le Dr Graham-Pole. « Nous pensons que la guérison dépend du bien-être corporel moral et spirituel. »

16. Claude Julien, *Culture : de la fascination au mépris,* Québec, Musée de la civilisation, coll. Les grandes conférences, 1990, p. 10.

L'université Hahnemann de Philadelphie, qui dans les années 1960 a lancé un des premiers programmes de thérapie par les arts, a reçu en 1993 les premières bourses de recherche allouées par l'Institut national de la santé. Un programme de recherche portant sur 40 personnes étudie l'impact d'une thérapie par la danse sur la qualité de vie des adultes souffrant de fibrose kystique. Les premiers résultats font ressortir une amélioration de l'humeur des patients.

Dans un hôpital de Ludenscheid, en Allemagne, les salles d'opération, d'anesthésie et les zones d'attente du service de chirurgie sont sonorisées. Les patients ont accès à des « stations de musique » – un poste et un casque – proposant dix programmes musicaux. Même anesthésiés, des malades écoutent de la musique pendant leur opération. Au total, 7 000 personnes acceptent de se soumettre à cette expérience chaque année. Une étude montre que la musique apaise et soulage l'angoisse de 95 % cent des patients en chirurgie.

Pour le Dr Lippin, « ce sera le grand changement des années 90 », prédit-il[17].

L'art fait rêver, soulage les angoisses, dissipe la morosité. De la sorte, il favorise l'élaboration de projets autant par les individus que par les sociétés.

L'ART ET LE CHANGEMENT SOCIAL

Les sociologues se sont toujours intéressés à l'étude des mécanismes au fondement des transformations de société. La culture peut être vue comme un de ces mécanismes, et certainement pas un des moindres.

Pour rendre compte des problèmes de nos sociétés, le journaliste Claude Julien parle, dans la conférence citée plus haut, d'un défaut de culture. Pour lui, c'est d'une transformation des valeurs et de l'imagination créatrice que doivent venir les solutions. Il rejoint ainsi Durkheim, qui soutenait, à la fin du siècle dernier, que les diverses formes de délinquance s'expliquent par la pauvreté et surtout par le vide culturel de la société. Il considérait que les décisions humaines doivent être éclairées par les idées et les valeurs et non uniquement par des calculs strictement économistes visant la rentabilité à court terme.

Auguste Comte est le premier à avoir vu le développement de la connaissance comme la source première des solutions aux problèmes que posait aux sociétés l'industrialisation naissante. Le sociologue Max Weber a quant à lui mis en évidence l'importance des idées et des systèmes de pensée comme facteur explicatif des changements économiques et sociaux. Et Alain Touraine,

17. *La Presse,* 21 janvier 1996.

dans *Qu'est-ce que la démocratie ?*, montre que la culture est le fondement de la démocratie, dans la mesure où elle permet :

- la constitution d'une identité et d'une mémoire de groupe dans un contexte de standardisation et d'uniformisation ;
- l'expression libre des idées et des émotions ;
- la prise de conscience par l'individu de sa situation sociale ;
- des choix d'action lucides ;
- l'ouverture à l'autre et le pluralisme.

Ce sont là les ingrédients de base de la démocratie des sociétés modernes[18].

La prise de conscience de l'identité

La culture est, en tant que l'image qu'une société se donne d'elle-même, un important élément de prise de conscience. L'art est un signe distinctif des sociétés à une époque de très grande standardisation et d'uniformisation. C'est ce dont témoigne le tableau du peintre français Paul Gauguin (1848-1903) intitulé *D'où venons-nous ? Que sommes-nous ? Où allons-nous ?*, exposé au Museum of Fine Arts de Boston.

D'ou venons-nous ? Que sommes-nous ? Où allons-nous ? (1897), le testament artistique de Paul Gauguin.

La recherche du sens de la vie est elle aussi l'affaire des artistes et des écrivains. De plus, les productions artistiques et littéraires d'une société proposent une image d'elle-même aux autres sociétés. Il suffit de penser au cas du cinéma. Des films québécois comme *Le Confessional* (1995) ou *L'enfant d'eau* (1995) traitent de problèmes universels tels qu'ils sont vécus dans la société québécoise. Les films sont distribués partout sur la planète. Ainsi, le Festival des films du monde qui se tient à Montréal à chaque mois d'août attire des foules

18. Alain Touraine, *Qu'est-ce que la démocratie ?*, Paris Fayard, 1994.

considérables. Des pays des cinq continents viennent y présenter un échantillon de leur production cinématographique récente. On y découvre comment les coutumes, les traditions et les valeurs des autres pays interviennent dans leur traitement de problèmes universels. On s'y trouve à la fois dépaysé et en terrain connu. C'est ainsi que se forme l'identité. Il faut savoir qui l'on est pour pouvoir se situer par rapport aux autres. La compréhension que l'on a des défis que les autres ont à relever peut nous aider à saisir nos propres défis. C'est à partir de là que peut se développer la solidarité entre les peuples.

Comment s'est définie l'identité de la société québécoise au fil des époques ? Les habitants du territoire québécois se considéraient à l'origine d'abord comme Canadiens. Peu à peu, ils se sont vus comme Canadiens français, ruraux et catholiques, puis comme Québécois au sens étroit, soit comme Québécois de culture française, puis comme Québécois selon une nouvelle acception du terme, englobant les Québécois de toutes les origines culturelles.

Même à ses tout débuts, la culture appelée maintenant québécoise a dû, pour survivre et maîtriser son environnement, faire de nombreux emprunts aux cultures amérindiennes. Ce ne fut jamais une culture monolithique. Elle dut aussi faire des emprunts à la culture anglo-saxonne, puis à la culture des États-Unis. Un groupe, tout comme un individu, voit sans cesse son identité se transformer selon ses expériences et ses contacts avec les autres. L'identité d'une personne comprend des éléments fixes et des éléments variables, susceptibles d'être transformés par les expériences et les contacts. Dans un contexte de mobilité sociale et géographique, une part de l'identité des personnes et des groupes est toujours en transformation.

En gros, on peut dire que l'appartenance à un sexe, à un groupe d'âge et à un groupe racial sont des éléments fixes de l'identité, alors que l'appartenance culturelle et l'appartenance à une classe sociale sont des éléments variables. On peut considérer une terre d'accueil dans la même perspective : la langue, l'appartenance à un territoire, l'histoire et la tradition sont des éléments fixes, alors que le mode de vie, la culture et la définition du « nous » sont des éléments variables.

On peut aborderla société québécoise sous cet angle. Tous les pays occidentaux qui accueillent des immigrants connaissent ces transformations de leur l'image. On observe les mêmes phénomènes en France, à la suite des vagues d'immigration maghrébine, et dans certains États des États-Unis où le nombre d'immigrants latino-américains est important.

De plus, la revendication identitaire de plusieurs groupes au sein de nos sociétés – que ce soient les femmes, les homosexuels, les autochtones – pose le problème de l'identité collective et même individuelle de façon encore plus urgente[19].

Si la culture est plurielle, l'identité l'est également. Les lieux et les groupes d'appartenance sont multiples et diversifiés. L'interaction des cultures constitue un des défis les plus importants que les sociétés de demain auront à relever. L'expression artistique peut être vue comme un des instruments utilisés pour les relever sur le plan individuel et sociétal.

Selon Marco Micone, une culture est à la fois faite d'emprunts et de confrontations[20]. Il considère que la culture française québécoise actuelle s'enrichit de la présence d'individus provenant de tous les horizons culturels. Les néoquébécois font leur marque dans les domaines de la musique instrumentale, de la chanson, de la littérature, du cinéma et des arts visuels. Leur apport artistique et culturel constitue un élément important dans la transformation de l'identité collective, qui acquiert ainsi une composante cosmopolite et internationale. C'est ce dont rend compte le témoignage suivant :

> Je suis un Québécois d'origine italienne et très heureux de l'être. Avec toutes mes contradictions. Écrire m'a aidé à assumer ces contradictions. Il était d'autant plus important pour moi d'écrire que je devais baliser, en quelque sorte, mon territoire identitaire. Pour moi, ça devient une question vitale. Chacun des débats auxquels je participe, chacun des articles que j'écris, c'est une réflexion d'abord sur mon identité personnelle. Comme je le répète souvent : l'immigrant, c'est un Québécois qui vit le problème identitaire des Québécois de façon plus intense. Tout simplement[21].

Marco Micone est un immigrant d'origine italienne qui a opté pour la culture française au Québec. Mais la culture de son pays d'origine demeure pour lui une référence importante. Il lui est essentiel de préciser ces éléments de son identité pour mieux délimiter son territoire. L'écriture l'a aidé à fixer ces balises.

La culture de la distinction

Le sociologue français contemporain Pierre Bourdieu a fait d'importants travaux empiriques et théoriques sur les phénomènes culturels propres à nos sociétés[22]. Ses travaux l'ont conduit à mettre en évidence les pratiques culturelles servant à distinguer les classes sociales, ce qu'il nomme les *habitus de classe*. Ce sont ces habitus qui permettent par exemple à la bourgeoisie de se

19. Voir à ce sujet Gilles Bourque et Jules Duchastel, *L'identité fragmentée*, Montréal, Fides, 1996.
20. Marco Micone, « Un rempart contre le déferlement de la droite canadienne – Les allophones : un poids politique sans précédent », *Le Devoir*, 12 octobre 1995.
21. Marie Labrecque, « Marco Micone. Le choc des cultures », *Voir*, 11-17 janvier 1996, p. 33
22. Pierre Bourdieu, *La distinction*, Paris, Minuit, 1979.

distinguer des autres classes sociales, l'identité de tout groupe social se définissant par opposition à l'ensemble des autres groupes et dans ses rapports à chacun d'eux, un peu comme le fait un enfant qui construit son identité dans ses rapports avec autrui et en opposition aux autres. Cela est vrai en particulier de la bourgeoisie et des classes supérieures, qui cherchent sans cesse à se distinguer des autres groupes. Comme elles sont le point de mire de la société, leurs diverses pratiques (alimentaires, vestimentaires, culturelles) servent de modèle aux autres classes de la société. Ainsi, les classes supérieures ont tendance à faire plus que les autres, à innover constamment pour créer un écart avec les autres et bien marquer leur spécificité.

Le phénomène de la distinction est bien illustré par le cas d'une personne en voie d'ascension sociale. Issue par exemple du milieu ouvrier, accédant à une classe supérieure, elle va, pour bien marquer sa nouvelle appartenance, en adopter les habitus, soulignant par le fait même l'écart qui la sépare de son milieu d'origine. De la sorte, elle crée la norme en provoquant l'admiration et en favorisant l'imitation. Lorsque les autres auront modelé leurs comportements sur elle, elle se distanciera de nouveau en adoptant de nouveaux comportements et de nouvelles habitudes, établissant de la sorte une nouvelle norme.

La consommation des arts permet cette distinction. L'argent apparaît jouer à cet égard un rôle déterminant, puisqu'il facilite l'acquisition du capital culturel. Cependant, l'obtention d'un diplôme ou la poursuite d'études supérieures constituent également un facteur de distinction. De cette manière, quelqu'un issu d'une classe inférieure peut arriver à se démarquer de son milieu d'origine en s'identifiant dans ses pratiques ou habitus à une classe dominante. Ce sont les gens plus scolarisés qui tendent à collectionner les œuvres d'art, à aller au concert et au théâtre. L'argent peut donc favoriser l'imitation et l'appropriation des signes distinctifs, mais les diplômes et les titres scolaires permettent également d'acquérir cette distinction.

Dans la mesure où la réussite personnelle demeure conditionnée en grande partie par la fortune personnelle ou celle de ses parents ou grands-parents, les études et la scolarisation deviennent un canal privilégié de mobilité sociale. L'appropriation du savoir et la reconnaissance sociale conférées par les diplômes ou les titres scolaires sont donc un facteur important de différenciation sociale et culturelle.

L'ART PAR L'ÉDUCATION OU L'ÉDUCATION PAR L'ART

L'encadré 4 montre bien l'effet que peut avoir la culture sur le niveau d'exigence d'une population. Il illustre les liens entre l'éthique et l'esthétique.

ENCADRÉ 4

L'éthique et l'esthétique

« Quelqu'un qui lit Platon acquiert des exigences logiques.

Quelqu'un qui va au concert, qui va dans des expositions acquiert des exigences esthétiques.

Quelqu'un qui lit les moralistes acquiert des exigences éthiques.

Quelqu'un qui se cultive acquiert des exigences de qualité, il ne supporte plus la médiocrité, l'imposture.

Le lien est étroit entre l'esthétique et l'éthique.

Plus l'exigence éthique grandit, plus on devient intolérant à l'égard du racisme, du totalitarisme, de la violence, des œuvres de mort.

La culture est un instrument de vie, de progrès ; l'inculture, une façon de mourir : en ce sens, oui, la culture, c'est l'intolérance[23]. »

En 1966, le gouvernement du Québec créait la Commission Rioux sur l'enseignement des arts, qui faisait suite à la Commission Parent dont nous avons parlé au chapitre 6. Le rapport de la Commission Rioux fut publié en 1969[24]. Comme l'ont souligné plusieurs commentateurs, ce vaste rapport[25] débordait largement le cadre d'une réflexion sur l'enseignement des arts à l'école. On y examinait en effet également l'effet de l'industrialisation sur les arts, les communications et l'éducation. Animés du même souci de démocratisation que les auteurs du rapport Parent, les membres de la Commission Rioux y traitaient du rôle social des arts et de la nécessité de rendre l'art accessible au grand public, tout en mettant en garde le gouvernement contre la tentation de traiter la culture comme une industrie. Ils considéraient que la démocratisation de la culture impliquait une désacralisation de l'art. Il fallait rendre l'art accessible aux gens sans pour autant tomber dans la facilité et la vulgarité. Pour son président, Marcel Rioux, la pratique de l'art faisait partie des **pratiques émancipatrices**, celles qui amènent à développer l'imagination.

PRATIQUES ÉMANCIPATRICES

Pratiques novatrices qui tendent à proposer des modèles différents de comportements allant dans le sens d'une plus grande émancipation des individus et des groupes.

C'est là qu'intervient l'école. Le rapport Rioux établissait la nécessité de sensibiliser les enfants dès le plus jeune âge à la création et à l'expression artistique. L'enseignement des arts ne suffit pas ; il faut aussi pousser les élèves à

23. Extrait du manifeste *Faites de la musique,* publié par un groupe communautaire du quartier montréalais Hochelaga-Maisonneuve. Ce manifeste fait la promotion de la formation artistique des enfants dans les écoles et d'une plus grande accessibilité de la formation artistique aux adultes.

24. Commission Royale d'enquête sur l'enseignement des arts dite « Commission Rioux », Québec, Éditeur officiel du Québec, 1968-1969.

25. Il faisait plus de 900 pages.

visiter les musées et les galeries d'art et à assister à des pièces de théâtre et à des concerts. L'école doit autant que possible impliquer le milieu familial dans tout le cheminement éducatif de l'enfant. Dans les milieux où la famille est étrangère à ces pratiques culturelles, l'école doit jouer un rôle compensatoire.

Le sociologue Marcel Rioux (1919-1992).

Le rapport Rioux associe donc étroitement l'art et la liberté. L'art a pour fonction sociale principale de favoriser l'exercice de la liberté, puisqu'il permet plus que n'importe quoi d'autre d'affiner l'expérience sensible et l'expression symbolique d'émotions. En donnant à la critique la possibilité de s'exprimer, il favorise l'élaboration de nouveaux projets de société. L'enfant qui a appris très jeune à créer des objets par lui-même deviendra un adulte moins passif. De consommateur, il pourra devenir artisan et créateur. C'est ainsi qu'on entend cultiver son besoin inné de se réaliser et d'apprendre.

«Rien n'est plus essentiel au développement de l'enfant que le merveilleux», écrivait George Sand dans *Histoire de ma vie*. C'est sans doute les romantiques, au XIXe siècle, qui ont le mieux formulé les liens entre l'expression de la sensibilité par l'art et la recherche d'une société plus égalitaire. On trouve ce thème chez Victor Hugo, Lamartine, George Sand et bien d'autres. Il est clair qu'il existe un rapport étroit entre les aspirations sociales et l'innovation artistique. L'encadré 5 présente une illustration contemporaine de cette thématique.

ENCADRÉ 5

Pacijou lance une trousse anti-violence

Dans le jeu vidéo *Mortal Kombat* (le plus populaire chez les jeunes ados), un combattant arrache la tête de son adversaire, un autre le cœur, un autre la colonne vertébrale.

De 1980 à 1987, la vente de jouets de guerre a augmenté de 700 % par rapport aux autres types de jouets aux États-Unis.

Dans le film *Robocop*, on comptait 32 morts, dans *Robocop II*, trois ans plus tard, on en comptait 82. Dans le film *Rambo III*, on compte 123 meurtres.

La violence qu'on trouve dans certains éléments de la culture américaine consommée par les enfants et les adolescents (dessins animés, films, jeux vidéo) a quelque chose de stupéfiant.

Pour contrer le phénomène, susciter la discussion et développer des stratégies de résistance à cet environnement médiatique ultra-publicisé, l'organisme Pacijou a conçu une trousse de prévention, en collaboration avec la commission scolaire Jacques-Cartier, à Longueuil.

La trousse, lancée il y a quelques jours à l'occasion d'un colloque, avec le soutien du psychologue Camil Bouchard, s'adresse à des animateurs et comprend un manuel d'intervention, des acétates, un petit vidéo et différents documents qui permettent d'animer des sessions d'information auprès de groupes de parents.

Une culture de la violence

Les auteurs du groupe Pacijou ont tenté de faire le point sur l'état des recherches et des données concernant la « culture de la violence ».

Ainsi, on remarque que si avant 1980 un règlement limitait la violence dans les émissions pour enfants aux États-Unis, l'abolition de ce règlement en 1982 par le président Reagan avait permis trois ans plus tard de multiplier par 18 le nombre d'heures de violence dans les émissions pour enfants. En 1987, on comptait en moyenne 41 scènes de violence dans les dessins animés américains (dont 84 scènes d'agressions à l'heure chez le champion, G. I. Joe).

Dans un autre domaine, à la fin des années 80, un chercheur universitaire avait constaté que 85 % des cassettes vidéo présentaient un contenu violent, et 60 %, un contenu de guerre. De façon générale, un jeune Américain a assisté, par la télévision et le cinéma, à environ 8000 meurtres à la fin de son primaire.

L'équipe de Pacijou livre une foule de statistiques de ce genre pour démontrer qu'à son avis les deux causes les plus évidentes de la violence demeurent la pauvreté (qui entraîne tensions et conditions de vie difficiles) et le type de culture consommée.

Effets négatifs

On sait que certains penseurs tentent de démontrer que la violence télévisuelle a peu d'impact sur le comportement des enfants. Pacijou rappelle que sur 200 études spécialisées, aucune ne démontre un effet bénéfique à la violence télévisée, un petit nombre n'observent aucun effet, et la grande majorité démontrent que la violence télévisée est nuisible.

Des associations scientifiques ont d'ailleurs clairement pris position sur les effets négatifs de cette violence, dont, au Québec, l'Ordre des psychologues, l'Association des psychiatres et l'Association des pédiatres, et, aux États-Unis, l'American Psychological Association.

Si les positions adoptées par Pacijou dans la trousse d'information peuvent quelquefois apparaître un peu puristes, la trousse propose tout de même assez de matière pour faire réfléchir quiconque s'intéresse au phénomène[26]. »

26. Paul Cauchon, *Le Devoir*, 27 novembre 1995.

4 La transformation de l'art par la société

L'art n'échappe pas aux courants qui traversent une société, que ce soit dans le domaine de la technologie, de l'économie ou des valeurs. Mais, contrairement aux innovations dans d'autres domaines, les productions artistiques ne sont jamais remplacées. Elles s'accumulent au fil des siècles et constituent une partie du patrimoine humain. Ainsi, l'automobile a remplacé le cheval et on utilise de plus en plus les fibres optiques à la place des fils de cuivre. L'économie de marché a remplacé l'économie féodale. Dans le domaine de l'art, par contre, il y une accumulation des productions et un enrichissement du patrimoine humain. Le blues et le jazz n'ont pas remplacé Bach ou Mozart, puisqu'on les écoute encore. On peut être aussi ému par un tableau de Vermeer (Hollande, XVIIe siècle) ou de Goya (Espagne, XVIIIe siècle) que par l'œuvre d'un contemporain comme Riopelle ou Borduas (Québec, XXe siècle). L'art n'est jamais désuet ni démodé : il a une dimension universelle qui déborde les époques et les territoires. Il est toujours le témoin d'une époque.

Mais pour être vraiment un outil d'émancipation, il doit lui-même relever les défis reliés aux transformations sociales et culturelles. Dans sa fonction de représentation des sociétés, l'art doit intégrer les possibilités de son époque. Les technologies et le contexte économique et culturel d'une époque marquent ainsi tous les modes d'expression artistique.

La technologie

Les moyens techniques actuels auraient feraient rêver les créateurs et auteurs de n'importe quelle autre époque. Que ce soit dans le domaine de la musique, de la création littéraire, du cinéma, de la photographie ou des arts visuels, la technologie actuelle donne à l'art des possibilités extraordinaires. Ainsi, l'ordinateur permet de jouer avec les formes, les couleurs et les sons comme jamais auparavant. Et nous ne serions, disent les spécialistes, qu'au début d'une ère nouvelle. Cette profusion d'objets nouveaux transforme le regard que nous portons sur le monde et, par conséquent, tout notre imaginaire. La multiplicité des formes d'art rendue possible par la technologie nouvelle est à l'origine d'un nouveau concept, celui de postmodernité.

On utilise maintenant ce concept dans plusieurs sciences humaines. À l'origine, il a été employé dans le domaine des arts visuels pour désigner, par opposition à l'art des Lumières, l'éclatement des styles auquel nous assistons à notre époque. Les formes d'expression étaient alors peu nombreuses et il existait un certain consensus sur les critères d'évaluation du beau. À notre époque, les modes d'expression sont multiples et les critères d'évaluation du beau ne sont plus aussi clairs qu'auparavant. On peut considérer l'affiche et le vidéo comme deux formes d'art postmoderne. La technique joue un rôle déterminant dans leur création et ils ont une valeur commerciale, deux aspects dont dépend leur valeur esthétique.

Le développement technologique, notamment celui de l'informatique et des réseaux de communication, entraîne une transformation constante de l'expression artistique et de la diffusion des produits artistiques.

Ainsi, on peut trouver dans la plupart des grandes villes occidentales, notamment à Montréal, de nombreuses boîtes de jeunes entrepreneurs dans le domaine de l'image ou du son qui ont créé leur propre emploi et qui réussissent à vivre de leur production artistique. À la fois techniciens et artistes, ils forment des équipes qui œuvrent dans de petits studios à la fine pointe de la technologie où règne un climat de convivialité et d'enthousiasme. Ordinateurs, écrans cathodiques et synthétiseurs leur permettent d'explorer des facons nouvelles et différentes de s'exprimer. Ils s'inscrivent à l'intérieur d'un des créneaux actuels de travail et d'emploi. À certains égards, ces jeunes entrepreneurs forment l'avant-garde de notre époque. Peu fortunés à l'heure actuelle, ils sont peut-être à l'origine de nouveaux courants d'activités où se conjuguent une technique très poussée et la création artistique. Nous savons que l'art n'a pu exister de tout temps que grâce à la technique. Le pinceau, le chevalet, le luth ou le piano sont autant d'inventions qui témoignent d'un certain d'évolution de la technique. Mais jamais l'art n'a exigé des connaissances techniques aussi poussées.

L'ÉCONOMIE DE MARCHÉ

L'art n'échappe pas à la réalité économique. Rien ne manifeste mieux les liens étroits entre l'art et l'économie de marché que l'idée d'industrie culturelle, un terme forgé pour caractériser les retombées économiques engendrées par les activités artistiques. L'État et l'entreprise privée tendent de plus en plus à envisager l'art dans une perspective étroitement économiste. Plusieurs créateurs s'opposent à cette approche, qui leur apparaît nier la gratuité même de l'expérience artistique.

La frontière entre la production industrielle et la production artistique est parfois bien mince. C'est là une autre caractéristique de l'art postmoderne. Considérons le cas de l'affiche publicitaire. De talentueux artistes travaillent à la conception d'affiches décoratives ou publicitaires à l'aide d'une technologie de pointe. Or ils doivent en produire un grand nombre d'exemplaires, conformément à la fonction commerciale de leur produit. Ce faisant, ils vont dans une certaine mesure à l'encontre de la conception de l'objet d'art comme objet unique.

L'économie de marché a aussi favorisé une certaine professionnalisation de l'art. On attend de plus en plus des artistes qu'ils soient diplômés d'une école spécialisée. En retour, cette professionnalisation permet aux comédiens, aux musiciens, aux scénographes, aux auteurs, aux danseurs et aux techniciens de vivre de leur métier. Le milieu artistique est certes un important lieu de création d'emplois, mais ce sont souvent des emplois précaires. Ainsi, un grand nombre d'artistes vivent au Québec sous le seuil de la pauvreté.

Par ailleurs, on a développé un important secteur d'activités relié à la gestion et à l'administration de l'art. Toute une bureaucratie, publique et privée, gère l'activité artistique et littéraire. Il est cependant paradoxal de constater que les gestionnaires ont très souvent des conditions de travail de beaucoup supérieures aux créateurs eux-mêmes. Peu d'artistes et d'écrivains arrivent à vivre de leur art, alors qu'une armée de gérants, de directeurs, de technocrates et de fonctionnaires vivent de l'art et de la littérature. Les artistes dénoncent régulièrement le fait que le financement de l'art ne profite pas suffisamment aux artistes eux-mêmes.

Nommez les principales caractéristiques de l'art postmoderne.

Cosmopolitisme et internationalisme

COSMOPOLITISME

Ouverture sur le monde, sur les cultures de la planète.

INTERNATIONALISME

Doctrine préconisant l'union des peuples et des cultures par-delà les frontières des États.

Les artistes et les écrivains, bien qu'ils aient en général de fortes assises locales, se sentent plus que les autres membres du cosmos. La culture traverse les frontières plus facilement que les individus. C'est l'art qui permet sans doute le mieux le dialogue entre les cultures. Cette migration se fait de deux façons dans la société actuelle.

Elle se fait d'abord par des apports de l'extérieur qui transforment graduellement notre imaginaire. L'immigrant jette un regard neuf sur la société qu'il découvre et peut lui renvoyer une image différente d'elle-même. En tant qu'observateur étranger, il saisit des choses qui échappent aux habitants d'un pays.

Ainsi, le cinéaste Arthur Lamothe, arrivé au Québec en provenance de la Gascogne au début des années 50, a été frappé par deux phénomènes qui l'inspirèrent dans la réalisation de plusieurs films : l'exploitation des ouvriers de la forêt (*Les bûcherons de la Manouane*) et des ouvriers de la construction (*Le mépris n'aura qu'un temps*), et les conditions de vie des Montagnais de la Côte Nord et de la Basse-Côte Nord du Québec (*Chroniques sur la vie des Montagnais*, *Le silence des fusils*).

Ses films sur les conditions de vie mais aussi sur l'imaginaire des Amérindiens révélèrent toute la richesse et la vitalité de cette culture que l'on croyait morte. Il fit prendre conscience à plusieurs que les rapports des immigrants européens avec ces peuples avaient été fructueux à certains égards (échanges, emprunts réciproques) et destructeurs à d'autres égards (conflits, dépossession économique et culturelle allant qu'à la négation de leur existence comme peuple). Seul un regard extérieur, celui d'une personne qui n'était pas impliquée directement dans cette histoire conflictuelle, pouvait mettre en évidence ces réalités pénibles.

L'imaginaire de l'immigrant se transforme également au contact de sa nouvelle société. L'environnement n'est plus le même. Au Québec, la neige et le froid ont bien souvent pris la place des palmiers et des petits jardins remplis de fleurs et de légumes du pays d'origine. La vie dans une grande ville de l'Amérique du Nord a remplacé celle des petits villages du Sud de l'Italie, du Portugal, du Chili, des Antilles, du Vietnam ou d'Haïti. L'immigrant doit intégrer de nouveaux points de référence pour éventuellement transformer sa vision des choses et ses modes d'expression. La culture qui en résulte, marquée par la mouvance de l'arrivant, exprime cette transition entre sa culture d'origine et la culture d'accueil, comme l'a bien exprimé Marco Micone.

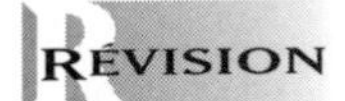

Connaissez-vous des artistes, des écrivains qui expriment cette transition entre deux cultures ?

La société québécoise est une plaque tournante dans le domaine des arts et de la littérature au Canada. Ses contacts avec la culture française, avec la culture des États-Unis et avec la culture canadienne anglaise l'ont enrichie. Pour certains, il s'agissait de trois sources de domination. Sur le plan de la création artistique, ce sont certainement trois sources d'inspiration.

Le texte de l'encadré 6 met en évidence le fait qu'une culture est toujours créée à partir d'emprunts. Il ne s'agit pas d'un trait de notre époque, mais d'un caractère de l'art de toutes les époques. Il est vrai que ces emprunts et ces influences apparaissent plus nombreux maintenant, alors que l'expression artistique s'impose comme un moyen indispensable pour baliser les territoires identitaires.

ENCADRÉ 6

Différences

La prétention à la permanence d'une identité artistique stable, dans une société libérale et démocratique comme la nôtre, entre en contradiction directe avec la trajectoire même de l'art contemporain et actuel (en Europe et en Amérique du Nord). Les arts visuels, la danse et la musique, le théâtre, la littérature se sont nourris d'apports multiples et diversifiés venant de cultures éloignées de la tradition occidentale. Les avant-gardes ont soumis leurs disciplines respectives à des modifications en profondeur entre autres par le biais d'emprunts de toutes sortes à d'autres cultures, tout en affirmant, paradoxalement, l'autonomie grandissante de ces disciplines. Avec l'avènement de ce qu'on appelle la postmodernité depuis les années 80, les emprunts ont été à nouveau valorisés, mais cette fois pour faire craquer la pureté des disciplines, les hybrider. De sorte que depuis plus d'un siècle, les avant- gardes artistiques ont vécu d'emprunts faits au Japon (Degas, les impressionnistes), à l'Afrique du Nord (Matisse, Klee), à l'Afrique noire (les cubistes, la musique de jazz), aux arts décoratifs (des sociétés artisanales), aux musiques répétitives traditionnelles des pays arabes, indiens, balinais, amérindiens... Rien de plus *mélangé* que l'art contemporain et n'en est pas exclu un Jean-Paul Lemieux dont le système formel et pictural se rattache à Piero della Francesca (XVe siècle, Italie) et directement à Edvard Munch (XIXe siècle, Norvège). Pourtant, quel artiste mieux que lui aura incarné une québécitude sans mélange dans un contexte de Révolution tranquille ?

Le problème des frontières pourtant reste entier dans le domaine des arts contemporains et actuels : les arts non occidentaux sont toujours vus comme *autres* par le milieu dit international et le marché de l'art occidental. Cette position et ce regard dominants sont en contradiction avec les emprunts multiples à d'autres cultures pour la constitution des problématiques artistiques modernes et postmodernes et ils n'offrent qu'en partie une façon d'être et de penser qui nous amènerait (idéalement) au-delà des barbaries qui jalonnent ce siècle[27]. »

LES VALEURS D'UNE SOCIÉTÉ ET SON ART

Ce qui marque une société sur le plan des valeurs est évidemment présent dans l'art et la littérature. Ainsi en va-t-il de la question de l'identité. À une époque où se vivent de nombreux brassages culturels, les individus et les groupes vivent un problème d'identité qui constitue un véritable problème de société. Toutes les sociétés de la planète poursuivent cette quête d'identité. Même les pays qui possèdent une identité culturelle ou nationale forte, comme la France, les États-Unis et l'Angleterre, font face aux mêmes questionnements. Les mouvements de populations ainsi que la remise en question de plusieurs normes traditionnelles font de la quête d'identité un problème majeur de notre époque qu'expriment l'art et la littérature. Dans la mesure où elles sont vouées à l'ouverture et à l'échange, elles constituent un élément important de réponse à ces recherches identitaires.

L'encadré 6 montre bien l'importance des emprunts et des échanges. Les artistes sont amenés à exprimer des expériences universelles et à chercher leur inspiration dans d'autres cultures, en même temps qu'ils se définissent en fonction d'une réalité locale. La liberté est aussi une valeur de notre époque à laquelle les artistes et les écrivains tiennent plus que jamais. Cette évolution a amené un certain éclatement des cadres traditionnels de création, mais elle a aussi donné lieu à une prolifération de formes artistiques. Sur le nombre de

27. Rose-Marie Arbour, « Identités, arts : la traversée des regards », *Possibles*, vol. 17, nº 2, printemps 93, p. 38.

produits créés, un petit nombre seulement s'imposera sans doute comme témoignages fondamentaux de l'époque. Mais plus le bassin de créateurs est grand et diversifié, meilleurs sont les chances de produire de véritables chefs-d'œuvre. L'innovation et la recherche de nouvelles voies d'expression sont encore des valeurs qui marquent notre époque et touchent les diverses sensibilités, car elles rendent possible l'expérimentation et la diversité.

RÉSUMÉ

1. La culture est un des instruments privilégiés dont une société dispose pour relever les défis qui se présentent à elle. L'art, en particulier, donne une formulation dramatique aux problèmes sociaux de son époque et fait appel à l'imagination. Le sociologue devrait pouvoir s'en s'inspirer dans la compréhension et l'analyse des problèmes sociaux.

2. Au sens anthropologique, la culture est l'ensemble des connaissances, des croyances et des traditions dont un individu a besoin pour vivre dans une société. La culture première, qui s'exprime dans les modes de comportement quotidiens, et la culture seconde, qui comprend l'ensemble des formes d'expression artistique, s'influencent réciproquement. La société contemporaine se caractérise par une culture plurielle, c'est-à-dire par une culture marquée par une grande diversité d'expression et de nombreuses sous-cultures. La culture de divertissement, qui désigne notamment la culture de masse rendue possible par les médias, y joue aussi un rôle majeur.

3. Au Québec, la modernisation de la société, favorisée par l'apparition de la télévision dans les années 50, s'est traduite par une plus grande accessibilité de la culture et par l'ouverture de la population aux cultures étrangères. Les institutions culturelles se sont multipliées, elles ont graduellement modifié leur contenu et elles se sont professionnalisées au point de former une véritable industrie culturelle. Les artistes n'ont cependant jamais cessé de revendiquer leur autonomie et leur liberté.

4. La culture est un des mécanismes au fondement des transformations sociales. Elle donne à la société une image d'elle-même et contribue ainsi à la prise de conscience de son identité. Formée d'emprunts aux autres cultures, elle s'enrichit constamment de l'apport des nouveaux arrivants, du regard neuf qu'ils posent sur la société et de leur intégration des valeurs du milieu. Au sein d'une société, les phénomènes culturels sont liés étroitement à une culture de la distinction par laquelle les différents groupes sociaux marquent leur spécificité. Par ailleurs, la pratique de l'art fait partie des pratiques émancipatrices par lesquelles les individus sont amenés à développer leur imagination et à inventer de nouveaux projets de société.

5. L'expression artistique est elle-même influencée par l'évolution de la société, en particulier par le développement de la technologie, de l'économie, de la population et des valeurs. L'expression artistique récente a été particulièrement marquée par la mise au point de l'ordinateur et par l'éclatement des formes artistiques, un mouvement que traduit le terme de postmodernité.

POUR CONTINUER LA RÉFLEXION

FOURNIER, Marcel, *Les générations d'artistes,* Québec, Institut québécois de recherche sur la culture, 1986.

Hommage à Marcel Rioux, Montréal, Éd. Saint-Martin, 1992.

« Modernité : élans et dérives », *Possibles,* vol. 20, nº 1, hiver 96.

CHAPITRE 8

L'État

CHAPITRE 8

« Il n'y a pas d'ordre sans justice. »
(Albert Camus)

Dans les chapitres précédents, nous avons dégagé un certain nombre de défis de notre époque. Dans le présent chapitre, nous allons tenter de voir dans quelle mesure l'État peut relever ces défis et comment il doit procéder. Nous essaierons de clarifier la conception que se fait la sociologie de l'État et de ses institutions comme agent de changement. Le rôle social de l'État fait actuellement l'objet d'un débat où s'affrontent les tenants de deux positions contradictoires, la social-démocratie et le néolibéralisme. En présentant ce débat, nous serons amenés à faire une synthèse de ce qui a été vu au cours des chapitres précédents.

1 L'État et les défis d'aujourd'hui

Nous n'avons pas présenté la totalité des défis sociaux de l'heure, préférant nous concentrer sur un certain nombre d'entre eux : les relations interpersonnelles, notamment les relations hommes-femmes et les relations parents-enfants, et les défis reliés à l'évolution actuelle du monde du travail, en particulier le chômage, l'exclusion sociale, le recyclage et l'avenir des jeunes générations. Nous avons aussi souligné que l'éducation et la culture sont des outils d'émancipation pour les individus et les collectivités, mais qu'elles ne pourront jouer leur rôle que si l'État leur accorde son soutien par le biais de ses politiques et de son financement. Avant de mettre en évidence le rôle social de l'État, il convient de préciser la notion même d'État.

L'État et le gouvernement

Dans la société, il existe une institution qui a le pouvoir de faire et d'adopter des lois et des règlements, et de les faire respecter. Elle s'occupe de construire des écoles, des hôpitaux, des centres d'accueil et de les faire fonctionner. Elle perçoit les taxes et les impôts, construit les routes et les entretient, octroie des bourses et des subventions aux artistes, accorde des prêts et des bourses aux étudiants.

On dit couramment que c'est le gouvernement qui exerce de telles fonctions. En réalité, il serait plus juste d'employer le terme *État*. En effet, le gouvernement et l'État sont deux entités distinctes. L'ÉTAT est l'ensemble des institutions politiques et juridiques qui encadrent notre vie. Le GOUVERNEMENT est l'agent de fonctionnement de l'État, représenté par le parti politique au pouvoir, c'est-à-dire le parti qui a obtenu le plus de sièges à l'Assemblée nationale (Québec) ou à la Chambre des communes (Ottawa). On parle du reste d'un gouvernement libéral, conservateur, péquiste ou néodémocrate pour identifier le parti au pouvoir. L'État n'appartient pas à un gouvernement. C'est une institution sociale qui demeure en dépit des changements de gouvernement et des transformations que subissent les partis.

LES PRINCIPALES FONCTIONS DE L'ÉTAT

Au cours des chapitres précédents, nous avons indiqué le rôle que l'État a à jouer face aux différents problèmes sociaux. Énumérons quelques-unes des fonctions mentionnées.

Au chapitre 1, nous avons présenté le cas d'Annie. Celle-ci, à l'instar de ses compagnons et compagnes de classe, pouvait compter sur un large éventail d'options de formation en quittant le secondaire avec son diplôme d'études secondaires en poche. Les nombreux programmes de niveau collégial ont été élaborés dans le cadre de la vaste réforme de l'éducation qui eut lieu durant les années 60 au Québec. Or, cette réforme constituait une prise en charge de l'éducation par l'État. C'est à cette époque que se développa l'État-providence.

Au chapitre 4, nous avons parlé des importantes mesures fiscales et sociales de soutien à la famille adoptées par l'État dans les années 70 et 80, notamment les lois sur l'égalité des conjoints dans le mariage et sur les droits de l'enfant. Les relations interpersonnelles dépendent aussi d'un climat de sécurité économique et sociale dans l'établissement duquel l'État assume, avec d'autres acteurs sociaux, une responsabilité importante.

Au chapitre 5, nous avons traité de l'importance de l'État dans la recherche de solutions aux problèmes créés par la restructuration actuelle du monde du travail. L'État, en partenariat ou en concertation avec les entreprises, les syndicats, l'école ou les groupes populaires, a un rôle de premier plan à jouer dans la recherche de solutions aux nouvelles formes de pauvreté et d'exclusion, au chômage, au recyclage et à la formation professionnelle. Il doit aussi favoriser la recherche et le développement, afin d'aider les entreprises à réaliser des percées dans des secteurs de pointe. On peut du reste observer le rôle dynamique qu'a joué l'État à cet égard dans les pays qui réussissent le mieux à relever les défis de l'évolution technologique.

RÉVISION

Pouvez-vous nommer d'autres exemples précis d'intervention de l'État-providence ?

Si l'État est en mesure d'exercer un rôle aussi important, c'est qu'il contrôle un certain nombre de leviers. Il a notamment la capacité de :

- adopter des lois et des règlements (pouvoir législatif) ;
- les faire respecter (pouvoir exécutif) ;
- voir au bon fonctionnement de la justice et des tribunaux (pouvoir judiciaire) ;
- faire régner l'ordre et veiller à la sécurité des citoyens (pouvoir de contrôle social par la police et l'armée).

C'est pourquoi on dit que l'État a un pouvoir de RÉGULATION SOCIALE. Ce concept implique qu'un certain ordre social et un certain équilibre sont nécessaires au bon fonctionnement d'une société. C'est sans doute à cela que pensait Albert Camus dans le passage cité en exergue. Mais l'ordre peut aussi être maintenu par la force. L'histoire regorge d'exemples d'intervention étatique visant à faire régner l'ordre social par la coercition. La régulation dont nous parlons ici n'est pas de ce type. L'équilibre qu'une société doit rechercher et qui permet aux citoyens de vivre dans une relative sécurité présuppose l'existence d'une justice sociale. C'est l'État qui doit, de concert avec les autres partenaires sociaux, maintenir l'ordre dans un cadre de justice sociale.

Quand il ne remplit pas ses fonctions ou qu'il les remplit mal, les problèmes sociaux s'accumulent et le climat social se détériore. Il n'est pas le seul responsable de cette détérioration, mais il est le principal responsable de la régulation sociale. On constate ainsi qu'il exerce les divers pouvoirs lui permettant d'assurer cette régulation parfois de façon trop coercitive et parfois de façon trop permissive.

La sociologie, l'État et la modernité

Il est clair qu'il faut accorder une grande importance au rôle social de l'État dans l'étude des transformations sociales. Comme la sociologie est née à la fin du siècle dernier à l'époque de l'industrialisation et de l'urbanisation, elle a pu assister à la transformation des fonctions sociales de l'État. Devant les problèmes nouveaux que ces phénomènes entraînaient et sous la pression des groupes organisés, les États furent en effet amenés à intervenir dans les processus économiques, notamment en légiférant sur les conditions de travail et de vie des ouvriers, ce qui ne s'était jamais vu auparavant.

La sociologie du XIXe siècle tenta de comprendre ces nouveaux mécanismes afin d'élaborer une position éclairée sur la nouvelle réalité sociale. L'État et ses institutions faisaient partie des cadres macrosociaux qu'elle étudiait. Ils constituaient l'univers de la politique institutionnelle, qui est relié à l'ensemble des autres institutions sociales, à savoir les institutions économiques, scolaires, culturelles et familiales. L'étude des relations entre ces institutions est l'objet même de la sociologie. Encore aujourd'hui, l'État est vu par la sociologie comme un instigateur de la modernité.

Au XIXe siècle, à l'époque de l'industrialisation, on commença à réclamer l'adoption de lois sur la journée et la semaine de travail, la rémunération et le droit d'association en syndicats. C'était le début des interventions de l'État dans la vie économique et sociale. Plus tard, dans les années 40 et 50, l'État assuma un rôle encore plus interventionniste, alors qu'on créa des services publics dans tous les domaines de la vie sociale.

Dans nos sociétés, l'État est toujours en cause dans l'exercice *du* politique. L'exercice du pouvoir par les citoyens au sein des lieux de travail ou de vie les amène en effet à exercer des pressions sur l'État pour favoriser des changements sociaux. Dans la société postindustrielle, l'État demeure donc au centre des préoccupations des groupes sociaux.

La sociologie, l'État et les problèmes sociaux

Il y a trois façons pour la sociologie du changement social d'aborder les problèmes sociaux et chacune d'elles accorde une fonction particulière à l'État.

1. La recherche des causes des problèmes sociaux. – Durkheim est le premier à avoir mis en évidence la nécessité de rendre compte des problèmes de société en fonction de l'ensemble des structures économiques, politiques et culturelles de la société. Lui-même avait établi des corrélations entre le phénomène du suicide et un certain nombre de facteurs économiques, familiaux et religieux. Or, l'État fait évidemment fait partie de ces structures sociales qui influent sur l'apparition des phénomènes de société.

2. La prévention des problèmes sociaux. – Selon Durkheim, la prévention sociale est nécessaire pour éviter les phénomènes de pathologie sociale. Ce rôle revenait d'après lui à un système d'éducation capable de transmettre les valeurs de solidarité et d'altruisme en même temps que les connaissances et la rigueur intellectuelle nécessaires pour les assimiler. On peut dire qu'il avait une conception *républicaine* de l'école en ce sens qu'elle devait selon lui véhiculer les objectifs et les valeurs de la République française. Les sociologues se sont toujours intéressés aux systèmes d'éducation comme moyen de former la jeunesse et de prévenir les problèmes sociaux, tels que le chômage, l'exclusion et la délinquance. Dans cette perspective, l'État doit contribuer à mettre en place les conditions d'épanouissement des individus et des collectivités.

3. *La résolution des problèmes sociaux existants.* – En présence de problèmes sociaux urgents, l'État législateur ou l'État protecteur doit intervenir en se servant des données fournies par les recherches sociologiques, telles que leur localisation, leur fréquence selon l'âge, le sexe et la profession. Comme le soutenait Max Weber, si c'est au politique (l'État) d'intervenir, c'est au savant (le sociologue) d'identifier les causes et de proposer des modes d'intervention. Les ouvrages d'Alain Touraine fournissent une bonne illustration de la façon dont un sociologue peut contribuer à rechercher des modes d'action et d'intervention.

Ce sont là trois façons complémentaires pour la sociologie d'aborder l'étude des problèmes sociaux. Elles témoignent toutes du fait que le sociologue doit porter attention aux lieux de pouvoir, s'il veut bien comprendre les lois qui régissent le fonctionnement et le développement des sociétés[1].

Un bref regard sur les autres sociétés et sur le passé

Conformément à la méthode d'analyse appliquée précédemment, il convient de jeter un bref regard sur les autres sociétés et sur le passé de nos sociétés. L'État n'a pas toujours joué le rôle que nous lui assignons maintenant.

Des sociétés sans État ?

Toutes les sociétés ne sont pas organisées selon le même modèle. Plusieurs ont fonctionné ou fonctionnent sans cette institution macrosociale qu'est l'État. Les sociétés occidentales n'ont pas toujours été représentées par un État. Ce n'était pas le cas par exemple à l'époque du nomadisme ou de la vie tribale. Et même à notre époque, il existe des groupes qui vivent sans organisation politique globale. C'est le cas entre autres des Touaregs[2] du désert du Sahara, des Tziganes[3] et des Bédouins[4]. Alors que l'individu fait toujours partie d'une société, une société ne forme pas nécessairement un État.

Révision

Connaissez-vous d'autres peuples qui vivent encore maintenant sans État ?

Ces peuples se soumettent passivement aux lois des États où ils circulent et vivent temporairement, mais ils ont leurs propres codes, leurs lois, leurs systèmes de régulation sociale et leur organisation économique, politique et sociale. Ils ont

1. Voir Fernand Dumont, Simon Langlois et Yves Martin, *Traité des problèmes sociaux*, Québec, Institut québécois de recherche sur la culture, 1994.
2. Peuples nomades qui se déplacent avec leur bétail de la Lybie à l'Algérie.
3. Peuples nomades qui circulent à l'année longue en Europe orientale et en Europe Occidentale.
4. Peuples arabes nomades du désert qui circulent au Maroc, en Égypte, en Syrie et en Arabie.

leur hiérarchie sociale, leurs chefs et leurs modes d'exercice du pouvoir. L'anthropologie est la science humaine qui a le plus étudié ces sociétés sans État[5].

Deux conceptions de l'État

D'une société à une autre, il peut y avoir des différences importantes dans la définition du rôle de l'État et dans la nature des attentes des citoyens envers l'État. La conception de l'État relève de l'idée que l'on se fait de la vie en société au même titre que l'organisation du travail, les relations interpersonnelles et l'éducation. Dans ce qui suit, nous nous attarderons aux deux conceptions de l'État qui ont le plus marqué les régimes sociaux et politiques des sociétés occidentales à partir de la seconde moitié du XIXe siècle et tout au long du XXe siècle : la **social-démocratie** et le **libéralisme** (ou néolibéralisme). Les idées et les valeurs qui les sous-tendent avaient auparavant fait l'objet de débats philosophiques et politiques, mais c'est avec l'industrialisation qu'elles ont débouché sur de véritables systèmes politiques.

SOCIAL-DÉMOCRATIE
Système politique dans lequel l'État a une fonction de redistribution de la richesse et de protection sociale

LIBÉRALISME
Système politique qui prône une action limitée de l'État dans le champ de l'économie et de la vie sociale.

C'est d'abord le libéralisme qui s'imposa. Au XIXe siècle, il fut à l'origine du développement du capitalisme et de l'industrialisation. Le libéralisme était fondé sur l'idée de la primauté de l'économique et visait à laisser le champ libre à l'entreprise privée dans l'économie, y compris dans l'organisation du travail. Les défenseurs du libéralisme considéraient que l'éducation, la santé et le soutien aux personnes âgées ou aux malades relevaient de la vie privée ou, dans le cas des familles dépourvues de ressources matérielles suffisantes, de la charité publique. Selon cette conception, l'État n'avait à intervenir ni dans le milieu de travail ou dans la vie économique, ni dans la vie sociale ou culturelle. Aussi virent-ils d'un mauvais œil le fait que l'État permette la création de syndicats d'ouvriers à la fin du siècle dernier. Cela leur apparaissait être une intrusion du politique dans le domaine économique. À chaque fois que des lois étaient adoptées sous la pression des mouvements populaires de protestation, par exemple pour diminuer la journée ou la semaine de travail ou pour interdire le travail des enfants, les défenseurs du libéralisme leur opposaient le principe de l'autonomie de l'entreprise. Ainsi, au Québec, il y eut une levée de boucliers durant les années 40 contre les régimes fédéraux de pensions de vieillesse et d'allocations familiales. La population appuyait ces mesures de soutien jugées nécessaires, mais les élites cléricales et politiques s'y opposaient[6].

5. Voir notamment Pierre Clastres, *La société contre l'État*, Paris, Minuit, 1974.

6. Voir Paul-André Linteau, René Durocher et Jean-Claude Robert, *Histoire du Québec contemporain – Le Québec depuis 1930*, Montréal, Boréal,1986.

Le laisser-faire prévalut en Occident, malgré des périodes de défense des droits sociaux, jusqu'à la crise économique de 1929. Cette crise laissa des séquelles dans toutes les couches de la société. La détresse humaine et la désorganisation sociale furent si grandes qu'on reconsidéra la philosophie sociale et politique, de manière à accorder à l'État un rôle social plus important.

On chercha d'abord à empêcher que d'autres crises de cette envergure ne surviennent. C'est dans cette perspective qu'apparurent les premières mesures de protection sociale, notamment l'assurance chômage et le salaire minimum. Ces mesures profitèrent d'abord aux plus démunis. Puis, à partir des années 50, la classe moyenne eut également accès aux différents régimes de soins de santé et d'éducation en même temps qu'elle bénéficiait de politiques fiscales de soutien à la famille et à la maternité.

La social-démocratie et l'État-providence se développèrent à partir de la Seconde Guerre mondiale. Les sociaux-démocrates accordaient un rôle social très important à l'État dans le maintien du pouvoir d'achat et de la cohésion sociale. Selon le sociologue français Pierre Rosanvallon, il faut distinguer trois missions étatiques essentielles : la prévention des crises par des mesures appropriées, la redistribution de la richesse et la promotion du développement social et culturel[7]. Le concours des autres partenaires sociaux – les agents économiques et les divers groupes organisés – est habituellement nécessaire pour remplir ces trois missions.

Le néolibéralisme s'est développé essentiellement à partir des années 80. Le contexte était fort différent de celui dans lequel le libéralisme du XIXe siècle était apparu, puisque la présence de l'État était désormais acquise dans la plupart des domaines de la vie collective, y compris dans le domaine du travail et de l'économie. Le discours néolibéral a plutôt prôné la diminution de la taille de l'État, un retrait partiel de l'État du domaine social ainsi que la privatisation d'un assez grand nombre d'entreprises privées.

On peut donc dire que ces deux conceptions de l'État se sont développées en parallèle et se sont opposées durant près d'un siècle et demi. Le libéralisme a été le courant dominant, la social-démocratie apparaissant plutôt comme un mouvement de réaction aux excès du libéralisme. C'est toujours à la suite des pressions du mouvement syndical ou de la venue au pouvoir d'un parti ouvrier ou social-démocrate (en Europe surtout), et souvent grâce à une conjoncture économique favorable, que des gains sociaux importants ont pu être réalisés. Les Trente Glorieuses, notamment, ont connu un développement sans précédent de l'État-providence et ont permis les gains sociaux les plus importants.

7. Voir Pierre Rosanvallon, *La crise de l'État-providence*, Paris, Seuil, 1981.

La déréglementation des marchés et des secteurs réglementés par l'État contexte de mondialisation des marchés et de la libération des échanges favorise les tenants des thèses néolibérales

Deux exigences profondes sont au fondement de la social-démocratie :

1. *La reconnaissance des droits civiques.* – Ce sont notamment le droit de vote, le droit de parole, le droit d'association, le droit à l'éducation, le droit à la santé et le droit au travail. La reconnaissance de ces droits amena ce que l'on a appelé, dans la *Déclaration universelle des droits* de 1948, la « société des droits ».

2. *La réparation des inégalités sociales issues de l'organisation même de la société au moyen d'interventions politiques spécifiques.* – On accorde à l'État le pouvoir de promouvoir ces droits au moyen de lois, de règlements et de politiques et de réduire ainsi les inégalités sociales. Les sociaux-démocrates visent à protéger l'ensemble de la collectivité contre les risques de déchéance sociale causée par la maladie, le vieillissement et le chômage en se donnant une forme d'assurance collective dont l'État devrait être le garant. Le citoyen qui participe, par le biais de ses impôts ou de ses cotisations, au financement de ce programme sait qu'il se protège lui-même des risques et des incertitudes de la vie. Cette conception repose donc sur la solidarité et l'interdépendance.

DROITS INDIVIDUELS ET DROITS COLLECTIFS

Le pouvoir d'intervention de l'État fait de lui le garant des droits individuels et des droits collectifs. Or, ces deux types de droits sont souvent en opposition. Selon Guy Rocher, il existe pourtant une complémentarité essentielle entre ces droits dans l'optique de la recherche d'une société plus démocratique et plus civilisée[8].

Préparation de la soirée des élections. Les résultats du vote seront retransmis et analysés sur-le-champ par les médias électroniques.

Par DROITS INDIVIDUELS, on entend des droits comme le droit de vote, le droit de propriété, le droit d'entreprendre, le droit à la protection de la vie, le droit à ses opinions, le droit de pratiquer sa religion et le droit à son orientation sexuelle. Les DROITS COLLECTIFS sont notamment le droit à l'égalité des chances, le droit à l'éducation, le droit à la santé, le droit au travail, le droit d'association et le droit à l'autodétermination.

Les premiers droits à être inscrits dans les différentes chartes et les lois furent les droits

8. Guy Rocher, « Tensions et complémentarité entre droits individuels et droits collectifs », dans *Cahiers de recherche éthique – Vers de nouveaux rapports entre l'Éthique et le droit*, Université du Québec à Rimouski, Fides, 1991, p. 209-221.

individuels, notamment le droit de vote, le droit de propriété et le droit de parole. Puis, on se rendit compte que la reconnaissance purement formelle de droits individuels, par exemple le droit d'élire un gouvernement tous les quatre, cinq ou sept ans, n'était pas suffisante pour assurer une démocratie. Il fallait viser également le respect des droits collectifs et tenir compte des rapports entre la liberté et l'égalité. Comme le souligne Rocher, la conception libérale, ou néolibérale, dont nous venons de parler a surtout mis l'accent sur les droits de la personne, alors que la conception social-démocrate insistait sur les droits collectifs et l'importance de conserver un équilibre entre les deux ordres de droits. Il est vrai que, dans les pays totalitaires, les droits individuels ont souvent été bafoués au nom des droits collectifs. Mais les uns n'existent pas sans les autres. Ils sont complémentaires et l'État doit veiller à maintenir un équilibre entre les deux ordres de droits. Quelques exemples suffiront à mettre cette complémentarité en évidence.

- Le droit de choisir une carrière est un droit individuel qui ne peut exister que si le droit à l'éducation et à l'égalité des chances (droit collectif) est reconnu.
- Le droit de propriété est un droit individuel qui ne peut se maintenir que si on se soucie de préserver la qualité de l'eau et de l'air, que l'on considère comme des éléments indispensables à la santé (droit collectif).
- Le droit à l'affichage dans une langue donnée est un droit individuel qui présuppose le respect du droit à l'usage d'une langue et à la pratique d'une culture (droit collectif).
- Le droit pour un groupe d'exister et de défendre des droits particuliers est un droit collectif qui ne doit pas empêcher une minorité de s'exprimer et même d'être dissidente (droit individuel).
- Le droit à un logement est un droit collectif qui ne doit pas justifier qu'on déloge une personne légalement installée à un endroit (droit individuel).
- Le droit à des institutions communes comme les tribunaux ou les écoles est un droit collectif qui ne doit pas justifier l'interdiction de la pratique d'une religion (droit individuel).
- Le droit à l'avortement est un droit collectif qui ne doit pas empêcher une personne donnée de choisir de ne pas se faire avorter pour des raisons personnelles (droit individuel).

À cela, on peut ajouter un exemple illustrant la complémentarité de deux droits collectifs :

- Le droit à l'autodétermination d'un peuple est un droit collectif qui ne doit pas être exercé au détriment du droit à l'autodétermination d'un autre peuple (droit collectif).

Le problème est de maintenir un équilibre entre ces droits. C'est en partie le rôle de l'État de voir à ce qu'ils soient respectés en donnant la préséance à certains droits selon les circonstances et en veillant à ce que les tensions ne dégénèrent pas en conflits sociaux. C'est là qu'intervient le niveau de la politique et de l'éthique dont parle Guy Rocher. La société doit fixer ses priorités selon la conjoncture et les groupes doivent développer une éthique des rapports humains permettant de solutionner les tensions entre les deux types de droits. En d'autres termes : la politique doit pouvoir rejoindre le politique.

Le sociologue Guy Rocher.

C'est au nom des droits de la personne que les États se sont donné des chartes des droits humains qui doivent être considérées comme des acquis collectifs. Il est question, dans certains milieux, de promulguer une charte de la citoyenneté permettant de protéger à la fois les individus et les groupes. C'est en ce sens que Ed Broadbent, Président du Centre international des droits de la personne et du développement démocratique, écrit :

> Vivre dans le respect de l'autre au sein d'une société diversifiée et pluraliste signifie que l'on ne s'en tienne pas aux seuls droits individuels. Cela veut dire aussi accepter le fait qu'il y aura à certains moments conflit entre les droits individuels et les droits collectifs, mais aussi entre diverses catégories de droits collectifs[9].

Si l'autonomie et l'épanouissement de chacun sont les fondements de toute démocratie véritable, il reste que c'est la société qui, en permettant l'émergence de lieux de solidarité et d'action, en assure l'existence.

L'ÉTAT ET LES CHANGEMENTS SOCIAUX

Selon Rosanvallon, l'État social-démocrate est à l'origine des transformations sociales les plus importantes survenues durant les deux derniers siècles. Non seulement a-t-il amélioré les conditions de travail, sociales et culturelles, et élevé le niveau de vie de la population[10], mais il a, plus que l'État libéral, contribué à ce que les objectifs de justice sociale soient intégrés dans la conscience collective. Il est intéressant de comparer à cet égard le développement de la social-démocratie en Amérique du Nord et en Europe.

9. « Pour une société juste et unie », *Le Devoir,* 22 février 1996.

10. Voir Pierre Rosanvallon, *op. cit.*

En Europe, cette évolution prit différentes formes selon les pays, les contextes culturels et les traditions. D'après Rosanvallon, l'instauration des mesures sociales en Europe au courant du XIXe siècle se fit dans l'ordre suivant : d'abord l'Allemagne et l'Autriche (1880-1890), puis la Hongrie, l'Angleterre, la Suède, la Norvège et le Danemark (années 1910), et finalement la France (années 1930). Mais c'est surtout à partir des années 30 et 40 que se développa en Occident une théorie économique montrant la nécessité pour l'État d'intervenir dans le champ de l'économie, dominé jusque-là par l'entreprise privée. Il s'agit de la théorie du keynesianisme, élaborée par l'économiste anglais John Maynard Keynes (1883-1946) durant la crise de 1929. Cette doctrine changea complètement les rapports du politique et de l'économique. Selon Keynes, l'État devait intervenir par des mesures de soutien à l'emploi et au revenu pour éviter que ne s'engendrent des dynamiques de crise comme celle de 1929. Cette conception nouvelle de la vie économique, jointe aux idéaux de justice sociale qui circulaient déjà depuis un certain temps, fit en sorte que les différents États adoptèrent des mesures sociales et fiscales visant à la fois à maintenir le pouvoir d'achat des travailleurs en cas de chômage ou de crise et à leur donner accès à des services (éducation, santé, justice) qui relevaient jusque-là des individus ou de la charité publique. En Angleterre, on appela cette nouvelle gestion étatique le ***Welfare State*** (État du bien-être). À partir des années 40, le modèle du *Welfare State* se répandit dans la plupart des pays européens.

WELFARE STATE
Philosophie sociale et politique britannique prônant une participation plus active de l'État dans la recherche d'un mieux-être social.

En Amérique du Nord, l'évolution de cette notion fut différente. Aux États-Unis, le Président Roosevelt (1882-1945) instaura le ***New Deal*** dans les années 30. C'était un programme économique et social de lutte à la pauvreté et à l'inégalité des chances. Ce programme fut très populaire auprès de la population en général, mais très critiqué par les milieux d'affaires, qui voyaient là une intrusion indue de l'État dans la mécanique du marché. Un autre phénomène caractérise le développement de la société de droits aux États-Unis : le recours aux tribunaux pour la défense des droits individuels. Ce recours a donné lieu à une **judiciarisation** du social qu'on observe maintenant dans d'autres pays, notamment au Canada. Selon Rosanvallon, ce développement a eu pour résultat que les droits collectifs sont moins reconnus en Amérique qu'ailleurs en Occident.

NEW DEAL
Programme économique et social mis de l'avant par le président américain Roosevelt pour combattre la pauvreté et l'inégalité sociale engendrées par la crise de 1929.

JUDICIARISATION
Influence croissante des tribunaux liée à la résolution de conflits faisant intervenir le respect des droits individuels.

Au Canada, les premières interventions sociales eurent lieu durant les années 40, alors qu'on établit les pensions de vieillesse, les allocations familiales et le salaire minimum. Au Québec, ce fut surtout durant les années 60 et 70 que l'État assuma un rôle social actif. Rappelons que les artistes et les écrivains exercèrent des pressions pour moderniser la société québécoise dès la fin des années 40, notamment en publiant le manifeste du *Refus global* en 1948. C'est cependant la grève d'Asbestos, en 1949, qui marqua le véritable début de la mobilisation du monde ouvrier. On peut dire que la société québécoise ne devint réellement une société de droits que dans les années 60, alors qu'on abandonna le système de charité individuelle, qui n'était plus conforme à l'idée que l'on se faisait d'une société moderne. Le citoyen consentait désormais à venir en aide aux plus démunis par le biais de ses taxes et de ses impôts. L'État donnait des services autrefois réservés à une minorité. C'est une solidarité plus abstraite et anonyme que la charité individuelle, mais qui a un caractère de réciprocité. Le système des besoins individuels s'intègre à la politique, il ne relève plus du domaine du privé[11].

Cette évolution avait aussi une portée directement politique. En effet, l'État québécois visait ainsi à occuper les champs de compétences qui étaient attribués aux provinces en vertu de la Constitution de 1867, à savoir la culture, l'éducation, les services sociaux, le logement, les rentes. De plus, il cherchait à jouer un plus grand rôle sur le plan économique. Cela se traduisit par un accroissement sans précédent de la fonction publique et parapublique, comme le montre l'encadré 1.

ENCADRÉ 1

La transformation de la fonction publique québécoise

K. McRoberts et D. Posgate ont montré que, dès le début des années 60, la fonction publique québécoise connut une expansion rapide. Entre 1960 et 1970, on mit sur pied 6 nouveaux ministères, 9 conseils consultatifs, 3 organismes de réglementation, 8 entreprises publiques et 1 tribunal administratif. Le nombre des organismes d'État s'éleva de 39 à 64. Les employés de la fonction publique augmentèrent de 42,6 % de 1960 à 1965 ; ils passèrent de 29 298 à 41 147. Les employés des sociétés d'État (Hydro-Québec, SAQ) s'accrurent de 93 % durant la même période, passant de 7460 à 14 411[12].

11. Considérons l'exemple suivant. Une amie a été victime de violence conjugale et doit quitter tout de suite le domicile conjugal. Où ira-t-elle ? Autrefois, elle serait automatiquement allée chez ses parents, un frère ou une sœur. Aujourd'hui, elle sera hébergée dans un centre pour femmes victimes de violence. Elle aura accès à des services pour se défendre et se protéger, bénéficiera de la solidarité avec les autres femmes dans la même situation qu'elle. Elle y connaîtra l'entraide et la solidarité dans un rapport plus égalitaire que si elle était hébergée par sa famille immédiate, où les membres sont de toute façon peu disponibles et ne souffrent pas de la même situation. Si ce centre existe comme bien d'autres, c'est que chaque citoyen paie des taxes et des impôts.

12. K. McRoberts et D. Posgate, *Développement et modernisation du Québec*, Montréal, Boréal/Express, 1983, p. 130.

Selon K. McRoberts et D. Posgate, durant les années 60, l'État québécois a été le principal employeur pour les finissants des cégeps et des universités. Il aurait ainsi compensé la faiblesse de l'entreprise privée[13].

Dans une recherche effectuée en 1975 et 1976 sur la nouvelle fonction publique québécoise, le sociologue Jean-Jacques Simard constatait que celle-ci était non seulement plus nombreuse qu'auparavant, mais aussi plus jeune, plus instruite et composée d'un nombre plus important de femmes. Il notait également que ses travailleurs provenaient souvent des sciences humaines (sociologie, économie, psychologie, gestion,)[14].

Toutes ces fonctions nouvelles exercées par l'État se sont accompagnées d'une prise de conscience nationale. « Maîtres chez nous ! » avait affirmé avec fierté Jean Lesage lors de la campagne électorale qui portait sur la nationalisation de l'électricité en 1962. Vecteur de progrès social, l'État était en même temps un agent identitaire très important. On peut dire qu'au Québec comme dans tous les pays occidentaux, l'État a été un outil de progrès social durant la période qui a correspondu à la modernisation des sociétés.

3 LE DÉBAT ACTUEL CONCERNANT L'ÉTAT ET SES ENJEUX

La conjoncture actuelle est bien différente de celle de cette époque. D'abord, l'évolution rapide de la technologie a obligé toutes les sociétés à restructurer leurs économies. Sur le plan économique, il s'est produit une mondialisation des marchés. L'espérance de vie s'est accrue, tandis que les cadres traditionnels de vie, notamment la famille, ont éclaté. De nouvelles valeurs, davantage axées sur le bien-être individuel et la qualité de vie, se sont imposées.

Tous ces changements ont créé d'importants problèmes. Le nombre de chômeurs et d'assistés sociaux s'est accru. Les besoins de recyclage et de scolarisation sont plus grands qu'auparavant. Comme l'espérance de vie a augmenté, le nombre de personnes âgées a augmenté également et celles-ci requièrent plus de soins de santé, surtout à partir de 65 ans. Les familles monoparentales vivent souvent dans la pauvreté. On a assisté à l'apparition de nouvelles maladies, telles le sida et les MTS, qui demandent des soins longs et coûteux. On constate une augmentation du nombre de cas de maladies

13. *Ibid.*, p. 115-144.

14. Voir Jean-Jacques Simard, *La longue marche des technocrates*, Montréal, Éd. Saint-Martin, 1979.

mentales et de cancer. La violence urbaine, la délinquance et la criminalité s'accroissent également.

Devant ces problèmes, de nombreux agents sociaux se tournent vers l'État. Que peut faire l'État ? Doit-il intervenir ou laisser à d'autres le soin de le faire ? Les réponses qu'on donne à ces questions sont en partie déterminées par la conception de l'État à laquelle on adhère et par les ressources dont on dispose. Nous allons examiner les limites de la capacité d'intervention de l'État et les rattacher aux deux conceptions dont nous avons parlé précédemment, la social-démocratie et le néolibéralisme.

Les limites de l'interventionnisme

On peut dégager quatre facteurs qui limitent les possibilités d'intervention de l'État : la crise des finances publiques, la structure de la bureaucratie, la non-rentabilité de l'appareil administratif et la déresponsabilisation des citoyens.

1. La crise des finances publiques. – La crise des finances publiques est due en partie aux charges plus fortes que doit assumer l'État, mais aussi au fait que les revenus ne sont plus suffisants pour supporter les charges existantes. Cette baisse des revenus est causée par un certain nombre de facteurs. D'abord, moins de gens travaillent. Ensuite, la fiscalité est inéquitable et l'État n'est plus en mesure de recueillir les revenus qui lui sont dus en raison de l'existence d'une économie souterraine, c'est-à-dire du travail au noir et de la contrebande. Finalement, la hausse des taux d'intérêt, survenue surtout durant les années 80, a fait augmenter la dette publique. Globalement, cela signifie, pour reprendre la formule de Rosanvallon, qu'un « nombre croissant d'inactifs sont pris en charge par un nombre décroissant d'actifs[15] ».

Or, dans une société où tous jugent que la protection des individus est une valeur importante, il doit y avoir un équilibre entre les charges sociales qu'on attribue à l'État et les charges financières que les individus doivent assumer par leurs impôts et leurs taxes. Pour arriver à endosser des charges sociales de plus en plus importantes avec des sources de revenus de plus en plus restreintes, l'État a été contraint d'emprunter. Mais la capacité d'emprunt et de taxation d'un État n'est pas illimitée. En fait, on considère maintenant que l'État est trop endetté et qu'il doit parvenir à équilibrer son budget.

2. La structure de la bureaucratie. – La lourdeur administrative de la bureaucratie mise en place par l'État depuis 30 ans a été l'objet de nombreuses critiques.

15. Pierre Rosanvallon, *La nouvelle question sociale – Repenser l'État-providence*, Paris, Seuil, 1995, p. 108.

Elle a notamment pour effet d'accroître le sentiment d'anonymat du citoyen.

L'individu se sent traité comme un numéro dans cet univers bureaucratique que constitue l'ensemble des services gouvernementaux (les hôpitaux, les bureaux d'assurance chômage et même les institutions d'enseignement). Le développement des bureaucraties répond à une certaine logique, comme l'ont montré de nombreux sociologues, de Max Weber à Michel Crozier. Elles tendent naturellement à s'élargir et à se complexifier. Le citoyen est vite perdu dans ce dédale. L'employé lui-même devient l'exécuteur de directives émanant du haut de la pyramide. Max Weber avait déjà souligné les inégalités politiques engendrées par les structures bureaucratiques. Le codage et le fichage des renseignements individuels battent en brèche la confidentialité de la vie privée.

Dans tous les pays occidentaux, le dédale de la bureaucratie de l'État amène les citoyens et les employés à se sentir dépossédés de leur individualité.

3. *La non-rentabilité de l'appareil administratif.* – Plusieurs observateurs, comme Ivan Illich[16], considèrent qu'en voulant régler des problèmes, on en a créé d'autres. Le mécanisme visant à satisfaire les besoins des gens a engendré des « irritants administratifs ». Cet appareil de gestion finit par coûter cher. L'organisation que l'on6 voulait exemplaire s'est avérée inefficace ou carrément incapable de répondre aux besoins des citoyens.

4. *La déresponsabilisation des citoyens.* – L'État-providence, devenu le protecteur des citoyens les plus démunis, a été amené à prendre en charge de plus en plus d'aspects de la vie des gens, ce qui a entraîné une déresponsabilisation des individus. Dans le domaine de la santé, de l'éducation ou de la vie quotidienne, on préfère s'en remettre aux institutions plutôt que de faire de la prévention : on va au service des urgences ou au CLSC quand on a des problèmes de santé ; on suit des programmes de rattrapage scolaire pour compenser le retard scolaire ; on s'inscrit aux programmes d'assistance sociale lorsqu'on n'arrive pas à se trouver du travail.

Les CLSC font partie de ces institutions que le gouvernement entend développer pour répondre aux besoins locaux des citoyens tout en réduisant les coûts du réseau de la santé.

16. Voir Yvan Illich, *Le travail fantôme*, Paris, Minuit, 1981.

La déresponsabilisation se manifeste par le peu de souci que l'on porte à ses affaires et aux affaires publiques, conformément au principe « Vivre et laisser vivre », qui incite à la passivité. C'est la parole des experts qui prévaut. Illich constate que l'État interventionniste n'est pas le seul responsable de ce phénomène, mais qu'il a accentué un individualisme faisant déjà partie du paysage culturel de nos sociétés. Ce serait là un des effets pervers de l'expansion du pouvoir des États.

LES LIMITES DU NON-INTERVENTIONNISME

Si l'État est dans l'impossibilité d'intervenir massivement pour les raisons que nous venons d'énumérer, il lui est tout aussi impossible de ne pas intervenir. Ce constat peut être dégagé à la lumière de trois phénomènes : l'échec du modèle néolibéral, l'accroissement de la pauvreté et des inégalités sociales, et le ralentissement économique.

1. L'échec du modèle néolibéral. – Devant les problèmes que rencontrait l'État-providence, on a proposé le néolibéralisme comme solution de rechange, surtout à partir des années 80. Le néolibéralisme met de l'avant l'esprit d'initiative, la rentabilité, le profit et la libre concurrence. Il cherche à réduire l'intervention de l'État le plus possible. Les néolibéraux comptent sur le mécanisme fondamental de l'économie de marché – la loi de l'offre et de la demande – pour servir de régulateur social. La croissance économique doit selon eux fournir de l'emploi au plus grand nombre et permettre aux individus de se procurer les biens et les services dont ils ont besoin.

Cependant, les néoliberaux ne présentent plus l'économie de marché comme une fin en soi, comme le faisaient les tenants du libéralisme au XIXe siècle, mais comme un moyen, moins mauvais que la bureaucratie d'État, pour solutionner les problèmes. Il est supposé être plus efficace et moins coûteux. Ils prétendent aussi qu'il serait mieux en mesure de renforcer l'autonomie des individus et qu'il est un meilleur gage de rationalité et de rentabilité.

Cette idée rejoignant la conception libertaire de la vie en société fort à la mode dans les années 70 et 80, et encore maintenant, le néolibéralisme jouit d'une certaine popularité. Alors que l'individu a de plus en plus de mal à s'y retrouver dans le labyrinthe social, il s'en est trouvé plus d'un pour réclamer, au nom de la liberté et de l'autonomie, qu'on supprime les lois limitant la liberté individuelle et qu'on réduise la taille de l'État. Plus de liberté individuelle, plus de liberté en économie : voilà deux des devises du courant néolibéral, qui fut certainement le courant dominant des dernières décennies.

Tous les pays occidentaux s'alignèrent sur ces politiques néolibérales pour tenter de trouver des solutions aux problèmes d'endettement, de bureaucratisation et de dépendance. Les exemples les plus souvent cités par les observateurs et les analystes sont ceux du gouvernement Thatcher, en Angleterre (1979-1990), et du gouvernement Reagan, aux États-Unis (1980-1988). On a même parlé de thatcherisme ou de reaganisme comme de systèmes philosophiques et politiques prônant ce retrait de l'État de la vie sociale. L'idéologie néolibérale s'est ainsi traduite un peu partout par des privatisations et un désengagement relatif de l'État dans plusieurs secteurs (santé, éducation, services sociaux, création artistique).

Les néolibéraux ont aussi prôné un retour aux valeurs familiales et religieuses d'antan, apparemment dans l'intention de redonner aux familles, aux paroisses et aux églises une partie des responsabilités qui avaient été assumées par les institutions publiques dans les années 60 et 70. On ne tenait cependant pas compte des changements profonds survenus entre-temps, qui avaient transformé ces cadres traditionnels de vie. La famille et l'Église ne sont plus les mêmes. Il n'y a plus de femme au foyer pour s'occuper des malades, des déficients, des handicapés et des personnes âgées. Les paroisses n'ont plus les ressources humaines et matérielles nécessaires pour jouer le rôle d'autrefois. Comme ils ne savent plus où trouver désormais de l'aide et de l'affection, un nombre croissant de malades, de pauvres, de toxicomanes et d'alcooliques vivent dans la rue et mendient. Les phénomènes de violence urbaine, de délinquance et de criminalité créent un climat de peur et d'insécurité. La solitude et la détresse engendrent la violence, qui à son tour entraîne l'insécurité. La conception néolibérale élaborée dans les années 80 ne semble pas en mesure d'apporter une solution à ces problèmes.

2. *L'accroissement de la pauvreté et des inégalités sociales.* – Il est clair que ces politiques n'ont pas permis de diminuer les inégalités sociales et de mieux répartir les richesses. Elles n'ont pas non plus favorisé la création d'un climat d'initiative et de confiance. Toutes les statistiques et toutes les études dont nous avons parlé au cours des chapitre précédents le démontrent. Dans un texte publié par le Musée de la civilisation, Claude Julien trace un bilan critique des effets de la conception économiste de la vie sociale et constate que l'insécurité, plutôt que d'encourager l'initiative individuelle, engendre la peur et même la violence[17]. Dans les années 80, les inégalités sociales n'ont fait qu'augmenter. Les écarts entre riches et pauvres sont plus importants qu'auparavant. Le chômage

17. Claude Julien, *Culture – De la fascination au mépris,* Québec, Musée de la civilisation, coll. Les grandes conférences, 1990.

progresse sans cesse et l'exclusion risque de creuser toujours davantage la fracture sociale. La société duale, qui était une sombre prédiction des années 70, est devenue la réalité des années 90.

Selon Marcel Rioux[18], la conception néolibérale de l'économie a favorisé les plus forts aux dépens des plus faibles. Dans la période de croissance des années 80, on assista à une réelle création de richesses, mais celle-ci fut inégalement répartie et le taux de chômage est demeuré élevé. Encore une fois, la loi de la jungle, qu'on croyait appartenir à une époque révolue, a prévalu. De plus, l'individualisme, tel qu'il est favorisé par le néolibéralisme, nie l'interdépendance des êtres et leur responsabilité mutuelle. Or, la solidarité, la responsabilité et la sociabilité sont à la base de toute vie sociale. Les nier, ou ne pas créer des conditions qui en permettent l'émergence, revient à nier la vie sociale elle-même et à favoriser l'apparition de comportements agressifs.

3. *Le ralentissement économique*. – Ce qui est rentable du strict point de vue économique ne l'est pas nécessairement d'un point de vue social, constate l'économiste J. K. Galbraith[19]. Si on ne se donne pas comme objectif de parvenir à une plus grande justice sociale, soutient Galbraith, on nuit à l'économie elle-même. Les coupures de postes et de salaires ont un effet négatif sur la consommation et la production. Loin de favoriser l'initiative privée, ces politiques de rentabilité à court terme encouragent plutôt le défaitisme et la morosité.

On admet de plus en plus que le climat de confiance créé par des rapports sociaux harmonieux favorise l'activité économique. Le sociologue contemporain d'origine japonaise Francis Fukuyama souligne l'importance du « capital social » pour assurer le développement économique[20]. Les sociétés actuelles, note-t-il, ont besoin d'un haut degré de sociabilité ainsi que d'un climat de confiance durable pour assurer la prospérité économique des nations. C'est ainsi que, dans un contexte de mondialisation des économies, le rôle des PME (petites et moyennes entreprises), où les employés peuvent entretenir des rapports humains plus chaleureux et développer un sentiment d'appartenance, tend à devenir de plus en plus important. Par ailleurs, l'État néolibéral, qui se targue de pouvoir créer la prospérité, ne semble pas apte à établir ce climat de confiance et à assurer la cohésion sociale, ce qui en retour mine la portée de ses politiques.

---

18. Marcel Rioux, « De l'État-providence à l'État-Provigo », *Possibles,* vol. 10 nº 3/4, 1986, p. 29-41.

19. Interview de J. K. Galbraith intitulée « Fini le Moyen Âge, retour à Keynes », parue dans le *Monde* et reproduite dans *Le Devoir*, 2 et 3 avril 1994.

20. Voir Francis Fukuyama, « Social Capital and Global Economy », *Foreign Affairs,* sept-oct. 1995.

Centralisation ou décentralisation ?

Le débat actuel concernant le rôle de l'État porte aussi sur l'opportunité de décentraliser davantage l'appareil d'État. Nous avons déjà mentionné que l'État interventionniste avait fortement centralisé les instances de décision politiques dans tous les secteurs de la société. Ce faisant, il a établi des rapports autoritaires avec ses citoyens. Au Québec, ce phénomène est apparu principalement durant la Révolution tranquille, mais les germes de ce mode de fonctionnement étaient présents bien avant. Ainsi, dès le XIXe siècle, Tocqueville s'étonnait, en observant l'embryon d'État-protecteur qu'il voyait émerger en Amérique du Nord britannique, que personne ne soupçonne la présence possible du maître sous le protecteur[21]. Nous avons déjà souligné qu'il y a souvent un écart entre le moment où des idées commencent à circuler et celui où elles se concrétisent dans des systèmes politiques.

Le gouvernement doit concilier des intérêts contradictoires. Dans le dossier de l'hôpital Hôtel-Dieu, il y allait notamment de l'organisation des services hospitaliers de pointe et de la préservation du patrimoine architectural.

La centralisation a pour conséquence que des technocrates, la nouvelle classe dirigeante mise en place avec l'État-providence, prennent des décisions concernant des gens et des régions dont ils sont éloignés[22]. Notons à cet égard que l'État néolibéral n'a pas non plus réussi à décentraliser les pouvoirs vers les régions et les institutions.

Plusieurs groupes et institutions – des directeurs d'école, des enseignants, des directeurs de collège, des recteurs d'université, des travailleurs d'hôpitaux et de CLSC, des maires et des responsables des municipalités – s'opposent à ces processus de centralisation, de bureaucratisation et de technocratisation. Ils exigent plus de pouvoirs ou cherchent à obtenir une plus grande marge de manœuvre dans leur fonctionnement quotidien.

Récemment, en 1995 et 1996, on a tenu des états généraux sur l'éducation dans toutes les régions du Québec. À cette occasion, on a relancé le débat sur l'opportunité d'une plus grande décentralisation des pouvoirs. Les opposants à ce mouvement ont fait valoir que la centralisation a permis la construction d'un État moderne dans les années 60 et qu'elle a servi de cadre à la démocratisation et à la modernisation du Québec. Elle a aussi mis fin aux irrégularités et iniquités du système qui existaient avant la Révolution tranquille.

21. Les observations de Alexis de Tocqueville sur l'Amérique du Nord britannique sont données dans *De la démocratie en Amérique,* Paris, Garnier-Flammarion, 1981.

22. Voir Jean-Jacques Simard, *op. cit.*

Ainsi, à l'époque où les commissions scolaires percevaient les taxes scolaires, les commissions scolaires riches étaient favorisées par rapport aux commissions scolaires pauvres, avec pour résultat que certaines groupes d'enfants avaient accès à des services scolaires (bibliothèques, matériel didactique, enseignants) et d'autres pas. Dans le domaine de l'énergie, la nationalisation des compagnies d'électricité avait amené une uniformisation des coûts sur tout le territoire du Québec. Avant 1962, le prix du kilowatt-heure n'était pas le même selon que l'on vivait à Montréal, à Québec, en Gaspésie ou en Abitibi. Il en allait de même des services de santé. Bref, en décentralisant trop, soutenaient-ils, on court le danger de rétablir ce genre de disparités. Dans le domaine de l'éducation, notamment, on accentuerait les inégalités entre les mieux nantis et les moins bien nantis.

En revanche, les défenseurs de la décentralisation mettaient de l'avant l'efficacité et la rentabilité d'un système dans lequel les centres de décision sont situés à proximité des communautés qu'ils desservent. Un tel système permettrait selon eux une meilleure utilisation des ressources humaines, matérielles et financières. Il créerait également une organisation du travail plus souple et plus de flexibilité dans l'allocation des ressources.

Il est ressorti de ces débats que l'on devrait rechercher un équilibre entre les deux modes de fonctionnement. D'une part, l'État doit continuer de percevoir les taxes et les impôts, de les répartir sur le territoire selon la proportion de la population à desservir et de définir les orientations et les politiques nationales. Mais, d'autre part, il doit laisser aux communautés, aux groupes et aux individus concernés le soin de gérer, selon leurs besoins, les sommes qui leur ont été allouées. On a présenté de nombreux exemples de la façon dont on pourrait administrer différemment ces fonds sur une base locale. Ainsi, la responsable d'une école pourrait décider comment allouer ses ressources pour l'encadrement de ses élèves en difficulté. Elle connaît leur nombre et leur milieu familial, et elle sait de quelles ressources elle dispose. Dans une autre école, une enseignante pourrait décider elle-même des meilleures stratégies à adopter pour arriver à faire apprendre les règles du participe passé. Un groupe d'alphabétisation pourrait décider des meilleurs méthodes à appliquer pour transmettre les connaissances de base aux élèves.

En tenant mieux compte des besoins réels des individus, on aurait plus de chances de prendre des décisions qui les satisfont. L'individu qui sent qu'on reconnaît les particularités de sa situation sera encouragé à mieux assumer ses actes et deviendra plus attentif aux besoins des gens de son entourage. Ce type d'aide mutuelle a pour effet d'atténuer la dépendance de l'individu plutôt que de l'accroître.

L'ÉTAT ET L'INTERNATIONALISATION DES ÉCHANGES

Nous avons parlé de l'importance d'accorder une marge de manœuvre suffisante aux instances de pouvoir intermédiaires, tout en laissant à l'État la responsabilité des grandes orientations et des politiques globales de protection des individus. On peut transposer ce résultat au domaine des relations entre les États : il est important que les petits États disposent d'une certaine marge de manœuvre dans leurs rapports avec les regroupements d'États et les puissances régionales ou mondiales. Dans le contexte de la mondialisation des échanges économiques, démographiques et culturels, il est normal que chacun des États sente le besoin de protéger son identité collective et que les échanges se fassent dans un climat de respect des différences. Comme les systèmes d'éducation et la culture jouent un rôle primordial dans la définition de l'identité des États, il est juste que ceux-ci adoptent des mesures particulières pour protéger et promouvoir leurs systèmes d'éducation et de diffusion culturelle.

Actuellement, la crise financière des États nationaux donne lieu à une crise politique et à une crise identitaire[23]. Les États sont coincés entre des pouvoirs locaux et régionaux qui réclament plus d'autonomie et les exigences des accords continentaux et internationaux auxquels ils adhèrent. Les modes de régulation sociale des États nationaux sont en effet souvent beaucoup plus contraignants que les modes de régulation internationaux, pratiquement inexistants. Dans ce contexte, comme le souligne Noam Chomsky[24], ce sont les pauvres des pays développés et les peuples du Tiers-Monde qui risquent de faire les frais de cette impuissance des États nationaux à réglementer les échanges de biens et de capitaux.

23. Alain Touraine, *Qu'est-ce que la démocratie ?* Paris, Fayard, 1994.

24. Noam Chomsky, *World Orders – Old and New,* N. Y. Columbia University Press, 1994.

4 Les tâches actuelles de l'État

Les défis que l'État doit relever pour continuer à jouer un rôle social de premier plan découlent directement du débat que nous venons de présenter. Nous avons vu que l'État-providence, *tel que nous l'avons connu jusqu'à présent,* n'est plus viable. Par ailleurs, l'État néolibéral ne remplit pas non plus ses promesses. Mais l'État continue d'occuper une place primordiale dans nos vies, comme en témoigne l'encadré 2. Aucun gouvernement ne peut remettre en question l'ensemble de ces acquis sans risquer de miner son propre appui électoral. C'est dans ce contexte que l'État moderne doit chercher à recréer une solidarité sociale, à maintenir les réseaux d'appartenance, à soutenir les démunis, tout en sachant limiter ses dépenses.

ENCADRÉ 2

Deux Québécois sur cinq dépendent de l'État

On parle beaucoup de l'importance de l'État dans l'économie, particulièrement à une époque où les finances publiques sont dans le cul-de-sac que l'on sait.

Deux étudiants au programme de maîtrise en sciences de la gestion, à l'École des hautes études commerciales, Yves Gagnon et Steven Gonzalez, viennent de faire parvenir à ce sujet un document fort intéressant.

Les deux chercheurs se sont intéressés à chiffrer l'ampleur de la contribution de l'État au revenu des particuliers. Leur conclusion : d'une façon ou de l'autre, 40 % des Québécois vivaient directement grâce à l'État en 1993. Une estimation pour 1995 permet de croire que cette proportion a légèrement baissé. Le chiffre peut sembler énorme, mais en y regardant de plus près, on réalise à quel point le gouvernement prend de la place dans notre vie.

Il y a d'abord un premier groupe de personnes, celles dont la survie est assurée par les transferts aux particuliers : assistés sociaux, prestataires de l'assurance-chômage, et retraités dont la majeure partie des revenus provient des rentes gouvernementales. On peut ajouter les bénéficiaires de pensions d'orphelins et les détenus, qui vivent à la charge de l'État, chaque détenu coûtant quelque 40 000 $ par année au gouvernement.

Un deuxième groupe concerne les employés des gouvernements et de leurs organismes : fonctionnaires fédéraux, provinciaux et municipaux, enseignants, infirmières, policiers, cols bleus, militaires, chauffeurs d'autobus, employés d'Hydro-Québec, de la SAQ, de Radio-Canada, et autres sociétés d'État. [...]

Leur méthodologie est simple et rigoureuse : ils ont procédé par addition, en consultant les documents officiels de différentes sources, tout en ajustant les chiffres dans certains cas. Ce ne sont pas tous les retraités, par exemple, qui peuvent être considérés comme dépendant des pensions gouvernementales. L'étude ne porte donc que sur les 66 % de personnes âgées dont les pensions constituent la principale source de revenus.

Il est important de rappeler que ces chiffres ne concernent que les personnes dépendant directement de l'État, donc qui reçoivent un chèque du gouvernement ou d'un de ses organismes, et que ce chèque constitue leur principale source de revenus. Sont donc exclus de la compilation les pigistes et travailleurs contractuels, les administrations autochtones, ainsi que tous ceux qui, indirectement ou partiellement, doivent leur emploi à des subventions ou des abris fiscaux comme le Fonds de la FTQ[25].

Tableau 1 Les Québécois qui dépendent de l'État

Description	1993	1995
Tous les employés des secteurs publics et parapublics	664 000	639 000
Leurs personnes à charge	310 000	298 000
Assistés sociaux (y compris leurs personnes à charge)	741 000	808 000
Prestataires de l'assurance-chômage	404 000	257 000
Leurs personnes à charge	189 000	120 000
Personnes âgées	547 000	577 000
Autres (bénéficiaires d'une pension d'orphelin, détenus)	40 000	40 000
Total	2 896 000	2 739 000
Population du Québec	7 229 000	7 335 000
Pourcentage de citoyens dépendant de l'État	40 %	37 %

La création d'une nouvelle solidarité sociale

Les différents auteurs que nous venons de citer (Rocher, Rosanvallon, Touraine, Rioux, Galbraith) et bien d'autres parlent tous de l'importance d'établir un nouvel équilibre entre l'intervention de l'État dans la vie sociale et celle des autres milieux d'action des individus, soit le tiers secteur (secteur communautaire) ou les corps intermédiaires (syndicats, mouvement coopératif).

Dans une période où les ressources se font de plus en plus rares, l'existence de ce type d'instances intermédiaires entre l'État et les citoyens apparaît

25. Claude Picher, *La Presse,* 10 février 1996.

de plus en plus indispensable, si l'on veut aider les individus à se prendre en charge. Ces instances représentent un atout économique et politique pour la société et elles permettent aux individus de satisfaire leurs besoins socio-affectifs en participant à des réseaux d'entraide et en rencontrant des gens avec qui ils ont des affinités.

Prenons le cas d'un individu faisant partie des AA (Alcooliques Anonymes). Il y trouve soutien et affection dans son combat pour mettre fin à sa dépendance à l'alcool. En plus de se faire des amis, il est désormais en mesure d'aider bénévolement les nouveaux arrivants à se prendre en charge. Il bénéficie du soutien d'autrui, mais il aide également les autres et participe à la vie d'une organisation fort utile. Comme le souligne Jacques T. Godbout dans son ouvrage *L'esprit du don,* ce type de rapport avec autrui fondé sur la réciprocité tient compte de la dignité humaine. Cet individu a redonné un sens à sa vie sans être infériorisé par rapport à ceux qui lui apportent de l'aide. Quoique le bénévolat ne soit pas une condition d'existence de ces organisations, elles doivent forcément faire appel à une certaine forme de contribution volontaire. La compassion n'est pas nécessairement monnayable.

Le maintien des réseaux d'appartenance

Pour maintenir les réseaux d'appartenance, il est nécessaire de revitaliser les classes moyennes qui ont connu d'importantes transformations depuis une vingtaine d'années. Elles ont joué un rôle très important dans l'évolution de nos sociétés durant les années où elles ont connu un essor, c'est-à-dire des années 50 jusqu'au début des années 80. Dans les années 80, elles ont commencé à s'amenuiser et à se transformer. Rappelons que, pour maintenir un niveau de vie se rapprochant de celui des années de prospérité, les familles de la classe moyenne moins fortunées ont dû bénéficier de deux avantages : le double revenu familial et les transferts de l'État (crédits d'impôt, allocations). L'importance de la classe moyenne pour l'évolution de la société se vérifie dans un certain nombre de secteurs.

1. *L'économie de consommation.* – Les familles de la classe moyenne ont été le principal moteur de l'économie de consommation. Elles ont pu jouer ce rôle en raison de leur très grand nombre et du fait qu'elles bénéficiaient de revenus stables et suffisants. Électroménagers, ameublements, bungalows, piscines, voitures, voyages, condominiums, livres, disques, œuvres d'art : voilà autant d'objets de consommation de masse dont la production a permis à l'économie de fonctionner à plein rendement durant ces années de prospérité.

2. *La création du tiers secteur.* – Elles ont joué un rôle important par leur vitalité associative dans l'établissement du tiers secteur[26]. Elles sont à l'origine de nombreux réseaux sociaux d'appartenance. Que l'on pense aux syndicats, aux coopératives, aux associations de consommateurs et de parents, aux conseils de quartiers, aux écoles de quartier et de village, et aux garderies. Tous ces réseaux sont des lieux de construction des identités qui permettent à l'individu de sortir de l'anonymat. Les classes moyennes ont créé une part importante du tissu social qui est malheureusement en train de se défaire. Les sociologues et les économistes reconnaissent l'importance du capital social pour le développement socioéconomique, c'est-à-dire de cette capacité de sociabilité, de solidarité et d'organisation en vue de la réalisation de projets. La plupart des projets créateurs de sens demandent une certaine disponibilité, un peu d'argent mais surtout la capacité de prendre conscience des problèmes, d'agir et de s'organiser. La société industrielle du XIXe avait besoin de capital financier, de matière première et de force musculaire (force travail) pour se développer. La société qui se construit sous nos yeux a besoin de capital social et de matière grise.

3. *Le monde des valeurs.* – Par les valeurs qu'elles ont véhiculées, les familles de la classe moyenne ont été un agent de modernisation des sociétés d'après-guerre. Elles ont mis de l'avant le travail, la réalisation personnelle et collective, la mobilité sociale, la reconnaissance de la compétence et de l'éducation et la recherche d'une certaine qualité de vie. Compte tenu de l'importance démographique de cette classe (plus de 70 % de la population), on peut dire que ces valeurs sont les valeurs les plus répandues dans la société.

4. *L'imaginaire social.* – La classe moyenne définit pour l'imaginaire social les formes du rêve démocratique auquel les exclus de la société rêvent de participer. Son rétrécissement touche donc les fondements mêmes de nos sociétés. Il sape les aspirations de la majorité, sa confiance en l'avenir, son désir du travail, d'éducation et même de procréation. Les centres urbains, autrefois des lieux de dynamisme social et d'activité des classes moyennes, sont devenus des points de convergence des exclus et des êtres en détresse. Ce phénomène de rétrécissement et de transformation des classes moyennes apparaît en fait, selon plusieurs études, être typique de notre époque. Cette transformation peut, dans la mesure où la classe moyenne est la principale base de l'État, de l'économie et de la culture, avoir un effet négatif sur l'ensemble de la vie sociale. À l'inverse, si elle parvenait à se maintenir et à se développer comme par le passé, elle pourrait favoriser une meilleure prise de conscience des problèmes, une plus grande détermination, et une meilleure organisation favorable à la création d'une nouvelle solidarité sociale.

RÉVISION

En quoi peut-on dire que les classes moyennes ont joué un rôle de premier plan dans la vie des sociétés de 1950 à 1980 ? Qu'est-ce qui a changé depuis ?

26. Howard Dick, « L'Europe et les États-Unis au défi du politique », *Esprit*, juillet 94, p. 143-156.

Le soutien aux démunis et aux plus faibles

Dans sa réflexion sur les relations entre l'État et les citoyens, Hans Jonas constate qu'il est difficile d'établir dans quelle mesure un bon État peut produire de bons citoyens, mais qu'il apparaît certain – l'histoire le montre – qu'un mauvais État engendre de mauvais citoyens et cela, à tous les niveaux du social[27]. Le néolibéralisme a favorisé, ajoute-t-il, la dégradation de l'environnement, des rapports entre les individus et des rapports entre le monde industrialisé et le Tiers-Monde. Si le laisser-faire nous a entraînés dans une impasse, il est temps d'essayer de développer la solidarité sociale et le sens des responsabilités des citoyens. Le principe Responsabilité demande que nous assumions nos obligations face à l'avenir de la planète, aux générations futures et aux populations du Tiers-Monde.

C'est ainsi que l'on parle de plus en plus de l'État solidaire[28], de l'État animateur et de l'État coordonnateur pour définir ce nouveau rôle social de l'État. Celui-ci a une responsabilité dans la résolution de ces problèmes, mais il ne peut plus agir seul ni de façon autoritaire. En cherchant à nommer ce nouveau mode d'intervention de l'État, on cherche à mieux définir son rôle comme institution sociale apte à relever les défis d'aujourd'hui. Il est clair que les termes « solidarité », « animateur » et « coordonnateur » mettent en évidence une dimension plus active et personnelle que ceux de « providence » et de « protecteur »[29]. C'est davantage qu'une question de mots.

On doit donc favoriser la prise en charge des individus et de leurs groupes d'appartenance par eux-mêmes. L'État est souvent leur interlocuteur privilégié et parfois leur adversaire, puisqu'il se comporte avec le tiers secteur – notamment avec les syndicats du secteur public – comme patron ou comme un vérificateur, conformément aux tendances naturelles d'une technocratie. Or, le secteur intermédiaire cherche à sauvegarder son autonomie face à l'État, malgré qu'il doive compter sur lui pour assurer matériellement son fonctionnement.

Ce que les groupes communautaires et les corps intermédiaires demandent à l'État, c'est de pouvoir travailler de façon autonome avec des ressources minimales. Ils prétendent rendre de précieux services à la société et cherchent à créer un climat de collaboration avec l'État plutôt que de compétition[30]. Ainsi,

27. Voir Hans Jonas, *Le principe responsabilité – Une éthique pour la civilisation technologique,* trad. de l'allemand par Jean Greisch, Paris, Cerf, 1992, p. 229-230.

28. Jacques Fournier, « De l'État-providence à l'État solidaire », *Possibles,* vol. 18, nº 3, été 94, p. 70-82.

29. Voir « Profession ombudsman – Un entretien avec le protecteur du citoyen », *La Quête,* vol. 11, nº 11, avril-mai 1996, p. 11-13.

30. Paul R. Bélanger et Benoit Lévesque, « Le mouvement populaire et communautaire : de la revendication au partenariat », dans Daigle et Rocher, *Le Québec en jeu – Comprendre les grands défis,* Montréal, PUM, 1992, p. 713-743.

un groupe qui travaille à l'alphabétisation ne tient pas nécessairement à être intégré au ministère de l'Éducation. Mais il veut avoir les moyens de remplir son mandat en collaboration avec les ministères concernés par son action.

La crise de l'État n'est pas que financière : elle est aussi politique et culturelle. Il est en principe avantageux pour l'État de déléguer des responsabilités au tiers secteur, mais il doit éviter de sabrer dans les ressources qui lui sont allouées. Il est clair que le tiers secteur a besoin de ces ressources pour exister. Que feraient les groupes d'alphabétisation et les centres pour femmes battues sans le financement de l'État ? Si l'exercice de la démocratie passe désormais par cette nouvelle forme de citoyenneté, il faut lui donner les moyens d'exister[31].

Ce niveau intermédiaire peut fournir des services de proximité nécessaires aux individus, par exemple offrir de l'aide juridique aux locataires, soutenir les centres de désintoxication, les garderies, les popotes volantes, les magnétothèques, les centres d'accueil pour sidéens, pour femmes violentés, pour ex-psychiatrisés. C'est ce que l'on nomme l'économie sociale : un ensemble de services offerts aux personnes hors des structures étatiques et de l'économie marchande. Ces services dits « de proximité » créent de l'emploi et sont un lieu de développement de nouvelles formes de solidarité et d'entraide. Comme le soulignent les sociologues Yves Vaillancourt et Benoît Lévesque, l'économie sociale propre aux groupes communautaires et coopératifs offre un moyen de dépasser les limites de l'État-providence pour parvenir à créer un État solidaire[32].

Nommez quatre caractéristiques des lieux intermédiaires d'appartenance et d'action susceptibles d'aider l'État moderne à régler ses problèmes financiers et politiques. Précisez dans quelles conditions ils peuvent le faire.

Ces divers groupes ou associations offrent certainement un apport à la société autre que celui de fournir des services en complément des services étatiques. Ils sont un lieu important de sociabilité et de renforcement du tissu social. De plus, ils défendent des valeurs précieuses dans la conjoncture actuelle : une meilleure qualité de vie, une plus grande proximité des besoins, la convivialité, la transmission de l'information et l'engagement des participants.

Nous avons dit précédemment que les États devaient chercher à construire et à maintenir un fort sentiment identitaire ainsi que des liens sociaux étroits entre tous ses membres. La coopération avec le tiers secteur et les corps intermédiaires est assurément un des moyens d'y parvenir.

31. Voir Alain Touraine, *op. cit.* et Louis Favreau, « Europe et Amérique : nouvelles réponses du mouvement associatif », *Possibles,* vol. 18, nº 3, été 94, p. 83-91.

32. Voir Benoît Lévesque et Yves Vaillancourt, « Une économie plurielle », *Le Devoir,* 16 mai 1996.

L'État modeste

Selon Michel Crozier[33], l'État doit être modeste et laisser plus de place aux autres acteurs sociaux, afin de favoriser l'émergence de nouvelles formes de solidarité. Parce qu'il est prêt à partager le pouvoir avec les autres acteurs sociaux, il doit encourager l'initiative personnelle et la collaboration.

Il existe des acteurs sociaux dynamiques. Beaucoup de gens ont appris qu'il était essentiel de collaborer pour éviter d'être isolés et pour obtenir des changements. Mais les mentalités se transforment plus lentement. On voit encore l'État, ou « le gouvernement », comme une panacée universelle, même si par ailleurs on est de plus en plus amené à prendre en main sa santé, ses études et la qualité de son travail. Rosanvallon et Viveret parlent du développement d'une « nouvelle culture politique » comme d'un nouveau moment de la modernité[34]. Il s'agit de rien de moins que d'une nouvelle façon de se représenter les autres et de se rapporter à l'ensemble de la société, bref, d'un nouvel imaginaire. À travers les critiques qui sont adressées à l'État et la prise de conscience des limites de l'État-providence émerge graduellement ce nouvel imaginaire. Le tableau 2 présente les principaux jalons de l'évolution des conceptions de l'État au Québec.

Tableau 2 Jalons de l'évolution des conceptions de l'État au Québec

Avant les années 60 :	crainte de l'État
Années 60 :	grande foi en l'État
Années 70 :	critique de l'État-patron
Années 80 :	critique de l'État-bureaucratie
Fin des années 80 et début 90 :	limites financières de l'État-providence
Fin des années 90 :	État solidaire ? État animateur ?

Il est clair que ces différentes perceptions de l'État de 1940 à l'an 2000 représentent autant de jalons importants de l'histoire des sociétés occidentales, et notamment de celle du Québec contemporain. Les principales étapes des transformations qu'il a connues ne peuvent être analysées sans tenir compte de la compréhension sociale de cet acteur de premier plan qu'est l'État. On ne peut prévoir l'avenir d'aucune société sans préciser la place qu'y détient l'État, une place qui varie avec les époques.

33. Voir Michel Crozier Michel, *État modeste – État moderne,* Paris Fayard, 1987.

34. Voir Pierre Rosanvallon Pierre et Patrick Viveret, *Pour une nouvelle culture politique,* Paris, Seuil, 1977.

RÉSUMÉ

1. Les fonctions exercées par l'État qui contribuent aux transformations des sociétés ont fait l'objet de l'étude de la sociologie depuis ses débuts. L'État doit notamment chercher à prévenir les problèmes sociaux et aider à en trouver les causes et éventuellement à les résoudre.

2. Différentes conceptions du rôle social de l'État dans la société ont été véhiculées par les observateurs et les analystes des processus sociaux. Deux conceptions, le libéralisme et la social-démocratie, ont dominé la scène politique durant le dernier siècle et demi. Elles mettent l'accent sur des rôles différents que doit jouer l'État par rapport à l'économie, au travail et à l'ensemble de la vie sociale ou culturelle. Cette différence s'est manifestée en particulier par l'importance relative que les tenants de ces conceptions accordent aux droits individuels et aux droits collectifs. Dans les différents pays occidentaux, c'est l'État-providence qui fut à l'origine des principales améliorations survenues dans le travail ainsi que dans la vie sociale.

3. Nous assistons aujourd'hui à la limitation du rôle de l'État comme État-providence ou comme État néolibéral. La question du partage des pouvoirs et des responsabilités entre l'État et les citoyens fait actuellement l'objet d'un débat passionné. Dans un contexte d'internationalisation des échanges économiques et culturels, la souveraineté et l'identité des États sont au cœur de cette discussion.

4. Pour relever les défis auxquels il fait face, l'État doit prendre appui sur les forces sociales en présence, notamment le tiers secteur, les corps intermédiaires et les classes moyennes. L'État doit chercher à recréer la solidarité sociale, à maintenir les lieux d'appartenance et à soutenir les démunis et les plus faibles en encourageant l'économie sociale.

5. La définition d'un rôle plus modeste pour l'État devrait créer, dans les prochaines années, de nouveaux rapports entre l'État et la société civile. Peu à peu, une conception différente du pouvoir et de la place du citoyen par rapport à ce pouvoir devrait émerger de ce processus.

POUR CONTINUER LA RÉFLEXION

ARENDT, Hannah, *Condition de l'homme moderne,* trad. de l'anglais par Georges Fradier, Paris, Calmann-Lévy, 1961.

ROCHER, Guy, « Tension et complémentarité entre droits individuels et droits collectifs », *Cahiers de recherche éthique – Vers de nouveaux rapports entre l'éthique et le droit,* Université du Québec à Rimouski, nº 16, Fides, 1991, p. 209-221.

GODBOUT, Jacques T., *La démocratie des usagers,* Montréal, Boréal, 1987.

Bibliographie par chapitre

CHAPITRE 1

BALANDIER, Georges, *Le désordre – Éloge du mouvement,* Paris, Fayard, 1988.

BOURQUE, Gilles et Jules DUCHASTEL, *Restons traditionnels et progressifs,* Montréal, Boréal, 1988.

DAIGLE, Gérard et Guy ROCHER, *Le Québec en jeu,* Institut québécois de recherche sur la culture, 1993.

DION, Léon, *Québec, 1945-2000,* tome 2 : *Les intellectuels et le temps de Duplessis,* Québec, Presses de l'Université Laval, 1993.

DUMONT, Fernand (dir.), *Une société de jeunes ?,* Québec, Institut québécois de recherche sur la culture, 1986.

DUMONT, Fernand, Simon LANGLOIS et Yves MARTIN, *Traité des problèmes sociaux,* Québec, Institut québécois de recherche sur la culture, 1994.

DURAND, Jean-Pierre et Robert WEIL, *Sociologie contemporaine,* Paris, Vigot, 1989.

ÉLIAS, Norbert, *La société des individus,* trad. de l'allemand par J. Étoré, Paris, Fayard, 1991.

GRAND'MAISON, Jacques, *Vers un nouveau conflit de génération – Profils sociaux et religieux des 20-35 ans,* Montréal, Fides, 1992.

JACQUART, Albert, *Voici le temps du monde fini,* Paris, Seuil, 1991.

LANGLOIS, Simon, *La société québécoise en tendances,* Institut québécois de recherche sur la culture, 1992.

LAPEYRONNIE, Didier, « Mouvements sociaux et action politique – Existe-t-il une théorie de la mobilisation des ressources ? », *Revue française de sociologie,* vol. XXIX, 1988, p. 589-599.

LESEMAN, Fred. « Les nouvelles pauvretés, l'environnement économique et les services sociaux », dans Madeleine GAUTHIER (dir.), *Les nouveaux visages de la pauvreté,* Institut québécois de recherche sur la culture, 1987.

LINTEAU, Paul-André, René DUROCHER et Jean-Claude ROBERT, *Histoire du Québec contemporain,* tome II, Montréal, Boréal, 1986.

MCROBERTS, Kenneth et Dale POSTGATE, *Développement et modernisation du Québec,* Montréal, Boréal, 1983.

MILLS, Charles Wright, *L'imagination sociologique,* trad. de l'américain par Pierre Clinquart, Paris, Maspero, 1977.

MORE, Wilbert Elis, *Les changements sociaux,* Paris, Duculot, 1971.

REZSOHAZY, Rudolph, « Itinéraires pour l'étude du changement social », *Revue de l'Institut de Sociologie,* nº 1, 1980, p. 81-94.

RUBINGTON, Erl et Martin S. WEINBERG, *The Study of Social Problems – Six Perspectives,* New York, Oxford University Press, *1989.*

TOURAINE, Alain, *Production de la société,* Paris, Seuil, 1973.

TREMBLAY, Diane-Gabrielle, *L'emploi en devenir,* Québec, Institut québécois de recherche sur la culture, 1991.

VARAGNAC, André, *Civilisation traditionnelle et genres de vie,* Paris, Albin Michel, 1948.

ZIEGLER, Jean, *Sociologie et contestation,* Paris, Gallimard, coll. Idées, n° 192, 1969.

CHAPITRE 2

ARON, Raymond, *Les étapes de la pensée sociologique,* Paris, Seghers, 1967.

BACHELARD, Gaston, *La formation de l'esprit scientifique,* 12e éd., Paris, Vrin, 1983.

BOUDON, Raymond et François BOURRICAUD, *Dictionnaire critique de la sociologie,* Paris, PUF, 1982.

BOURDIEU, Pierre, *Questions de sociologie,* Paris, Minuit, 1981.

BOURDIEU, Pierre., J.-C. PASSERON et J.-C. CHAMBOREDON, *Le métier de sociologue,* Paris, Mouton, 1968.

BRADBURY, Bettina, *Fouilles ouvrières à Montréal,* Montréal, Boréal, 1995.

COULSON, M. A. et Carroll RIDDELL, *Devenir sociologue,* Montréal, Éd. Saint-Martin, 1981.

DUMONT, Fernand, *Essais sur les sciences de l'Homme,* tome V, *Chantiers,* Montréal, Hurtubise, 1973.

DURAND, J. P. et Robert WEIL, *Sociologie contemporaine,* Paris, Vigot, 1989.

ÉLIAS, Norbert, *Norbert Élias par lui-même,* trad. de l'allemand par Jean-Claude Capèle, Paris, Fayard, 1991.

JAVEAU, Claude, *Comprendre la sociologie,* Paris, Seghers, 1974.

LABELLE, Micheline, *Histoires d'immigrées,* Montréal, Boréal, 1987.

LAFONTANT, Jean, *Initiation thématique à la sociologie,* Saint-Boniface, éd. des Plaines, 1990.

LALIVE D'ÉPINAY, Christian, *Vieillesses – Situation, itinéraires et modes de vie des personnes âgées aujourd'hui,* Suisse, éd. Georgi, 1983.

LEWIS, Oscar, *Les enfants de Sanchez – Autobiographie d'une famille mexicaine,* trad. de l'anglais par Céline Zins, Paris, Gallimard, 1972.

MERTON, Robert K., *Éléments de théorie et de méthode sociologique,* trad. de l'américain et adaptés par Henri Mendras, Paris, Plon, 1965.

MILLS, Wright, *Images of Man,* New York, George Braziller, 1967.

PARSONS, Talcott, *Éléments pour une sociologie de l'action,* trad. de François Bourricaud, Paris, Plon, 1955.

POLANYI, Konrad, *La grande transformation – Aux origines politiques et économiques de notre temps,* Paris, Gallimard, 1983.

REZSOHAZY, Rudolf, « Aspects théoriques et méthodologiques de l'étude du changement culturel », dans Gilles PRONOVOST (dir.), *Cultures populaires et sociétés contemporaines,* Presses de l'Université du Québec, 1982, p. 51-61.

ROCHER, Guy, *Introduction à la sociologie générale,* tome III, Montréal, HMH, 1969.

ROUSSEAU, Jean-Jacques, *Du contrat social* (1762), Paris, Garnier-Flammarion, 1966.

SAINT-PIERRE, Céline, « Paroles sociologiques – Itinéraire et plaidoyer », dans *Savoir sociologique et transformation sociale, Cahiers de recherche sociologique,* Montréal, Presses de l'Université du Québec, 1990, p. 89-96.

CHAPITRE 3

BALANDIER, Georges, *Le dédale – Pour en finir avec le XXe siècle,* Paris, Fayard, 1994.

BOLTANSKI, Luc, *L'amour et la justice comme compétences,* Paris, Métaillé, 1990.

BOISVERT, Yves, *Le postmodernisme,* Montréal, Boréal, 1995.

BOUDON, Raymond, « L'acteur social est-il si irrationnel qu'on le dit ? », dans Catherine AUDARD *et al.*, *Individu et justice sociale – Autour de John Rawls,* préf. de Francois Terre, Paris, Éditions du Seuil, 1988.

CAHIERS DE RECHERCHE SOCIOLOGIQUE, « Savoir sociologique et transformation sociale », n° 14, 1990, p. 5-7.

CASTORIADIS, Cornelius, *La société bureaucratique,* tome 2 : *La révolution contre la bureaucratie,* Paris, Union générale des éditions, coll. 10-18, 1973.

_____, *L'Institution imaginaire de la société,* Paris, Seuil, 1975.

CROZIER, Michel, *La société bloquée,* Paris, Seuil, 1970.

DE CERTEAU, Michel, *L'invention du quotidien,* Paris, Union générale des éditions, coll. 10-18, 1980.

DUBET, François, « Après l'évolutionnisme, y a-t-il une sociologie du changement ? », *Connexions,* n° 45, 1985, p. 15-35.

DUPUIS, Jean-Claude, Lise GIROUX et Louis-Michel NOËL, *Le sida – Accompagner une personne atteinte,* Montréal, Logides, 1995.

FILLEULE, Olivier, « Sociologie de la mobilisation », *Sciences humaines,* mai-juin 1995.

GORZ, André, *Adieux au prolétariat,* Paris, Galilée, 1980.

HERZOG, Philippe, *La société au pouvoir,* Paris, Juliard, 1994.

LYOTARD, Jean-François, *La condition postmoderne,* Paris, Minuit, 1979.

MACCIO, Charles, *Valeurs de notre temps,* Lyon, Chronique sociale, 1991.

ROCHER, Guy, *Entre les rêves et l'histoire,* Montréal, VLB, 1989.

ROSANVALLON, Pierre, *La question syndicale,* Paris, Calmann-Lévy, 1988.

TOURAINE, Alain, *La voix et le regard,* Paris, Seuil, 1978.

_____, *Le retour de l'acteur,* Paris, Fayard, 1984.

_____, *Qu'est-ce que la démocratie ?,* Paris, Fayard, 1994.

TOURAINE, Alain, Michel WIEVIORKA et François DUBET, *Le mouvement ouvrier,* Paris, Fayard, 1984.

CHAPITRE 4

ALBERONI, Francesco, *Le choc amoureux,* Paris, Ramsay, 1979.

_____, *L'amitié,* Paris, Ramsay, 1984.

ARENDT, Hannah, *Du mensonge à la violence,* Calmann-Lévy, 1972.

AUBERT N., E. ENRIQUEZ et V. de GAULEJAC, *Le sexe du pouvoir – Femmes, hommes et pouvoir dans les organisations,* Paris, Desclée de Bronwer, 1986.

BAUDRILLARD, Jean, *De la séduction,* Paris, Denoël, 1981.

BERNARD, Jessie, « Changing Family Life Style », dans Eugene ARNOLD, *Parents, Children and Change,* Lexington Books, 1985.

BISSONDATH, Neil, *Selling illusions – The Cult of Multiculturalism in Canada,* Penguin Books, 1994.

BOLTANSKI, Luc, *L'amour et la justice comme compétences,* Paris, Métaillé,1990.

BRAULT, Marie-Marthe et Lise SAINT-JEAN, *Entraide et associations,* Montréal, Institut québécois de recherche sur la culture, 1990.

BRUCKNER, Pascal, *La tentation de l'innocence,* Paris, Grasset, 1995.

BUREAU DE LA STATISTIQUE DU QUÉBEC, *Portrait social du Québec,* Québec, Les publications du Québec, 1992.

_____, *Les hommes et les femmes,* Québec, Les publications du Québec, 1994.

CHABOT, Marc, *Rôles et valeurs familiales,* Québec, Musée de la civilisation, doc. n° 3, 1989.

CHARBONNEAU, Johanne, « Le don et les nouvelles représentations du lien familial », *Cahiers de recherche sociologique,* n° 21, 1993, p. 123-142.

CORDERO, Christiane, *La famille,* Paris, Le Monde-Marabout, 1995.

DE CERTEAU, Michel, Luce GIARD et Pierre MAYOL, *L'invention du quotidien,* tome 2, Gallimard, 1994.

DE ROUGEMONT, Denis *L'amour et l'Occident,* UGE, coll. 10-18, 1971.

DUBY, Georges, *Histoire de la vie privée,* Paris, Seuil, 1985.

ÉLIAS, Norbert, *La civilisation des mœurs,* Paris, Calmann-Lévy, 1973.

FEHER Michel, « Identités en évolution – Individu, famille, communauté aux États-Unis », *Esprit,* n° 212, juin 95, p. 114-131.

FOUCAULT, Michel, *Histoire de la sexualité,* 3 tomes, 1976-1984, Paris, Gallimard.

GIDDENS, Anthony, « The Transformation of Intimacy – Sexuality, Love and Erotism », dans *Modern Society,* California, Standford University Press, 1992.

GOFFMAN, Erving, *Asiles – Essai sur la condition des malades mentaux,* Paris, Minuit, 1968.

GOUVERNEMENT DU QUÉBEC, *Un Québec fou de ses enfants,* Québec, Les publications du Québec, 1991.

_____, *Les Québécoises déchiffrées,* Québec, Les publications du Québec, 1995.

HALIMI, Gisèle, *Droits des hommes et droits des femmes,* Montréal, Fides-Bellarmin, 1995, coll. Les grandes conférences, 1995.

HOUSTON, Nancy, *Pour un patriotisme de l'ambiguïté,* Montréal, Fidès-Bellarmin, coll. Les grandes conférences, 1995.

LANGLOIS, Simon (dir.), *La société québécoise en tendances 1960-1990,* Québec, Institut québécois de recherche sur la culture, 1990.

LECLERC, Annie, *Hommes et femmes,* Paris, Grasset, 1984.

LEMIEUX, Denise (dir.), *Identités féminines – Mémoire et création,* Québec, Institut québécois de recherche sur la culture, 1986.

______, « La condition féminine », dans Fernand DUMONT, Simon LANGLOIS et Yves MARTIN, *Traité des problèmes sociaux,* Institut québécois de recherche sur la culture, 1994, p. 473-495.

LEVASSEUR, Roger (dir.), *De la sociabilité,* Montréal, Boréal,1990.

LINTEAU, Paul-André, René DUROCHER, Jean-Claude ROBERT, *Histoire du Québec contemporain – 1930 à nos jours,* Montréal, Boréal-Express, 1989.

LUXTON, Meg, *More Than a Labour of Love,* Toronto, The Women's Press, 1980.

MAFFESOLI, Michel, *Le temps des tribus,* Paris, Méridien Klincksieck,1988.

MELUCCI, Alberto, « Les adversaires du vide », *Nouvelles pratiques sociales,* vol. 3, n° 1, printemps 90.

MEULDERS-KLEIN, Marie-Thérèse et Irène THÉRY (dir.), *Quels repères pour les familles recomposées ?,* Paris, LGDG Montchrestien, 1995.

MONET-CHARTRAND, Simonne, *Ma vie comme rivière,* Montréal, Remue-Ménage, 1982.

OAKLEY, Ann, *The Sociology of Housework,* Londres, Martin Robinson, 1974.

RECHERCHES FÉMINISTES, « Familles », vol.7, n° 1, 1994.

ROUSSEL, Louis, *La famille incertaine,* Paris, Odile Jacob, 1989.

SIMMEL, Georg, « The Sociology of Sociability », *The American Journal of Sociology,* 1949-50, n° 55, p. 254-261.

THERRIEN, Rita et Louise COULOMBE-JOLY, *Rapport de l'AFEAS sur la situation des femmes au foyer,* Montréal, Boréal-Express, 1984.

TODOROV, Tzvetan, « Du culte de la différence à la sacralisation de la victime », *Esprit,* n° 212, juin 95, p. 90-102.

VADEBONCŒUR, Pierre, *Un amour libre,* Montréal, HMH, coll. Sur parole, 1970.

CHAPITRE 5

CAHIERS DE RECHERCHE SOCIOLOGIQUE, Montréal, Presses de l'UQAM, n° 22, 1994.

CAMUS, Renaud, *Il n'y a pas de problème d'emploi,* Paris, POL, 1994.

CASTEL, Robert, *Une chronique du salariat,* Paris, Fayard, 1995.

CENTRE DES JEUNES DIRIGEANTS, *Construire le travail de demain – Cinq tabous au cœur de l'actualité,* Paris, Éd. d'organisations, 1995.

CORIAT, Benjamin, *L'atelier et le robot,* Paris, Christian Bourgeois, 1990.

DUMONT, René, *Un monde intolérable,* Québec, Les grandes conférences, Musée de la civilisation, 1990.

ESPRIT, « Vers une société de pluriactivité ? », décembre 1995, p. 3-95.

FRANCFORT, Isabelle, Florence OSTY, Renaud SAINSAULIEU et Marc UHALDE, « Les nouveaux visages de l'entreprise », *Sciences humaines,* déc. 1995, p. 36-38.

GAGNON, Gabriel, « Solidarités », *Possibles,* vol. 17, n° 3/4, 1993, p. 256-266.

GAULLIER, Xavier, *La deuxième carrière,* Paris, Seuil, 1988.

GRELL, Paul et Anne WÉRY, *Héros obscurs de la précarité,* Paris, l'Harmattan, 1993.

HABERMAS, Jürgen, *La technique et la science comme idéologie,* trad. de l'allemand et préfacé par Jean-René Ladmiral, Paris, Gallimard, 1973.

_____, *Discours sur la modernité,* Paris, Gallimard, 1988.

LALIVE D'ÉPINAY, Christian, *Travail, activité, condition humaine à l'aube du* XXe *siècle,* Maastricht, Presses Universitaires Européennes, 1993.

LE MONDE « INITIATIVES », *Les métamorphoses du travail,* 17 mai, 1995 .

LOJKINE, Jean, *Les jeunes diplômés : un groupe social en quête d'identité,* Paris, Presses Universitaires de France, 1992.

MAYOL, Pierre, « Habiter », dans Michel DE CERTEAU, *L'innovation du quotidien,* Paris, Gallimard, coll. Folio, 1994, p.15-102.

MÉDA, Dominique, « La fin de la valeur-travail ? », *Esprit,* août-septembre 1995, p. 75-93.

MILLS, Wright, *Les cols blancs – Essai sur les classes moyennes américaines,* trad. par André Chassigneux, Paris, Maspero, 1966.

MOTHÉ, Daniel, « Le partage du travail est-il une utopie ? », *Esprit,* juin 92, n° 6, p. 35-46.

_____, « Raréfaction du travail et mutation des mentalités », *Esprit,* août-sept. 95, p. 94-101.

OCDE, *Étude sur l'emploi,* Paris, 1994.

PERRET, Bernard, *L'avenir du travail – Les démocraties face au chômage,* Paris, Seuil, 1995.

CHAPITRE 6

BABY, Antoine, « L'école, lieu et enjeu », *Cahiers de Recherche sociologique,* n° 14, printemps 90, p. 125-130.

_____, « Replacer la relation maître-élève au cœur de l'activité éducative », dans *Options, États généraux,* Québec, CEQ, automne 95, p.121-131.

BARRETTE, Christian, Édith GAUDET et Denyse LEMAY, *Guide de communication interculturelle,* 2e édition, Montréal, ERPI, 1996.

BÉLANGER, P. W. et Guy ROCHER, *École et société au Québec,* Montréal, HMH, 1970.

CEQ/ICEA/RGPAQ, *Une société sans frontière – Forum pour favoriser les droits des personnes analphabètes,* nov. 90.

DELORS, Jacques, *L'éducation – Un trésor est caché dedans,* Rapport de la Commission internationale sur l'éducation pour le vingt et unième siècle, Paris, Éd. Odile Jacob, 1996.

DRUCKER, Peter F., *Managing in a Time of Great Change,* Toronto, Dutton, 1995.

GOUVERNEMENT DU QUÉBEC, *Un Québec fou de ses enfants,* Direction des communications, 1990.

HOUSSAYE, J., *Les valeurs à l'école – L'éducation au temps de la sécularisation,* Paris, Presses universitaires de France, 1992.

LE MONDE DE L'ÉDUCATION, nº 156, janvier 1989.

MEIRIEU, Philippe, *La pédagogie entre le dire et le faire,* Paris, Éditions sociales, 1995.

OCDE, *Les enfants immigrants à l'école,* Paris, 1987.

POSSIBLES, « Éduquer quand même », vol. 20, nº 13, printemps 96.

ROBIN, Jacques, *Changer d'ère,* Paris, Seuil, 1989.

ROCHER, Guy, « Un système d'enseignement en voie de démocratisation », dans Vincent LEMIEUX, *Les institutions québécoises – Leur rôle, leur avenir,* Québec, Presses de l'Université Laval, 1990.

TODOROV, Tzvetan, *Face à l'extrême,* Paris, Seuil, 1991.

WEIL, Simone, *L'enracinement,* Paris, Gallimard, coll. Folio/Essais, nº 141, 1949.

CHAPITRE 7

ARENDT, Hannah, *La crise de la culture – Huit exercices de pensée politique,* trad. de l'anglais sous la direction de Patrick Lévy, Paris, Gallimard, 1972.

BAILLARGEON, Jean-Paul, *Les pratiques culturelles des Québécois – Une autre image de nous-mêmes,* Québec, Institut québécois de recherche sur la culture, 1986.

BASTIDE, Roger, *Art et société,* Paris, Payot, 1977.

BOISVERT, Yves, *Le postmodernisme,* Montréal, Boréal, 1995.

BOUDON, Raymond, *La place du désordre,* Paris, PUF, 1991.

CASTORIADIS, Cornelius, *L'institution imaginaire de la société,* Paris, Seuil, 1975.

CHOMSKY, Noam, *World Order – Old and New,* New York, Columbia University Press, 1994.

COUTURE, Francine, « Art et technologie – Repenser l'art et la culture », dans *Les arts visuels au Québec : les années 60,* Montréal, VLB, 1992.

CROZIER, Michel, *La crise de l'intelligence,* Paris, InterÉditions, 1995.

DE ROSNAY, Joël, *L'homme symbiotique,* Paris, Seuil, 1995.

DUVIGNAUD, Jean, *L'oubli ou la chute des corps,* Paris, Actes Sud, 1995.

ÉLIAS, Norbert, *La civilisation des mœurs,* Paris, Calmann-Levy, Presses/pocket, 1973.

FINKIELKRAUT, Alain, *La défaite de la pensée,* Paris, Gallimard, 1987.

FREITAG, Michel, *Dialectique et société – Introduction à une théorie du symbolique,* Montréal, Éd. Saint-Martin, 1986.

FOURNIER, Marcel, *L'entrée dans la modernité – Science, culture et société au Québec,* Montréal, Éd. Saint.-Martin, 1986.

HABERMAS, Jürgen, « La modernité – Un projet inachevé », trad. de l'allemand par Gérard Raulet, *Critique,* n° 43, oct. 81, p. 950-967.

______, *Morale et comunication – Conscience morale et activité communicationnelle,* trad. de l'allemand par Christian Bouchindhomme, Paris, Cerf, 1986.

LACROIX, Jean-Guy, « La culture, les communications et l'identité dans la question du Québec », *Cahiers de recherche sociologique,* n° 25, 1995, p. 247-298.

LAMONDE, Yvan et Gérard BOUCHARD (dir.), *Québécois et Américains – La culture québécoise aux XIXe et XXe siècles,* Montréal, Fides, 1995.

LAMONDE, Yvan et P. H. HÉBERT, *Le cinéma au Québec – Essai de statistique historique (1896 à nos jours),* Québec, Institut québécois de recherche sur la culture, 1981.

LYOTARD, Jean-François, *La condition postmoderne,* Paris, Minuit, 1979.

MACCIO, Charles, *Valeurs pour notre temps,* Lyon, Chronique sociale, 1991.

MERCURE, Daniel (dir.), *La culture en mouvement,* Québec, PUL, 1992.

MORIN, Edgar, *Pour sortir du vingtième siècle,* Paris, Fernand Nathan, 1981.

______, *L'année Sisyphe,* Paris, Seuil, 1995.

PARTI PRIS, *Borduas – Textes,* Montréal, Parti pris, coll. Paroles, n° 34, 1974.

PRONOVOST, Gilles (dir), *Cultures populaires et sociétés contemporaines,* Québec, PUQ, 1982.

RABOY, Marc *et al., Développement culturel et mondialisation de l'économie – Un enjeu démocratique,* Québec, Institut québécois de recherche sur la culture, 1994.

RIOUX, Marcel, *Un peuple dans le siècle,* Montréal, Boréal, 1990.

TAYLOR, Charles, *Malaise de la modernité,* trad. de l'anglais par Charlotte Melançon, Éd. du Cerf, coll Humanités, 1994.

CHAPITRE 8

AUDET, Michel et A. BUCHIKHI (dir.), *Structuration du social et modernité avancée – Autour des travaux d'Anthony Giddens,* Québec, Presses de l'Université Laval, 1993.

BOLTANSKI, Luc, *La souffrance à distance – Morale humanitaire, médias et politique,* Paris, Métaillé, 1993.

CASTEL, Robert, *La gestion des risques,* Paris, Minuit, 1981.

CHAUME, C. et F. LESEMAN (dir.), *Familles-providence – La part de l'État,* Montréal, Éd. Saint-Martin, 1989.

COMEAU, Robert (dir.), *Jean Lesage et l'éveil d'une nation,* Québec, Presses de l'Université du Québec, 1989.

GALBRAITH, J. K., *La république des satisfaits,* Paris, Seuil, 1993.

GODBOUT, Jacques T., « Ce qui se passe aux frontières de l'État et de la société », *Politique,* nº 19, 1991, p. 67-80.

HABERMAS, Jürgen, « La crise de l'État-providence », dans *Écrits politiques – Culture, droit, histoire,* trad. de l'allemand par Christian Bouchindhomme et Rainer Rochlitz. Paris, Éd. du Cerf, 1990.

JULIEN, Claude, « Pour sortir de l'impasse libérale, une autre politique », *Le Monde diplomatique,* sept. 94.

MAYER, Robert, « L'évolution des services sociaux », dans Fernand DUMONT, Simon LANGLOIS et Yves MARTIN (dir.), *Traité des problèmes sociaux,* Québec, Institut québécois de recherche sur la culture, 1994, p. 1013-1033.

MEISTER, Alfred, *La participation dans les associations,* Paris, Éditions ouvrières, 1974.

PERRET, Bernard et Guy ROUSTANG, *L'économie contre la société,* Paris, Seuil, 1993.

RIOUX, Marcel, « Remarques sur les pratiques émancipatoires dans les sociétés industrielles en crise », dans J. P. DUPUIS, A. FORTIN *et al., Les pratiques émancipatoires en milieu populaire,* Montréal, Institut québécois de recherche sur la culture, 1982, p. 45-78.

ROCHER, Guy, *Le Québec en mutation,* Montréal, HMH, 1973.

ROSANVALLON, Pierre, *La nouvelle question sociale,* Paris, Seuil,1995.

VAILLANCOURT, Yves, *L'Évaluation des politiques du Québec – 1940-1960,* Montréal, Presses de l'Université de Montréal, 1988.

WALZER, Michael, « Socializing the Welfare State », dans Amy GUTMANN (dir.), *Democracy and the Welfare State,* Princeton University Press, 1988.

Glossaire

Action concertée Action menée par des agents de changement. Par exemple, des groupes d'action peuvent collaborer avec les centrales syndicales et les responsables des dossiers sociaux aux différents niveaux du gouvernement en vue d'obtenir des changements à l'échelle de la société (chapitre 1).

Agents de changement Groupes ou personnes qui proposent et défendent des changements. Par exemple, un comité d'école peut mettre de l'avant un projet visant à amoindrir l'effet des obstacles à la réussite scolaire, et ainsi contribuer à diminuer le taux de décrochage scolaire (chapitre 1).

Agents de résistance au changement Groupes ou personnes qui ralentissent ou bloquent les changements mis de l'avant par les agents de changement. Ainsi, la bourgeoisie a été un agent de résistance, dans les années 60 au Québec, à certains des changements proposés dans le rapport Parent sur l'éducation (chapitre 1).

Analphabétisme Incapacité de lire, d'écrire et de compter. Il existe une forme moins grave d'analphabétisme, appelée *analphabétisme fonctionnel,* qui consiste dans une incapacité d'exécuter des tâches simples de la vie quotidienne, par exemple de lire un mode d'emploi, causée par des lacunes en lecture et en calcul (chapitre 6).

Anomie sociale Concept élaboré par Émile Durkheim pour décrire les effets sur les individus et sur les sociétés de la transformation d'une société. Elle se traduit par l'affaiblissement des valeurs fondamentales d'une société (la solidarité et l'altruisme) et l'éclatement des cadres sociaux traditionnels d'appartenance et d'intégration sociale (la famille, la religion, le travail) (chapitre 2).

Changement social Transformation qui touche toutes les parties d'une société. La mutation du monde du travail et l'évolution des institutions sociales comme la famille et l'école constituent des exemples de changement social (chapitre 1).

Cocooning Repli sur la vie privée qui fait intervenir à la fois un certain état affectif de bien-être et le plaisir esthétique et hédoniste qu'on tire à aménager et à habiter des intérieurs douillets et confortables (chapitre 4).

Culture Ensemble des connaissances, des croyances, des coutumes et des traditions dont l'être humain a besoin pour vivre au sein d'une société. Ce savoir, qui peut être transmis ou acquis, constitue un principe d'équilibre et de dynamisme au sein d'une société (chapitre 7).

Culture plurielle Concept utilisé pour mettre en évidence le caractère de diversité culturelle propre à la société contemporaine. Cette diversité tient autant à la cœxistence de diverses cultures (ouvrière, régionale, etc.) sur un même territoire qu'à la résistance à une culture uniformisante imposée par des élites (chapitre 7).

Culture première Culture qui s'exprime dans les modes de fonctionnement quotidiens (façons de parler, de travailler, etc.) des membres d'une société. Cette culture du quotidien est comprise dans les modes de vie et se rattache directement au sens anthropologique du concept de culture (chapitre 7).

Culture seconde Culture qui se manifeste dans les œuvres littéraires, poétiques, musicales, architecturales et picturales d'une société. La culture seconde englobe l'ensemble des formes de l'expression artistique, des œuvres les plus hermétiques aux créations plus populaires présentées dans les médias et les lieux de divertissement (chapitre 7).

Définisseurs de situation Groupe d'intervenants qui sont les premiers à faire prendre conscience à la société de ses problèmes. Ainsi, les médias écrits et électroniques ont contribué à définir la problématique du décrochage scolaire en attirant l'attention du public sur l'importance de ce problème (chapitre 1).

Défi social Obstacle qu'une société doit surmonter pour se développer. Le chômage et l'itinérance font partie des défis auxquels de nombreuses sociétés occidentales font face actuellement (chapitre 1).

Domesticité Ensemble des pratiques reliées à la vie domestique (chapitre 3).

Droits collectifs Les droits collectifs sont des droits reconnus à une collectivité en vertu d'une charte ou d'autres mécanismes légaux. Le droit à l'égalité des chances, le droit à l'éducation, le droit à la santé et le droit au travail sont des droits collectifs (chapitre 8).

Droits individuels Les droits individuels sont les droits reconnus aux personnes en vertu d'une charte ou d'autres mécanismes légaux. Le droit de vote et le droit de propriété sont des droits individuels (chapitre 8).

Éducation Action qu'exerce une génération sur une autre pour l'amener à s'intégrer à la société. Toute société a une ou des institutions qui ont pour fonction de transmettre les éléments nécessaires à cette intégration. Dans la société occidentale, ce sont essentiellement la famille, l'école traditionnelle et l'école dite parallèle (jeux, cinéma, télévision, etc.) (chapitre 6).

Emploi L'emploi est le travail exécuté dans un cadre normatif qui prévoit des descriptions de tâches précises et une rémunération (chapitre 5).

***Empowerment* (responsabilisation)** Démarche par laquelle des personnes ou des groupes sont amenés à se prendre en charge (chapitre 1).

Enjeu social Gains ou pertes qui résultent de la façon dont une société traite ses problèmes dans une situation donnée. Par exemple, le décrochage scolaire représente un enjeu social dans la mesure où un traitement adéquat de ce problème peut procurer des gains à l'ensemble de la société, alors qu'une attitude de laisser-aller peut faire perdurer une situation déjà défavorable pour la société (chapitre 1).

ÉTAT Ensemble des institutions politiques et juridiques qui encadrent la vie en société (chapitre 8).

ÉTUDES LONGITUDINALES Études quantitatives servant à évaluer l'évolution d'un objet dans le temps (chapitre 2).

EXCLUSION SOCIALE Processus par lequel un individu se trouve écarté des principaux lieux de socialisation et de participation, notamment le milieu du travail et le milieu scolaire. La perte d'emploi et le décrochage scolaire sont souvent le premier stade de l'exclusion sociale (chapitre 5).

FAITS SOCIAUX Faits qui peuvent être décrits et analysés à partir de variables sociologiques, par exemple l'âge, le sexe, la classe sociale. La réussite et l'échec scolaire peuvent être considérés comme des faits sociaux (chapitre 2).

FAMILLE MONOPARENTALE Famille composée d'un parent unique, dans la majorité des cas la mère (chapitre 4).

FAMILLE NUCLÉAIRE Famille composée d'un père, d'une mère et d'un ou plusieurs enfants vivant sous un même toit (chapitre 4).

FAMILLE RECONSTITUÉE Famille composée d'un couple, d'un ou des enfants provenant d'une union précédente et d'un ou des enfants qu'ils ont eus ensemble – tous vivant sous un même toit (chapitre 4).

FEMME AU FOYER Rôle typique de la femme dans la famille occidentale d'après-guerre. La femme demeurait au foyer pour s'occuper du travail domestique ainsi que des soins et de l'éducation des enfants (chapitre 4).

FLEXIBILITÉ (DE LA MAIN-D'ŒUVRE) Notion élaborée par les entreprises vers la fin des années 80. Dans la *perspective de l'entreprise,* elle caractérise un personnel mobile, qui n'est rattaché à aucune entreprise en particulier et qui peut être embauché ou licencié au besoin. À court terme, la flexibilité du personnel permet de réduire considérablement les coûts de la main-d'œuvre. Dans la *perspective des employés,* elle caractérise la mobilité à l'intérieur de l'entreprise. Cela suppose que l'entreprise investit dans le recyclage de son personnel afin de le rendre polyvalent et adapté aux transformations technologiques. Elle garantit une relative stabilité au personnel (chapitre 5).

Fonction sociale Place et rôle d'un groupe ou d'une institution dans l'ensemble de la société. On constate par exemple que le groupe des technocrates a une fonction sociale très importante dans la société postindustrielle (chapitre 3).

Forces vives d'une société Groupes et institutions (syndicats, entreprises, État, écoles, etc.) qui assurent le développement d'une société (chapitre 1).

Génération des *baby-boomers* Génération des personnes actuellement âgées environ de 35 à 50 ans. Les *baby-boomers* sont nés après la Deuxième Guerre mondiale durant une période de forte augmentation de la natalité (chapitre 4).

Génération sandwich Génération des personnes actuellement âgées environ de 55 à 65 ans. Cette génération précède la génération des *baby-boomers* (chapitre 4).

Gouvernement Agent de fonctionnement de l'État, représenté par le parti politique au pouvoir (chapitre 8).

Habitus de classe Concept forgé par Pierre Bourdieu pour définir l'identité collective d'un groupe à partir de ses pratiques de consommation, de ses attitudes, de ses comportements (chapitre 6).

Idéologie Système de pensée permettant une interprétation du monde et de l'action humaine. Ainsi, les idéologies capitaliste, libérale, communiste et social-démocrate sont autant de conceptions différentes de la société et de son organisation (chapitre 2).

Imaginaire social Selon Castoriadis, capacité qu'a une société de se transformer sans cesse, de se recréer continuellement à partir de la représentation qu'elle peut se faire de la réalité (chapitre 3).

Indicateurs sociaux Variables quantitatives permettant de mesurer et d'évaluer ce qui se passe dans une société. Le taux de natalité, l'espérance de vie et le taux d'activité des femmes sont des indicateurs sociaux (chapitre 3).

Interactionnisme Courant de la sociologie contemporaine ayant pour objet l'univers des interactions humaines. Son principal représentant est le sociologue américain Erving Goffman (1922-1982) (chapitre 4).

Macrosocial Société considérée dans la perspective des relations que les grandes institutions sociales entretiennent entre elles. Toute société comprend des institutions comme l'organisation politique, la famille, le système d'éducation et le milieu du travail. Le macrosocial est constitué de l'ensemble de ces institutions et de la représentation que la société se donne d'elle-même par leur entremise (chapitre 1).

Microsocial Relations interpersonnelles ou relations entre petits groupes. Le microsocial est étudié notamment par la sociologie du quotidien, qui s'intéresse aux rapports des individus dans les lieux du quotidien, par exemple sur la rue, dans les associations, dans la famille, etc (chapitre 1).

Monographie Approche globale et descriptive d'une réalité sociale. Les monographies portent notamment sur un village, un quartier ou une profession et mettent en évidence l'ensemble de leurs caractéristiques historiques, démographiques, sociales et culturelles (chapitre 2).

Mouvement social Vaste organisation de groupes et d'individus faisant la promotion d'une cause sociale, par exemple la protection de l'environnement (écologisme) ou l'égalité sociale des femmes et des hommes (féminisme) (chapitre 3).

Organisation du travail L'organisation du travail englobe l'horaire de travail, la définition des tâches et des lieux de travail, le fonctionnement des équipes et l'élaboration des modes de production, de la conception à l'exécution des tâches (chapitre 5).

Pathologie sociale Concept forgé par Émile Durkheim pour désigner l'ensemble des problèmes occasionnés par une transformation sociale. Ce sont notamment des phénomènes de déviance et d'autodestruction (chapitre 2).

Pauvreté absolue Incapacité de satisfaire les besoins élémentaires de survie, soit les besoins de nourriture, de vêtements et de logement (chapitre 5).

Pauvreté relative Privation de biens de consommation qui résulte de revenus insuffisants. Ces biens ont pu être considérés autrefois ou dans d'autres pays comme un luxe, mais sont généralement jugés ici indispensables à l'organisation de la vie domestique. Ce sont par exemple le téléphone, la radio ou la télévision (chapitre 5).

Père pourvoyeur Rôle typique de l'homme dans la famille occidentale d'après-guerre. L'homme occupait un emploi dans une usine ou au bureau et pourvoyait aux besoins des membres de la maisonnée au moyen de son salaire (chapitre 4).

Positivisme Doctrine selon laquelle toute théorie doit s'appuyer sur une connaissance scientifique des faits. « Positivisme » est un terme forgé par Auguste Comte. Selon sa loi des trois états, le positivisme est le mode de connaissance propre à une société parvenue à l'état industriel. Aujourd'hui, on emploie ce terme dans un sens beaucoup plus large, selon lequel une théorie qui n'est pas en mesure de présenter une connaissance scientifique des faits n'est pas une théorie acceptable (chapitre 2).

Problème social Problème qui se rencontre chez un nombre important d'individus d'une société. L'alcoolisme, la violence, la pauvreté, le décrochage scolaire sont des problèmes assez répandus dans la société pour qu'on les considère comme des problèmes sociaux (chapitre 1).

Régulation sociale Mécanisme par lequel une société maintient l'équilibre nécessaire à son bon fonctionnement. Dans certains contextes, la régulation sociale peut s'appuyer sur une coercition ouverte, mais en général, dans une société de droit, elle présuppose un système juridique autonome (chapitre 8).

Sociabilité Ensemble des interactions que les individus et les groupes entretiennent entre eux (chapitre 3).

Société civile Ensemble des organismes (et des liens qui existent entre eux) mis sur pied par les citoyens pour répondre à des besoins auxquels les institutions officielles ne répondent pas adéquatement (chapitre 3).

Société postindustrielle Concept forgé par Daniel Bell pour désigner un nouveau type de société apparu en Occident à la fin de la Seconde Guerre mondiale. Elle se caractérise notamment par l'utilisation courante du crédit, le développement des banlieues, la création de l'État-providence, la mise au point et la commercialisation à grande échelle de l'ordinateur, l'automatisation du travail, l'augmentation de la part du secteur des services dans l'économie, l'apparition de la technocratie et l'anonymat dans les différents secteurs de la vie sociale (chapitre 3).

Société postmoderne Concept d'abord employé dans le domaine des arts et de l'architecture pour exprimer une remise en question des critères d'esthétique et de jugement admis jusqu'alors. Par la suite, les sociologues (Maffesoli, Freitag) l'ont utilisé pour caractériser une société en transition qui remet en question le rôle accordé à la rationalité et au progrès technique comme principes à la base de l'organisation sociale (économisme) et qui favorise le pluralisme, la diversité et la recherche de nouvelles valeurs (chapitre 3).

Société programmée Concept utilisé entre autres par Alain Touraine pour mettre en évidence le caractère organisationnel de nos sociétés, favorisé par l'utilisation de l'ordinateur dans tous les domaines. Ainsi, la création et l'utilisation de vastes banques de données à l'école, à l'hôpital et au travail contribuent à réduire l'identité du citoyen à la somme des informations associées à son code ou à son numéro d'identification (chapitre 3).

Sociologie compréhensive Méthode d'analyse des faits sociaux centrée sur les motivations des acteurs sociaux. La sociologie compréhensive accorde une grande place à l'univers des valeurs et à l'analyse des motivations implicites des acteurs sociaux. Max Weber est à l'origine de cette orientation de la sociologie, grâce notamment à son analyse de l'esprit du capitalisme (chapitre 2).

Sociologie dynamique (ou diachronique) Sociologie qui étudie une société en fonction des forces historiques à l'origine des transformations sociales (chapitre 2).

Sociologie statique (ou synchronique) Sociologie qui étudie les structures d'une société à un moment de son existence (chapitre 2).

Stratification culturelle Différences entre des groupes de personnes partageant les mêmes pratiques culturelles (chapitre 3).

Sujet historique Individu ou groupe considéré comme entité consciente de sa position dans l'histoire, de ses filiations, de sa situation actuelle et de ses possibilités d'action (chapitre 3).

Technocrate Responsable (gestionnaire, haut fonctionnaire) possédant une connaissance approfondie d'un dossier et privilégiant les aspects techniques d'un problème au détriment des aspects humains et sociaux. Ce terme a une connotation péjorative et s'applique principalement aux employés des grandes entreprises, privées ou publiques (chapitre 3).

Technocratie Terme formé à partir du grec *tekhnê,* « métier, procédé » et *kratos,* « force, puissance ». Système politique dans lequel le savoir technique a préséance sur toute autre forme de savoir (chapitre 3).

Technostructures Vastes organisations bureaucratisées, gouvernementales ou industrielles, qui débordent parfois les frontières d'un pays, notamment dans le cas d'entreprises multinationales ou transnationales, ou sont concentrées dans des appareils d'État. Elles favorisent l'anonymat et la centralisation des pouvoirs (chapitre 3).

Temps de travail libéré Concept élaboré par André Gorz pour désigner le temps sans but économique, par opposition au temps de travail nécessaire. Le sociologue Jacques Robin emploie le terme *temps choisi* dans un sens analogue (chapitre 5).

Temps de travail nécessaire Concept forgé par André Gorz pour désigner le temps consacré à gagner sa vie, par opposition au temps de travail libéré. Jacques Robin emploie le terme *temps subi* dans un sens analogue (chapitre 5).

Tertiaire moteur Secteur regroupant les activités qui requièrent de l'innovation et de la recherche dans le domaine de la haute technologie (chapitre 5).

Travail Le concept de travail s'applique à toute activité humaine menant à la production de biens et services, qu'elle soit réalisée à l'intérieur ou à l'extérieur de la sphère économique. La préparation d'un repas à la maison est un travail, mais il ne constitue pas une activité rémunérée (chapitre 5).

Sources des photographies

COUVERTURE : Paul-Émile Borduas (1905-1960), *Sous le vent de l'île* (1947). Huile sur toile, 114,7 cm sur 147,7 cm.
Musée des beaux-arts du Canada, Ottawa.
Reproduit avec l'autorisation gracieuse de Mme Gabrielle Borduas.

PREMIÈRE PARTIE (PAGE 1) :

La Presse

Chapitre 1

Page 3 : *La Presse*. Page 6 : Pierre McCann/*La Presse*. Page 11 : B. Skinner/*La Presse*. Page 17 : Dominique Paupardin/*La Presse*. Page 19 : Armand Trottier/*La Presse*. Page 27 : *La Presse*.

Chapitre 2

Page 31 : *La Presse*. Page 34 : Edimédia. Page 35 : Edimédia. Page 37 : Edimédia. Page 40 : UPI/Corbis-Bettmann. Page 42 : Topham/The Image Works.

Chapitre 3

Page 61 : *La Presse*. Page 67 : Corbis-Bettmann. Page 71 : René Picard/*La Presse*. Page 72 : Guay/*La Presse*. Page 77 : Paul-Henri Talbot/*La Presse*. Page 79 : *La Presse*.

DEUXIÈME PARTIE (PAGE 89) :

Robert Nadon/*La Presse*.

Chapitre 4

Page 91 : Robert Nadon/*La Presse*. Page 96 : UPI/Corbis-Bettmann. Page 99 : UPI/Corbis-Bettmann. Page 102 : Robert Nadon/*La Presse*. Page 118 : UPI/Corbis-Bettmann. Page 129 : UPI/Corbis-Bettmann. Page 135 : Bernard Brault/*La Presse*.

Chapitre 5

Page 137 : Robert Nadon/*La Presse*. Page 142 : Michel Gravel/*La Presse*. Page 143 : Céline Saint-Pierre. Page 149 : Robert Nadon/*La Presse*. Page 154 : UPI/Corbis-Bettmann. Page 164 : Robert Nadon/*La Presse*.

TROISIÈME PARTIE (PAGE 177) :

Luc Simon Perrault/*La Presse*

Chapitre 6

Page 179 : Luc Simon Perrault/*La Presse*. Page 181 : Topham/The Image Works. Page 184 : Pierre McCann/*La Presse*. Page 190 : *La Presse*. Page 201 : *La Presse*. Page 211 : Michel Gravel/*La Presse*.

Chapitre 7

Page 223 : Luc Simon Perrault/*La Presse*. Page 227 : *La Presse*. Page 231 : Jean Goupil/*La Presse*. Page 238 : *La Presse*. Page 243 : Tompkins collection. Courtesy, Museum of Fine Arts, Boston. Page 248 : *La Presse*. Page 251 : P. Lalumière/*La Presse*.

Chapitre 8

Page 257 : *La Presse*. Page 266 : Luc Simon Perrault/*La Presse*. Page 268 : *La Presse*. Page 273 : photo du haut : UPI/Corbis-Bettmann ; photo du bas : Michel Gravel/*La Presse*. Page 277 : Jennifer Harper/*La Presse*.

Sources des bandes dessinées

Chapitre 2

Page 54 : Line Arsenault, *La vie qu'on mène 2 – C'est à quel âge la vie?,* Terrebonne, Éditions Mille-Îles, 1996, p. 53.

Chapitre 3

Page 63 : Line Arsenault, *op. cit.,* p. 40.

Chapitre 4

Page 106 : Line Arsenault, *op. cit.,* p. 10.
Page 111 : Quino, *Le petit frère de Mafalda,* Grenoble, Éditions Glénat, 1983, p. 24.

Chapitre 5

Page 145 : Charles M. Schulz, *Misère ! Charlie Brown,* Montréal, Éditions HRW, 1975, n. p.
Page 168 : Line Arsenault, *op. cit.,* p. 39.

Chapitre 6

p. 193 : Charles M. Schulz, *Le chef des briquets,* Montréal, Éditions HRW, 1975, n. p.

Chapitre 7

Page 230 : Charles M. Schulz, *L'irrésistible Charlie Brown,* Montréal, Éditions HRW, 1972, n. p.

Chapitre 8

Page 279 : Quino, *Mafalda 1,* Paris, Éditions J'ai lu, coll. J'ai lu BD, 1986, p. 26-27.

Index

INDEX

D